DU MÊME AUTEUR

Aux Éditions Gallimard

PRESTIGES ET PERSPECTIVES DU THÉÂTRE FRANÇAIS

MOLIÈRE ET LA COMÉDIE CLASSIQUE. *Extraits des cours de Louis Jouvet au Conservatoire (1939-1940).*

TRAGÉDIE CLASSIQUE ET THÉÂTRE DU XIXᵉ SIÈCLE. *Extraits des cours de Louis Jouvet au Conservatoire (1939-1940).*

Pratique du théâtre

Collection dirigée
par André Veinstein

LOUIS JOUVET

Molière
et la comédie
classique

EXTRAITS DES COURS
DE LOUIS JOUVET
AU CONSERVATOIRE

(1939-1940)

GALLIMARD

324453

X760

AVERTISSEMENT

Ce livre est composé d'un choix de cours donnés par Louis Jouvet au Conservatoire National d'Art dramatique, de novembre 1939 à décembre 1940. Ces cours étaient sténographiés. Les textes n'ont pas été retouchés par Louis Jouvet. Ils sont publiés sans correction de style.

Chaque cours, ou ensemble de cours, est donné dans son intégrité, à de rares exceptions près, de manière à rester un témoignage authentique de ce que fut l'enseignement de Louis Jouvet.

Le comportement de l'élève n'étant pas décrit, certaines indications de Louis Jouvet pourraient paraître contradictoires au lecteur s'il ne tenait pas compte qu'elles sont fonction du comportement, de la personnalité, des connaissances et du degré de travail de l'élève. Ces indications varient aussi d'un auteur à l'autre : « Chaque texte, dit Louis Jouvet, demande de la part du comédien un jeu spécial, c'est-à-dire un comportement spécial dans lequel sa diction et son sentiment ont un rapport différent. »

Les prénoms donnés aux élèves n'ont aucun rapport avec leurs prénoms véritables.

Les quelques notes manuscrites de Louis Jouvet que comportait la dactylographie originale ont été reportées en bas de page.

Alceste

Molière

LE MISANTHROPE

ACTE I, SCÈNE 1

ALCESTE, *Michel.*
Philinte, *Jacky.*

CLASSE DU 3 AVRIL 1940

[Michel entre par le quatrième plan droite, suivi de Jacky, qui lui donne la réplique dans Philinte. Toute la première partie de la scène se passe à gauche, les deux protagonistes étant séparés par une table et une chaise. Sur : « Non, elle est générale, et je hais tous les hommes », Michel marche vers la droite, et la suite de la scène se passe de l'autre côté. L. J. arrête à : « On se rirait de vous, Alceste, tout de bon, — Si l'on vous entendait parler de la façon. — Tant pis pour qui rirait. »]

MICHEL : Il faudrait que vous m'indiquiez une mise en scène...
L. J. : Pourquoi veux-tu faire de la mise en scène là-dedans? Il n'y en a pas besoin. Vous avez mis une table et une chaise au milieu...
MICHEL : Je voulais qu'il s'assoie au milieu de sa grande histoire : « Mon flegme est philosophe... »
L. J. : La mise en scène ne se fait pas avec des raisons pareilles. Cela ne veut rien dire. Abstenez-vous de ces choses. Ce sont des trucs qui faussent le travail que vous avez à faire. Ici, il n'y a pas besoin de mise en scène, ce n'est pas utile.
MICHEL : Évidemment. [Il ne semble pas convaincu.]
L. J. : Je te fais cette observation parce que cela indique de ta part certaines erreurs dans l'interprétation; il faudrait que tu comprennes : si tu donnais cette scène à un examen, on te mettrait zéro, parce que tu ne sais pas ton texte. Ça t'étonne hein?
[Il est étonné parce qu'il n'a hésité que deux ou trois fois, mais on voyait très bien qu'il n'était pas sûr de lui.]
L. J. : Tu as fait des erreurs; tu as fait environ une quinzaine

de vers faux. Je ne fais pas un plébiscite parmi tes camarades, mais tu ne le sais pas; tu inverses des vers...

MICHEL : Je vais bien le repasser...

L. J. : Il ne faut pas donner une scène quand on ne la sait pas. Le petit camarade qui te donne la réplique, dont la réplique était d'ailleurs meilleure que ta scène, aurait dû te le dire.

JACKY : Je le lui ai dit hier...

L. J. : Ne donne pas une scène comme ça devant un professeur... Moi je ne suis pas un « professeur », cela n'a pas d'importance, mais je te le dis.

Au point de vue diction, je te signale que tu as des *a* qui sont des *a* suisses, et de plus en plus; des *a* qui sont presque des *o*. Tu as des muettes trop appuyées. Tu n'as pas fait de progrès depuis le début de l'année, tu sais.

Ce qu'il y a toujours chez toi, *c'est l'intention de jouer. Tout de suite,* tu veux jouer. C'est un cas général pour tous tes camarades.

Tout de suite, tu veux mettre là-dedans du sentiment, exprimer quelque chose. Tu ne peux pas. Si tu faisais de la sculpture, que tu sculptes de la mie de pain, tu pourrais tout de suite faire des fleurs, des guirlandes; mais si tu prenais du marbre, tu ne pourrais pas te livrer à ce genre de fantaisie. Le marbre est du marbre. Molière, c'est Molière; tu ne peux pas le modeler ainsi. Si on vous fait travailler les classiques, au Conservatoire, si on vous ennuie au collège avec eux, c'est qu'ils sont représentatifs de ce qu'il y a de mieux, soit au point de vue diction, soit au point de vue représentation, soit pour la langue et le style, et la syntaxe. Apprenez ces textes en tenant compte du caractère *d'exercice* qu'ils ont. On ne peut pas les *jouer* ainsi. Si tu donnais *Marie-Jeanne ou la Femme du Peuple,* tu chercherais à mettre du sentiment, et il en faudrait.

Une scène comme celle du *Misanthrope* est vraiment quelque chose de stupéfiant. Chaque fois qu'on donne cette scène (je ne dis pas la tienne, parce que c'est un désastre) chaque fois qu'un élève la donne, je suis surpris *par ce que cette scène a d'énigmatique, par ce qu'elle a d'inexprimé, par tout ce qui est derrière la scène, qu'on n'arrive jamais à exprimer.*

On ne peut pas la jouer avec cette légèreté d'intention que tu as. C'est un monde une scène comme celle-là! Dans ce premier acte du *Misanthrope,* il y a d'abord deux amis en scène.

Je vois bien les intentions que tu as quand *tu fais le fâché, l'indigné, le véhément,* toutes les petites intentions que tu donnes, qui sont superficielles... Si tu avais vraiment un grand afflux de sentiment, quand tu as fini ta réplique, tu ne te mettrais pas en coquille, les bras croisés sur la poitrine, ce qui fait ressortir ton dos. Ta réplique finie, tu croises les bras et tu fais trois petits pas assez mous; c'est une façon de te vider de ton sentiment. Tu as une espèce de poussée physique dans ce que tu dis, et quand ta tirade est finie, on sent que tu fais un, deux, trois pas, le troisième un peu en l'air, et qu'après c'est fini.

Mais, le plus grave, c'est que *tu ne parles pas à Philinte.* Évidemment, tu crois lui parler, mais le personnage de Philinte n'existe pas pour toi. Tu es tout à ton indignation, à ton sentiment personnel de véhémence, mais ça ne s'adresse pas à Philinte; ça s'adresse aux frises, au lustre. C'est le travail du cachalot qui, en pleine mer, prend de l'eau, l'envoie en l'air, recommence, sans se soucier du reste. Dans cette scène, *il faut, avant tout, qu'il y ait conversation,* qu'entre deux amis intimes il y ait une *explication grave.* Dis-toi que, Alceste et Philinte, ce sont deux amis (chose qu'on ne montre jamais dans aucune représentation de la pièce d'ailleurs), mais toute la pièce repose sur cette amitié; c'est un couple. L'étonnant, est l'histoire de ces deux amis, Pylade et Oreste, qui sont tombés dans le salon de Célimène. De ces deux amis, l'un est plus intelligent que l'autre dans la connaissance du monde et de la vie sociale et aperçoit très nettement les dangers que court l'autre, Alceste, tandis que celui-ci se dit : Ce sont des dangers, entendu, mais j'aime suffisamment cette femme pour la ramener à des sentiments différents.

Le Misanthrope, c'est d'abord ce drame-là.

Tu peux inventer tout ce que tu voudras. Depuis qu'on joue *Le Misanthrope,* on a trouvé des choses diverses pour faire l'entrée d'Alceste, des mouvements de fureur par lesquels on débute la scène pour la rendre stupéfiante. Il y avait un acteur qui entrait en brisant un fauteuil, un autre qui poussait un siège jusqu'au bout de la scène et s'y affalait. On voit l'insistance, la *prétention de tous les comédiens qui veulent jouer dès l'entrée et qui veulent mettre, dès la première réplique, cette nostalgie humaine, cette solitude morale d'Alfred de Vigny et de Jean-Jacques Rousseau,* qui est dans tout le romantisme français, et dès la première réplique. *Alors il n'y a plus de pièce;* il n'y a plus que *la prétention du comédien à nous montrer qu'il est Alceste.*

ON NE SERA JAMAIS ALCESTE [1]. Alceste est un personnage qui existe avant nous, et qui existera après nous.

1. Destruction du personnage par incarnation réelle. D'ailleurs impossible à incarner à cause de sa nature de héros.

Héros : un appel à de grands sentiments, aux sentiments héroïques, un aimant vers le sublime, la grandeur, le gigantesque.

Sorte de mise en état — mise en état dramatique.

Cloche pneumatique, vide.

Machine pneumatique pour aspirer dans le cœur de l'acteur — d'abord — des sentiments par lesquels il trouve sa diction et son comportement.

A soixante-dix ans, quand tu seras un grand comédien et un grand homme, car il faut être un grand homme pour jouer Alceste, tu joueras Alceste, mais tu ne seras pas Alceste; tu mourras et Alceste vivra.

Ne touchez donc pas à ce personnage, n'essayez pas de le jouer en y apportant vos sentiments personnels; ils sont dérisoires. Essayez donc simplement de dire, de mécaniser par la diction, ce qui a été écrit par un nommé Molière. Il faut que vous vous disiez avec humilité que tout ce que vous pourrez apporter avec vos vingt ans de connaissances, d'humanité profonde, n'arrive pas à la cheville du personnage.

On vous fait étudier ce personnage pour que vous étudiiez un mécanisme de diction qui est la base du métier.

Tu veux jouer Alceste! Tu ne le joueras jamais. Tu m'offrirais une fortune pour le jouer demain que...

Un jour ayant quelque peu travaillé, ayant tout de même compris la grandeur de ce personnage, on se dit : Ce n'est pas la peine, allons nous coucher.

Il ne faut pas essayer de jouer Alceste. Il faut essayer de jouer cette scène comme tu dirais une scène de Labiche. Alceste périt sous les intentions des comédiens qui depuis longtemps, veulent le jouer, comme depuis longtemps la pièce est morte en Sorbonne sous les explications des professeurs barbus qui veulent démontrer [et L. Jouvet prend une voix chevrotante de quelqu'un qui porte râtelier] que « c'est le conflit du monde et de la vertu ».

Il y a d'abord, dans cette pièce, des répliques qu'il faut dire.

Et (ce dont je suis sûr) tu ne peux pas débuter *Le Misanthrope* en disant d'une voix de tonneau : « Laissez-moi là, vous dis-je, et courez vous cacher.» Tu n'iras pas au bout de la pièce parce que tu as attaqué trop bas. Si c'était de la musique, il y aurait une indication, en italien, pour marquer qu'il faut attaquer haut. Si tu n'attaques pas haut, tu n'iras pas au bout de la scène, ou bien tu iras en pensant : Vivement que j'aie fini.

Il faut trouver le rythme, la respiration, pour l'échange des répliques dans ce qu'elles ont de direct.

Tu ne sentiras le sens du texte qu'en essayant de le dire, pas de le jouer. Si tu essaies de le jouer, tu y mettras une boursouflure, une respiration particulière qui ne correspondent pas avec les mots. C'est par la sonorité des mots, par l'exercice respiratoire nécessaire pour dire ces mots que tu trouveras le sentiment; le sentiment ne sera pas celui que tu y apporteras par ta petite sensibilité personnelle.

Autrefois, au Conservatoire, j'ai entendu des types dire : Oh! moi, Alceste, ce n'est pas ça du tout; pour moi c'est un type qui... Eh bien! ça ne te mènera à rien.

Prends [1] donc la scène, apprends-la, et essaie d'imaginer le sentiment du personnage au fur et à mesure que tu dis le texte. C'est déjà beaucoup.

Cette classe devrait être une classe de diction. Quand tu auras bien fait de la diction sur le premier acte d'Alceste, à un moment donné, de toi-même, tu sentiras naturellement venir le sentiment de la scène, le sentiment de ce que veulent dire les répliques. Mais ce ne sera pas ce sentiment premier que tu apportes, que tu veux ajouter dans les répliques, et qui t'empêchera toujours de jouer la scène.

La vue d'une représentation du *Misanthrope* vous fausse également, soit que l'acteur vous ait satisfaits, soit qu'il vous ait irrités. Si ça vous a plu, vous imitez malgré vous, si ça vous a déplu, vous changez l'orientation de ce sentiment, mais il n'y a pas un travail préalable, mécanique, qui est aussi bête que celui du boulanger qui pétrit la pâte.

Le théâtre, c'est d'abord un exercice de diction qui est équivalent au pétrissage. Quand, au bout d'un certain temps, cette substance dramatique est bien assimilée, est bien mélangée en vous, quand on l'a réduite par la bouche et les poumons, je vous assure qu'on arrive à un sentiment, qui n'est pas du tout celui qu'on peut avoir à priori. C'est toujours ainsi qu'il faut pratiquer avec les personnages de théâtre qui sont des héros.

Pour jouer Figaro, un type de dix-huit ans peut avoir tout à coup cet air spirituel, cette fougue, cette vivacité; même pour le monologue du cinquième acte, avec cette sonorité humaine qui n'est pas très grande, quand Figaro dit : « O femmes, femmes! » Tout ça peut être une question d'inspiration, de jeu.

Mais un personnage classique, comme Alceste, comme Tartuffe, un personnage qui est avant tout un héros, vous n'arriverez pas à le jouer en prenant ce procédé, et, ce qui est grave, vous vous fausserez vous-mêmes. Et c'est ainsi que le classique devient embêtant pour tout le monde, aussi bien pour les gens qui sont sur les bancs du collège que pour les comédiens qui au bout d'un certain temps usent leur sensibilité, leur raisonnement, tout le pouvoir et toutes les ressources qu'ils peuvent posséder pour essayer des rôles comme celui-là.

Si ce sont des œuvres classiques, si elles ont perduré jusqu'à maintenant, c'est à cause de cette vertu inépuisable, c'est que ce sont des pièces qu'on peut comparer à ces pièces d'or dont parle Bergson, dont on ne finit pas de rendre la monnaie.

MICHEL : Alors, simplement de la diction.

1. Le texte est une prière au personnage, une incantation pour nécromant. Une imploration au personnage.

L. J. : Dis-le simplement; *en le disant simplement dans la clarté de la diction, tu te sentiras atteint par ce qu'il y a à l'intérieur du texte.* Car dans ce texte, *il y a un pouvoir, il y a une vertu qui agissent aussi bien sur l'acteur que sur le spectateur, et d'abord sur l'acteur.*

Quand tu auras fait cet exercice purement mécanique, après cette ATTENTE RÉCEPTIVE, EN TOI, D'UN SENTIMENT qui va venir, tu sentiras le sentiment; tu comprendras vaguement, intuitivement, qu'il y a un sens. Mais *si tu mets ton sentiment à toi, jamais tu ne trouveras celui de Molière.*

Parce qu'alors on peut faire aussi ce qu'a fait Guitry. Prendre *Tartuffe* et le jouer avec l'accent auvergnat. [On rit.] Oui, à la fin de sa vie, il avait trouvé ce truc-là. En prenant le texte en long en large et en travers, à force de conceptions, un beau jour on finit par trouver. On finit par trouver un truc et on se dit : Ça y est, j'ai trouvé!

Un jour, Guitry était en train de manger la bouillabaisse au Plan d'Orgon, un petit pays dans le Vaucluse, au carrefour de la Provence et de l'Auvergne, où l'on a l'accent du Midi en même temps que la prononciation auvergnate. Tout à coup, entre un frère des écoles chrétiennes, qui parlait comme ça [L. J. imite]. Et Guitry, avec cette simplicité du grand acteur qui s'égale aux auteurs : Orgon, association d'idées, *Tartuffe*, c'est ça, je le copie. Il avait découvert *Tartuffe*, cette pièce inexprimable sur laquelle on peut passer sa vie en commentaires sur ce qui a été fait et ce qu'on en fera, ce qui reste à en faire, cette pièce inépuisable, il l'avait tout à coup découverte dans la façon dont elle pouvait se jouer. L'accent auvergnat est mort, mais *Tartuffe* vit encore.

MICHEL : Mais Molière lui-même ne devait pas être à la hauteur des personnages, dans l'interprétation.

L. J. : Le génie ne sait pas qu'il a du génie. Molière était quelqu'un comme Verneuil, comme Bernstein qui a fait des pièces parce qu'il avait besoin d'en faire, mais qui a eu du génie; il a été le seul qui ne l'ait jamais su, mais il avait du génie. Il devait jouer ses pièces comme si elles avaient été du Verneuil ou du Bernstein; c'est-à-dire qu'il faisait son métier, c'est tout.

CLASSE DU 10 AVRIL 1940

[Jacky est remplacé par Léon dans le rôle de Philinte.]

L. J. : *Avant de commencer cette scène, je vais te prodiguer un dernier conseil : ne la joue pas.*

Tu ne vas pas la jouer, tu vas la dire tout simplement, dans le mouvement qui est dans le texte, sans y mettre d'intentions. Tu vas tâcher de la dire de manière qu'elle s'entende bien. [Michel entre par le troisième plan droite suivi de Léon qui lit la réplique de Philinte. Ils n'ont pas répété ensemble. Léon lit très mal.]

> — Qu'est-ce donc? Qu'avez-vous?
> — ...
> — Moi, je veux me fâcher, et ne veux point entendre.

[Michel a attaqué d'une voix grave.]

L. J. : Recommence. Tu es entré d'un pas très lourd, un pas de laboureur. Fais attention, tu ne voyais pas Philinte. Dans ta marche, tu ne le voyais pas, tu ne voulais pas te débarrasser de lui, *tu exprimais seulement la mauvaise humeur.*

> — Qu'est-ce donc? Qu'avez-vous?
> — ...
> — Laissez-moi là, vous dis-je, et courez vous cacher.

L. J. : Ne ferme pas ta phrase. Si tu fermes ta phrase maintenant, si tu la termines, tu arrêtes le mouvement. Recommence. Les épaules bien droites; ne voûte pas le dos.

> — Qu'est-ce donc? Qu'avez-vous?
> — ...
> — Allez, vous devriez mourir de pure honte;

L. J. : Ton « Allez » n'est pas bon; tu baisses le ton. C'est un débat où le ton reste haut.

Si tu fais de la nuance... Cherche d'abord à établir ton morceau dans une exaspération de ton; après tu feras des nuances. Tu fais l'inverse; tu fais comme les femmes qui veulent jouer Célimène et qui commencent par vouloir fignoler le travail, le fin du fin du sentiment, de l'inflexion. Mais on néglige ce qui est important : c'est-à-dire *l'humeur* — le mouvement — *du personnage.* Et tu resteras avec tes intentions, tu feras ce que tout le monde fait là-dedans; c'est l'art de vouloir y faire quelque chose. En réalité, tu ne feras rien parce que des quantités d'intentions, ce n'est rien.

Les sentiments ne monteront pas en toi si tu n'as pas d'abord le ton, l'humeur, le mouvement du personnage. Reprends-le comme un exercice. Comme un exercice physique. Toi, Léon, ta réplique n'est pas bonne. Tu appuies : « Dans vos *brusques* chagrins / / je ne puis vous comprendre. »

Michel, si tu veux changer, c'est sur le « Allez » qu'il faut le faire. Il va y avoir une explication.

> — Qu'est-ce donc? Qu'avez-vous?
> — ...
> — Et vous me le traitez, à moi, d'indifférent.

L. J. : Si tu t'entendais, tu comprendrais que tu *as raisonné*. Tu as raisonné quelque chose qui est simplement de l'indignation. Recommence.

> — Je vous vois accabler un homme de caresses,
> ...
> Je m'irais, de regret, pendre tout à l'instant.

L. J. : Quand tu seras arrivé au sentiment, que tu auras le mouvement du texte, tu diras cela dans l'indignation d'un bout à l'autre; et il n'y a pas de raisonnement là-dedans; *si tu fais du raisonnement* [1], *c'est clair, évidemment, mais cela enlève le sentiment du personnage.*·

[Michel reprend et le donne simplement en diction.]

> — Allez, vous devriez mourir de pure honte;
> ...
> Je m'irais, de regret, pendre tout à l'instant.

L. J. : Tu comprends?
MICHEL : C'est difficile.
L. J. : Si tu veux « faire quelque chose », fais-le sur le « Morbleu! »

A partir de ce « Morbleu! », c'est autre chose. « Morbleu! » est entre les deux morceaux; c'est du mouvement qui vient d'un sentiment net.

Reprends comme un exercice physique.

Si tu en avais l'habitude, si tu faisais cet *exercice uniquement mécanique*, uniquement avec une articulation de la bouche, en faisant attention de prononcer toutes les syllabes, en supprimant les inflexions qui sont fausses parce qu'elles viennent de tes intentions à toi, tu acquerrais une diction, qui serait la diction du morceau.

> — Allez, vous devriez mourir de pure honte;
> Une telle action ne saurait s'excuser,
> Et tout homme d'honneur s'en doit scandaliser.

L. J. : Tu commences encore à raisonner; reste dans la diction.

[Michel reprend toute la tirade, articulant bien.]

L. J. : C'est mieux. Je ne sais pas si tu l'as senti, mais moi, je le sens.

Sens-tu que tu es obligé de courir la course? Que tu es obligé de te laisser aller simplement au vers?

Tu arriveras au sentiment par ce procédé; alors que tu n'y arriveras pas si tu te presses le cœur, l'esprit et l'âme.

Laisse-toi aller au mouvement. Fais cet exercice en cherchant seulement à te débarrasser des intentions que tu veux mettre dans

---

1. Les « raisonneurs » ne doivent jamais raisonner.

le morceau; ne mets aucune intervention personnelle dans le vers; *cherche seulement la respiration, la mécanique de la diction.*

— Allez, vous devriez mourir de pure honte;
...
Je m'irais, de regret, pendre tout à l'instant.

L. J. : Moi, je l'entends. Ça correspond à un sentiment d'indignation qui est uniforme peut-être mais qui me touche, qui est clair à mon oreille.

— Je ne vois pas, pour moi, que le cas soit pendable,
...
Et ne me pende pas pour cela, s'il vous plaît.

L. J. [à Léon] : Michel vient de te donner le mouvement dans une belle indignation. Tu le prends, tu le poses par terre, et tu lui dis : ramasse-le!
Tu fermes le vers. Le mouvement est brisé. Il est par terre. Il y en a un qui va devoir le ramasser; je ne sais pas qui. *Réponds-lui.*

— Allez, vous devriez mourir de pure honte;
— ...
— Et rendre offre pour offre et serments pour serments.

L. J. : *Il faut être secoué par son texte;* tu fais l'inverse, tu prends le texte et tu l'avales, comme le déjeuner des otaries au Jardin des Plantes. Tu joues pour toi. *Tu dois jouer pour nous, pour le public, pour le partenaire.*
Il faut suivre le texte dans son mouvement premier, dans le mouvement où il a été écrit. Il est sûr, ce mouvement-là, parce que l'auteur dramatique qui a écrit ce texte est un comédien, c'est pour cela que Molière est ce qu'il y a de mieux dans le genre! Il savait ce que c'est que dire un vers, le respirer.
M. Paul Hervieu écrivait de ces phrases qu'il n'a jamais eu à prononcer de sa vie.
Avec Molière, tu peux être sûr que tu dois trouver une respiration « professionnelle » si j'ose dire, et une diction « professionnelle ».

— Non, je ne puis souffrir cette lâche méthode

L'ami du genre humain n'est point du tout mon fait.

MICHEL : Je n'y arrive pas.
L. J. : Tâche de soupirer le « Non » : « Non, je ne puis souffrir cette lâche méthode... », et de trouver le « Morbleu » : « Morbleu! vous n'êtes pas pour être de mes gens. »
Il y a des *rôles physiques* comme celui-là. Les « Ah! » d'Alceste,

au quatrième acte [1]. Si c'était du grec, on comprendrait tout de même.

De même dans le « Morbleu », tu peux très bien placer tout sur l'exclamation.

Ce texte, je l'entends comme tu le dis; c'est encore trop vite; tu n'es pas encore maître de ta diction. Mais, actuellement, ne te préoccupe pas de mettre du sentiment, de nous faire voir comme tu es intelligent, de nous montrer l'intention particulière (que l'auteur dramatique n'a jamais eue d'ailleurs) que tu places parce que c'est toi qui l'as; toutes ces préoccupations secondaires finissent par nuire à ce qu'il y a dans le texte, ce jaillissement, ce mouvement, qui est vraiment de l'homme qui parle, c'est-à-dire de l'auteur.

— Non, non, il n'est point d'âme un peu bien située
— ...
— Quelques dehors civils que l'usage demande.

[Léon enterre sa réplique, ferme la phrase.]

L. J. : Tu fiches le mouvement par terre chaque fois.

— Non, vous dis-je; on devrait châtier sans pitié
— ...
— Je ne me moque point,

L. J. [à Michel] : *Tu n'as pas répondu aux questions qu'il te pose.*
Le comique d'Alceste — c'est une question qu'il faudrait plusieurs heures pour épuiser — est là. C'est très nettement un premier comique. « Quoi! vous iriez dire à la vieille Émilie... — Sans doute. — A Dorilas, qu'il est trop importun, ... — Fort bien. »
La sincérité de ces réponses! Si tu écoutes vraiment ce que dit Philinte, c'est désarmant, par rapport à l'indignation qu'Alceste vient d'avoir. Il pousse la chose aux conséquences extrêmes de la logique.
Il faut écouter, pour répondre.
Écouter, ce n'est pas seulement avec l'oreille, avec le visage; c'est une tension intérieure; c'est une conviction intérieure qui s'oppose à la conviction de l'autre.
On [2] joue une pièce cinquante fois, cent fois, on s'imagine qu'on écoute; non, on n'écoute plus; on sait qu'il y a une impression sensible qui correspond à une certaine sonorité, une certaine durée de paroles qui ont une certaine inflexion. Ce qui fait que le comédien ne progresse plus dans son métier. Par suite de l'habitude, *l'acteur meurt dans le rôle qu'il joue, et la pièce meurt aussi.* Dans un spectacle, il est difficile de s'en rendre compte.

MICHEL : Quand on voit une pièce à la trentième représenta-

1. Onze exclamations. Acte IV, scène 3.
2. De l'habitude.

tion, à la centième, après l'avoir vue à la générale, on voit bien une *différence*.

L. J. : Je parle d'autre chose; je parle uniquement de *l'habitude*. Je parle *d'un spectacle qui ne change pas, mais qui meurt petit à petit par une absence des comédiens; il n'y a plus de présence.*

Il y a des spectacles, au contraire, qui prennent de la vie parce qu'ils se déforment; des pièces dans lesquelles les acteurs peuvent faire ce qu'ils veulent : éplucher des bigorneaux... cela donne de l'intérêt. *Et c'est ce que les comédiens apportent tous les jours avec eux, par eux-mêmes, qui donne à la pièce une espèce de vie.* Je parle de la pièce qui meurt par habitude. *Le classique meurt par habitude;* une pièce où les comédiens s'ennuient. Les intentions que les comédiens y mettent peuvent faire vivre une pièce, mais étouffent une pièce classique. Les comédiens apportent une sincérité solennelle, mais toute communication est coupée avec les partenaires; le comédien joue tout seul sur un texte qui, malgré toute la sincérité personnelle qu'il y met, reste mort. Les personnages ne se répondent plus, il n'y a plus rien entre eux. *Les comédiens jouent toute la pièce* comme Octave raconte *Phèdre*, de leur point de vue, *du point de vue de leur seul rôle.* Chacun étale complaisamment ses petites intentions et se blottit confortablement dans son rôle; on n'en sort plus. *La pièce n'existe plus.* Il faut qu'il y ait tout à coup une doublure ou qu'un comédien ait perdu sa mère, qu'il y ait un incident dans le public ou un accident de machinerie pour que la pièce revive [1].

— Quoi! vous iriez dire à la vieille Émilie
— ...
— Non, tout de bon, quittez toutes ces incartades.

L. J. : Là il y a un autre mouvement, parce qu'il y a un autre sentiment.

Philinte lui a posé toutes ces questions plaisantes pour l'amadouer un peu. Et, maintenant, pour la première fois, il s'adresse à Alceste et lui dit brusquement : Maintenant, vous m'ennuyez. Comme dans une conversation où brusquement on change de ton, de débit.

Ce n'est plus une discussion.

— Non, tout de bon, quittez toutes ces incartades.
— ...
— Seront enveloppés dans cette aversion?

L. J. [à Léon] : Tu te trouves devant un homme furieux, et tu penses : maintenant je vais lui envoyer le coup de Célimène. « Tous

---

1. Mise en scène classique : mettre la pièce dans un état de curiosité et d'appétit pour les comédiens.

les pauvres mortels, sans nulle exception, — Seront enveloppés dans cette aversion ? » — Mais enfin, moi-même, vous m'aimez bien, et de temps en temps nous plaisantons bien ensemble ? Si tu penses cela au moment où tu dis cette réplique, tu penseras juste. C'est cela penser pour un comédien ; c'est avoir l'humeur et l'esprit justes qui sont exprimés dans le texte.

> — Non, elle est générale, et je hais tous les hommes,
> ...
> De cette complaisance on voit l'injuste excès

L. J. : « De cette complaisance » (de cette saloperie) coupe : « De cette complaisance / / on voit l'injuste excès — Pour le franc scélérat avec qui j'ai procès. »

> — Non, elle est générale, et je hais tous les hommes,
> — ...
> — Tant ce raisonnement est plein d'impertinence.

[Michel, fatigué, demande d'arrêter.]

L. J. : Tu vois ce que c'est !

Si tu arrives à donner la scène sans montrer que tu es gêné par un pouce qui torture la main, qui montre de la nervosité, si tu arrives à *placer ce texte en toi physiquement,* avec sens, tu pourras commencer à être le personnage.

Jouer une scène, c'est d'abord : la dire.

Ce n'est pas mettre une table avec des chaises, en disant : Moi, je voulais qu'il s'assoie à tel endroit. C'est *avoir une récitation avec l'humeur, le ton, que nécessite le texte écrit.*

L'homme qui a écrit ce texte, l'a écrit dans un sentiment ; donc, il faut retrouver ce sentiment, d'abord. Après tu essaieras de jouer. Tu joueras pour un certain public, avec des costumes, des détails d'accessoires accommodés à ce public, ce que tu appelles de la mise en scène.

Il faut *trouver le mécanisme du rôle ; ce qu'a fait l'auteur ; trouver le sentiment qu'il avait, lui, en écrivant.* Tu n'y arriveras qu'en te privant d'intentions, de ces petits détails surajoutés au rôle et qui t'empêchent d'aller plus loin.

Que ce soit pour Racine ou Molière, il faut arriver à trouver cette *humeur initiale dans laquelle un texte est écrit,* dans laquelle il a été joué. C'est *un certain mouvement intérieur, une certaine disposition physique* dans laquelle était l'auteur quand il a écrit.

C'est cela la correspondance entre l'état physique du comédien au moment où il joue et l'état physique dans lequel était l'auteur au moment où il écrivait.

CLAUDIA : On n'en sait rien !

L. J. : C'est une équivalence qui est sensible dans le texte. L'auteur dramatique qui écrit, écrit dans une longueur d'onde, dans une sonorité donnée parce qu'il est dans un certain état sensible.

Que reste-t-il pour retrouver le sentiment? Ce qu'il a écrit. Par conséquent, *prends ce qu'il a écrit objectivement,* essaie de le respirer, de le sonoriser.

Si tu le fais sans y apporter tes idées, tes intentions, tu verras que petit à petit tu arriveras au sentiment qu'a eu l'auteur en écrivant. Tu ne peux pas te tromper. *Quand tu auras* ce sentiment général, *cette technique générale du morceau, tu essaieras de te laisser porter par le sentiment qui te sera venu uniquement de l'amorce technique, mécanique.* A ce moment-là tu pourras perfectionner.

Mais prendre un texte, croire qu'on va, sur ce texte, trouver tout de suite le sentiment, ce n'est pas possible. Je parle d'un texte classique.

Il faut retrouver cet état de l'auteur écrivant; les traces de cet état sont dans l'écriture; *il faut partir de l'écriture d'abord.*

Tu vois, tu viens de jouer Alceste, à une puissance extrêmement faible, mais, c'était l'amorce du jeu qu'il faut.

Comme tu l'avais fait précédemment, avec des intentions particulières, en appuyant sur les mots, tu détruisais ce qu'il y a d'initial dans ce travail, c'est-à-dire le mouvement. *Tu détruis le sentiment juste, parce que tu apportes un sentiment préalable qui s'installe à la place de celui de l'auteur.*

Ce qui empêche de trouver le sens d'une œuvre, la diction d'un rôle, son exécution par conséquent, c'est tout ce que nous voulons apporter tout de suite dans le rôle ou dans la pièce. C'est ce qu'on appelle faire de la « conception ». On ne peut pas faire de conception; on ne peut pas se dire : « Pour moi, Roxane c'est quelqu'un qui... »

Le professeur en Sorbonne, le chroniqueur qui donnent un compte rendu d'une pièce, font cela; mais ils se servent d'eux-mêmes comme de miroirs, et ce n'est pas la pièce qu'ils voient. Le comédien ne peut pas faire cela, n'en a pas le droit. Il faut se mettre devant le texte comme on attelle les bœufs à la charrue.

Je suis sûr que toi, Michel, tu as en toi-même maintenant une trace, une trace physique de l'exercice physique que tu viens de faire. Si tu recommences cet exercice, tu acquerras une habitude. Quand cette habitude sera née en toi, tu verras que se développera en toi, par la réflexion, le sentiment.

C'est là que le personnage commence à naître.

Le personnage ne naît pas parce que tu réfléchis auparavant en te disant : Qu'est-ce que je pourrais faire... Avec un texte de Colin du Bocage on le fait. Alors le texte n'est qu'un prétexte; prétexte à montrer sur la scène une femme en pantalon, ou à faire jouer tel acteur.

CLASSE DU 13 AVRIL 1940

— Qu'est-ce donc? Qu'avez-vous?
— Laissez-moi, je vous prie.

L. J. : Ne te retourne pas en entrant; ne te retourne pas vers Philinte. *Si tu arrêtes ton mouvement de corps, tu arrêtes ton mouvement de texte,* en même temps.

  — Qu'est-ce donc? Qu'avez-vous?
  — ...
  — Et vous me le traitez, à moi, d'indifférent.

L. J. : C'est faux. Tu as raisonné; si tu raisonnes, c'est fini. Tu n'as plus le sentiment. Tu as raisonné et ton inflexion est fausse.

Dans une interrogation, une exclamation ou une conclusion, l'inflexion est fausse quand le ton à la fin de la phrase ne correspond pas au ton du début dans un crescendo.

C'est un exercice qui est bête mais qu'il est nécessaire de faire pour se créer une oreille.

Tu as raisonné ton indignation; *si tu raisonnes une indignation, il n'y a plus d'indignation, il n'y a que du raisonnement.*

  — Allez, vous devriez mourir de pure honte;
   ...
  Je m'irais, de regret, pendre tout à l'instant.

L. J. : Je t'assure que si tu disais cela dans la vie le « Morbleu » serait encore plus haut.

MICHEL : Je croyais que c'était, comme vous m'aviez dit la dernière fois, qu'il fallait se reposer sur le « Morbleu ».

L. J. : Oui, mais on peut le faire après.

  — Allez, vous devriez mourir de pure honte;
  — ...
  — Que je serais fâché d'être sage à leurs yeux.

L. J. : Tu as travaillé, mais il faut encore le travailler beaucoup.

Que faut-il qu'il travaille tout de suite?

CLAUDIA : La diction!

L. J. : Ce n'est pas moi qui te le dis. Ton morceau a du mouvement. Tu vois ce que c'est quand on se prive de mettre des intentions dans un texte, le texte donne son mouvement.

Tu t'es débarrassé de tes intentions, tu en a remis quelques-unes, par exemple quand il te dit : « Quoi! vous iriez dire à la vieille Émilie... », tu réponds : « Oui » d'une voix de basse. « A

Dorilas, qu'il est trop importun...», tu réponds : «Sans doute» d'une voix caverneuse.

Tu as pris le mouvement, mais ta respiration n'y est pas, et quant à la diction...

Il faut qu'on entende les douze pieds du vers, et n'appuyer sur aucune syllabe particulièrement.

C'est un métier qui s'apprend. Même avec une très belle diction, on est tout de même obligé d'apprendre à dire des vers, à débiter douze syllabes dans une unité sonore de ton qu'on entende bien, qui respecte la sonorité du vers, son rythme. Chacun a sa diction particulière, personne ne l'a parfaite. Mais toi, tu as une diction lourde. Chacun a ses défauts de diction, ils sont plus ou moins graves. [A Léon.] Tu as moins de puissance que Michel; si tu veux acquérir de la puissance, il faut que tu en « mettes un coup » pour articuler. L'important est le résultat, quelle que soit la manière dont chacun *aménage sa diction*. Mais si, pendant cinq ans, vous vous astreignez tous les matins à des exercices purement mécaniques de diction, vous verrez que vous commencerez à arriver à un résultat.

Toi, Hélène, tu as des petits trucs parisiens qui sont gentils pour certains rôles, mais qui te gêneront dans d'autres textes.

MICHEL : Ce que je trouve bien, c'est de faire des exercices de *pose de voix.*

L. J. : Ta voix se posera toute seule, si tu veux articuler. Si tu t'écoutes bien, si tu fais enregistrer des disques et que tu les mettes sur ton phonographe, que tu écoutes, tu entendras que tu as des sons qui sont mauvais. Le jour où tu les auras entendus toi-même, tu les corrigeras tout seul.

Ce sont ces sons successifs bien articulés qui corrigeront ta diction et te poseront la voix. Ce qu'on appelle « la pose de voix », c'est une de ces fariboles que les professeurs de diction ont trouvées.

La pose de voix, c'est de l'articulation, de l'exercice. Il y a des sons qui sont fracassés, pourquoi? Parce qu'ils sont trop en bas; tu n'as qu'à les sortir.

Il faut que tu apprennes à donner aux voyelles leur vraie sonorité, de manière que le texte soit agréable à l'oreille. Ces exercices de diction que tu devrais faire tous les matins (que vous devriez tous faire) te feront voir que la *diction repose uniquement sur l'articulation.*

Je t'assure que si tu arrivais à l'articulation de cette scène, même comme tu la joues là, ça défierait toutes les interprétations possibles, je veux dire que tu mettrais dans ta poche immédiatement un autre concurrent qui voudrait faire de la dignité ou du désespoir ou de la nuance dans le morceau, parce qu'on entendrait ce que tu dis; et ce serait dans le mouvement.

On ne peut pas, à ton âge, dans les conditions où vous passez une scène, donner du personnage le moindre aspect. J'en ai vu des Misanthrope! On ne peut pas, dans une scène de dix minutes, donner le personnage. Même en jouant toute la pièce, tu ne le pourrais pas. D'habitude, quand on donne cette scène, on y met des intentions psychologiques, elle est ennuyeuse au possible, on ne l'écoute pas. Tandis que dite dans le mouvement, dans la diction, elle s'écoute.

L'important est que vous ayez bien le sens de la difficulté, que vous voyiez bien où elle est : dans la diction.

MICHEL : On comprend parfois sur des choses extérieures, ou par quelqu'un d'autre; j'ai compris l'autre jour en voyant *Phèdre*.

L. J. : On met longtemps pour comprendre les choses.

S'il y avait encore des tragédiens qui donnent l'exemple d'une diction ...mais il n'y a pas un seul tragédien à l'heure actuelle.

LÉON [convaincu] : C'est désastreux.

CLAUDIA : Au point de vue diction de tragédie, il y a quelqu'un, je trouve, c'est Hervé.

L. J. : C'est encore de la diction romantique.

Tu aurais entendu Sarah, tu verrais à quel degré de perfection les sonorités, les sons peuvent arriver et comment le vers garde sa cadence, son nombre, son volume; toutes les qualités de cette diction.

Quand on voyait Mounet pour la première fois, on était étonné de son mécanisme vocal, on se disait : C'est ça, le talent? C'est ça, le génie? Eh bien! c'est d'abord « ça », parce qu'on est saisi par cette clarté à l'oreille et à l'esprit; et c'est sur ce mécanisme seulement que peut ensuite s'établir le jeu du tragédien. Pour le comédien, c'est la même chose, à un autre degré.

CLASSE DU 17 AVRIL 1940

[Jacky reprend le rôle de Philinte.]

— Qu'est-ce donc? Qu'avez-vous?

— ...

— Moi, je veux me fâcher, et ne veux point entendre.

L. J. : Tu vas recommencer parce que ton entrée n'est pas bonne.

MICHEL [affirmatif] : Non.

L. J. : Pourquoi?

MICHEL : Parce que je voulais que Jacky m'arrête tout de suite, sans me retourner, et puis je suis arrivé au bout, il ne m'avait pas encore dit la phrase.

L. J. : Ne compte pas sur le partenaire! Si c'était du main à main comme on dit au cirque, ou du trapèze volant, évidemment... mais là ne compte pas sur lui. Joue ta scène. Alors fais ton entrée carrément.

— Qu'est-ce donc? Qu'avez-vous?
— Laissez-moi, je vous prie.

L. J. : Non, non, non. Ton « Laissez-moi, je vous prie », ne commence pas, c'est une conclusion.

— Qu'est-ce donc? Qu'avez-vous?
— ...
— Allez, vous devriez mourir de pure honte;

L. J. : Tu n'y es pas. Le mouvement n'y est pas.
MICHEL : Je le sens bien d'ailleurs.
L. J. : Recommence! Sans refaire l'entrée; restez en place.

— Qu'est-ce donc? Qu'avez-vous?
— Laissez-moi, je vous prie.

L. J. : Tu n'y es pas. Ce sont des conclusions. Tu entends? Tu conclus.

— Qu'est-ce donc? Qu'avez-vous?
— ...
— Et ne veux nulle place en des cœurs corrompus.

L. J. : Tu raisonnes de nouveau ce texte. Le ton, l'inflexion sont faux, mais faux!
[L. J. dit la tirade : « Allez, vous devriez mourir de pure honte... »]
Quand tu pourras faire cette mécanique-là, dans ce mouvement, tu auras le mécanisme du morceau, son mouvement. Tu n'auras qu'à le répéter pour sentir monter en toi, de temps en temps, un sentiment. Tu te diras : Alceste a raison. Tu prendras le parti du personnage, et alors avec un peu d'orgueil, car nous n'en manquons pas dans notre profession, tu sentiras Alceste en toi. C'est comme ça que ça se passe!

— Qu'est-ce donc? Qu'avez-vous?
— ...
— Et vous me le traitez, à moi, d'indifférent.

L. J. : Ne va pas trop vite. Prends le temps de respirer.

— Morbleu! C'est une chose indigne, lâche, infâme,
— ...
— Sans que je sois... Morbleu! Je ne veux point parler

L. J. [à Jacky] : Tu vas me faire le plaisir d'apprendre cette réplique.

Ta diction là-dedans est un désastre! Pourquoi, Léon?

LÉON : Parce qu'il ne sait pas encore son texte. Parce qu'il met tout sur le même diapason.

HÉLÈNE [murmurant, à part] : Je l'avais trouvé bien.

NADIA : Il respire mal.

L. J. : Ce sont ses *e* muets. Il n'en prononce pas un. On entend : « J' vous dirai tout franc... »

Ce n'est pas la peine d'apprendre Théodore de Banville! [A Michel.] Toi, au contraire, tu as des *e* muets qui sont trop accentués.

MICHEL : Je me suis acharné à tout prononcer.

L. J. : Si tu prononces toutes les muettes avec la même intensité que les syllabes ouvertes, c'est lourd.

Quand tu dis : « Tant mieux, tant mieux, morbleu! c'est ce que je demande! » c'est lourd.

MICHEL : On peut faire l'élision?

L. J. : Il y a une façon de prononcer l'*e* muet qui ne l'élide pas. Tu peux appuyer au début quand tu fais de la diction, mais il faut ensuite savoir alléger certains sons.

MICHEL : Vous avez tout compris, tout le texte comme je l'ai dit?

L. J. : Oui.

MICHEL : Si je commence à croire que vous comprenez, je les éliderai peut-être un peu.

L. J. : Mais alors c'est calé à faire!

C'est la difficulté du français, la prononciation des *e* muets, des syllabes muettes.

MICHEL : Il y a une chose qui me gêne terriblement, je salive, j'en ai la bouche empâtée.

L. J. : C'est que ton mécanisme n'est pas encore fameux. Je le disais l'autre jour, chacun est un cas particulier.

MICHEL : C'est très gênant.

L. J. : Ce sont des questions fonctionnelles, qui s'arrangeront.

MICHEL : C'est terriblement embêtant.

L. J. : On n'a jamais entendu dire que la salivation trop abondante ait empêché un acteur ou un orateur de faire une carrière!

MICHEL : Ça se passera?

L. J. : De même que tu auras peut-être, quand tu auras le trac, la gorge terriblement sèche.

MICHEL : Oh! non, le trac ça me fait baver.

L. J. : Tu relèves des bovins. Mais tu sais, il y a des moments où, comme dit le militaire quand il a fait quarante kilomètres, on crache des pièces de dix sous. Enfin, c'est ta salive qui te paraît un cas! Moi, ce qui me paraît un cas, c'est *ta respiration*.

Ta respiration mécanique est insuffisante. On sent, tout le long du morceau, que tu es gêné respiratoirement. Et cela parce que tu ne prends pas assez d'inspiration. Tu le sens ? Tu as une respiration abdominale, ce qui est bien, mais on sent que tu comprimes ton abdomen pour arriver au bout du morceau. *Si ta respiration n'est pas bonne, pas bien établie* — je ne dis pas respiration sensible — tu n'auras jamais une véritable *respiration physique ou psycho-physiologique du personnage.* Je vais t'expliquer : ce qui est magnifique, dans ce morceau, c'est que si tu le respires comme il faut, si tu as suffisamment de souffle pour arriver au bout dans une inflexion juste, si tu ne le halètes pas, tu atteindras, petit à petit, un état respiratoire avec un mouvement, un rythme. Ce rythme, enregistré à l'oscillographe, te donnerait l'amplitude de ta respiration, et si tu prenais en même temps celle d'un homme en colère, que tu prennes de lui le même graphique, tu verrais que tu aurais exactement les mêmes sillons, la même courbe.

Si tu dis ce texte avec le rythme, la respiration qu'il implique, au bout d'un certain temps tu auras naturellement cet état d'indignation qui fait que les pectoraux se gonflent. *C'est ce que j'appelle l'état psycho-physiologique du personnage.* C'est un des systèmes du comédien. Il y a un autre système : tu joues, par exemple, une comédie « supérieure » d'un des nombreux auteurs dramatiques modernes — ne nommons personne — tu sais qu'il faut que tu entres en scène pour engueuler la partenaire. Tu te mets dans un état respiratoire, en coulisse, avant d'entrer en scène. Il faut que tu fasses cela parce que le texte ne te donnera rien. Parce qu'il n'y a pas de texte, ce sont des miettes de répliques; tu es obligé de te mettre, toi-même, dans l'état d'indignation, parce que ni le texte, ni la situation dramatique ne te donneront cet état. Ni le texte, ni la situation dramatique ne te touchent, lorsqu'il s'agit par exemple de la scène que tu joues avec Mademoiselle...

MICHEL : On a tous compris !

L. J. : Alors que dans *Le Misanthrope* tu as un texte dans lequel tu n'as nullement besoin de t'immiscer. Tu n'as qu'à *essayer de dire ce texte comme il est écrit. Au bout d'un certain temps, tu seras touché par le texte, tu sentiras en toi-même l'état physique dans lequel se trouve le personnage.* Après cela, tu pourras développer ce sentiment; tu sentiras que tu as en toi une vraie indignation, que tu as une violence qui est naturelle. Quand tu sentiras cette violence, cette indignation, un état que tu auras obtenu par des procédés loyaux, par des procédés égaux à ceux de l'auteur, tu pourras être sûr que tu joueras la scène.

Ta respiration sensible, ta respiration que je disais psycho-physiologique, te viendra d'une respiration mécanique juste.

A l'heure actuelle, ta respiration mécanique n'est pas juste

parce que tu n'as pas l'amplitude pour aller au bout du vers.
Autre remarque à ton égard ce matin : tu es mal parti. Si on
n'attaque pas une scène juste, elle est fichue. Tu es mal parti
respiratoirement, tu n'étais pas dans le ton, alors tu as mal placé
ta voix et tu t'es légèrement enroué.

MICHEL : J'ai les amygdales très rouges, aujourd'hui.

L. J. : Ça n'a pas plus de rapport avec ce que je te dis que si
tu m'annonçais en plus que tu as des cors au pied. Si tu as les
cordes vocales rouges, va trouver un laryngologue, mais ce n'est
pas ton cas, tu ne parlerais pas comme tu parles. Tu parles tous
les jours avec des amygdales roses, rouges, sanglantes, ça n'a pas
d'importance.

MICHEL : Je croyais que l'amygdale était la boîte de résonance
des cordes vocales.

L. J. : Ce que je veux te faire comprendre c'est que ta voix
était mal placée. Tu as eu un mécanisme musculaire qui a fatigué
ta voix.

Si tu veux me donner cette première scène du *Misanthrope*
chaque semaine, je suis sûr que c'est ce qu'il y aurait de mieux
pour toi.

Et toi, Léon, si tu voulais faire le même exercice avec Don
Salluste... C'est la même chose, le même principe. Tu appren-
dras plus par l'insistance des observations que je pourrai te faire
qu'en t'éparpillant sur des scènes successives, dont le mécanisme
proprement dit ne te touche pas, par conséquent ne va pas assez
loin.

[A Jacky.] C'est la même chose pour : « J'ai mis dans ce petit
panier une galette... »

JACKY : Et mon Arlequin?

L. J. : Il n'y a rien de plus déplorable que de se laisser aller
au penchant naturel qu'on a à travailler des scènes qui vous
plaisent. Ne vous faites pas plaisir. *Il faut se contrarier.*

Quand on dresse un animal, on ne lui fait pas faire des choses
qu'il peut faire naturellement; on les lui laisse faire après, comme
récompense. Mais on lui apprend à faire ce qu'il ne sait pas faire.
C'est la même chose pour les acteurs.

[A Jacky.] Tu joues Arlequin; tu as des qualités de naturel,
je ne sais quoi de saugrenu dans ce que tu es, qui te font croire
que tu approches du personnage. Mais que veux-tu que ça me
fiche, que tu sois Arlequin ou non? L'idée que je me fais d'Arlequin est bien différente de tout ce que tu atteindras jamais.

Si c'est pour passer un concours, pour éblouir les quatorze
barbus qui vont dire : Il n'est pas mal, ce petit garçon, surtout
si, par un hasard extraordinaire, le concurrent passé avant toi
avait une voix de basse... Mais travailler Arlequin (alors que tu

as des qualités naturelles qui te feront toujours distribuer dans un Arlequin) ne te fera pas aller très loin.

Il y avait des moments où nous nous disions : Il nous embête le père Greffier[1], toujours avec le même morceau, il devrait bien nous donner autre chose. Imaginez ce que c'était : tous les dimanches le même morceau et ce type qui nous disait : Votre respiration n'est pas très bonne encore. Vous devriez dire ce morceau couché sur le dos avec un ou deux Larousse sur la poitrine.

[Michel se récrie.]

L. J. : C'est le « phénomène de la difficulté ». Essaie-toi à dire la scène du *Misanthrope* avec un crayon entre les dents, tu auras cette gueule de marron sculpté qu'ont tous les vieux tragédiens, mais tu auras une diction. Ou bien dis-le avec une planche sur la poitrine, un poids de cinq kilos, sur ladite planche, ça te donnera conscience de ton corps, de ton phénomène respiratoire, de la façon dont tu respires, ce que tu ne sais pas. Nous croyons savoir ce que c'est que respirer, tu crois que tu sais respirer, que tu sais jouer... moi, ce qui m'étonne tous les jours, dans mon métier que je pratique depuis un certain nombre d'années déjà, c'est tout ce que je ne sais pas. Mais j'en ai déjà une vague idée. Ce qui me permet de venir « débloquer » ici avec vous. Mais passons à autre chose!

CLASSE DU 27 AVRIL 1940

— Qu'est-ce donc? Qu'avez-vous?

— ...

— Tout le monde en convient, et nul n'y contredit.

[Michel s'arrête, il bafouille un peu, et reprend; sa fatigue est visible.]

L. J. : Bon, ça va. Je vous aurais déjà arrêtés pour vous féliciter. Ce n'est pas mal parce qu'il y a du mouvement, parce que vous n'y mettez pas ce que vous y mettiez avant.

MICHEL : J'ai beaucoup travaillé l'articulation.

L. J. : Ton articulation est excellente. Que trouvez-vous à dire, les autres?

BRIGITTE : Il joue de profil.

L. J. : Non, ça n'est pas mal. [A Michel.] Tu n'as jamais rien fait comme ce que tu viens de faire là. Tu as perdu cette voix grave que tu traînes, qui te fait traînant, qui va avec tes talons.

1. Professeur de L. Jouvet dans sa jeunesse.

Tu as quelque chose dans les talons comme dans la voix, de traînant. Tu as perdu tout cela, tu as trouvé du mouvement, le texte va. Enfin, vous avez travaillé cette scène [regardant Léon] on peut vous dire quelque chose.

CLAUDIA : Je lui reproche de manquer de largeur.

L. J. : Ce n'est pas cela qu'il faut lui dire pour l'instant, ça ne va pas l'orienter.

BRIGITTE : Il ne s'adresse pas assez au public.

L. J. : Quand un acteur joue, observez le mécanisme de son jeu; observez son mécanisme respiratoire, conjointement avec d'autres signes.

La dernière fois, j'ai dit à Viviane et à Léon, lorsqu'ils ont donné *Le Carrosse du saint sacrement,* un certain nombre de choses sur leur diction. Y a-t-il quelque chose que j'ai dit à Viviane et qui pourrait s'adresser à lui?

VIVIANE : Sur la « fermeture des phrases ».

L. J. : « Tous les hommes me sont à tel point odieux, — Que je serais fâché d'être sage à leurs yeux. »

Tu fermes les sons.

[A Jacky.] Fais attention, on n'a pas entendu : « *Ce* chagrin philosophe ». Et tu fermes les sons. Après ta réplique, la scène ne peut plus monter.

[A Michel.] Attention aussi à : « Ces affables donneurs d'embrassades frivoles, — Ces obligeants diseurs d'inutiles paroles », tu inverses toujours.

Tu nous as parlé de ta salivation; à un moment donné, quand tu as fait ton passage à la cour, on la sentait.

MICHEL : J'en ai tout de même beaucoup moins.

L. J. : Ce n'est pas un problème très grave.

Tout repose sur le problème respiratoire. Ta respiration est bonne, elle est meilleure, elle n'est pas encore la respiration juste. Tu es arrivé à une excellente articulation; grâce à cette articulation tu as donné le morceau dans un grand mouvement, mais tu n'as pas encore la respiration juste du texte parce que, physiquement, tu n'as pas la respiration d'un homme indigné. Tu as la respiration d'un homme tendu qui est dans un état de crispation nerveuse.

MICHEL : Je suis dans une crispation nerveuse.

L. J. : On l'entend dans tes exclamations : « Morbleu! » il faut que tu les trouves; par conséquent, en faisant cette respiration qui sera plus juste par rapport au texte, tu trouveras ce que tu n'as pas dans le morceau : de la détente.

Dès le moment où tu te détends et où tu repars, tu fais un pas en avant. Actuellement tu joues par anticipation, tu joues sur le mécanisme respiratoire qui n'est pas encore ajusté.

Le mécanisme respiratoire, c'est le vers qui te le donnera, grâce à l'articulation, au progrès que tu as fait dans le mouvement. Je crois qu'il faudrait que tu t'occupes surtout de ta respiration. Tu vas essayer de refaire ton entrée, exactement comme tu l'as faite, et je pourrai te dire des choses qui te permettront peut-être de te sentir toi-même, de te toucher.

— Qu'est-ce donc? Qu'avez-vous?

— ...

— Je vous vois accabler un homme de caresses,

L. J. : Tu vois le geste que tu as fait? [Geste de l'avant-bras.] Tu as le bras paralysé.

MICHEL : Mais j'ai tout le corps paralysé!

— Qu'est-ce donc? Qu'avez-vous?

— ...

— Laissez-moi là, vous dis-je, et courez vous cacher.

L. J. : Tu as fermé le son.

Si tu fermes le son, tu arrêtes la scène. Tu viens d'attaquer ta scène beaucoup moins juste, au point de vue voix que tout à l'heure. Si tu continuais comme ça tu éraillerais ta voix. Il y a une raideur dans tes gestes, dans ton avant-bras qui trahit que tu es en état de crispation. Tant que tu auras cette crispation que trahissent les avant-bras, tu n'auras pas un état respiratoire juste. Tu sens ce que je veux dire?

MICHEL : Il faudrait que je puisse centraliser ma crispation ailleurs.

L. J. : Elle se placera d'elle-même au moment où tu arriveras à respirer. Tu y arriveras peut-être si tu écoutes bien ce que Philinte te dit.

C'est un homme qui entre dans un état de fureur absolue. « Qu'est-ce donc? Qu'avez-vous? »

Alceste entre seul. Il prend une potiche en passant et la fiche par terre : Nom de Dieu! [Il ne s'agit pas d'un jeu de scène.] Il est seul dans le salon quand Philinte entre. Sur la réplique qu'il entend : « Qu'est-ce donc? Qu'avez-vous? » il se retourne : « Laissez-moi, je vous prie. — Mais encore, dites-moi, quelle bizarrerie... »

Entends bien ce qu'il te dit. C'est sa réplique qui te fait partir. Et Philinte doit avoir autant d'autorité qu'Alceste.

« Mais encore, dites-moi, quelle bizarrerie... » Qu'est-ce qui vous prend?

Le plus important est l'attaque de Philinte. Attaque-le grave et Alceste aura l'air d'un énergumène.

Quand on est derrière le portant, qu'on joue *Le Misanthrope* et que le rideau se lève, on se dit : Il faut aller dans le passionné,

on entre et sur : « Qu'est-ce donc? Qu'avez-vous? » on se dit :
Ça y est, il s'est fichu dedans, et on est obligé de continuer cette
scène avec ce « battement » ininterrompu. Pour peu que ce soir-là
il y ait trois fauteuils qui claquent, une attention insuffisante
dans le public, ça devient faux; c'est fini.

JACKY : C'est très difficile à attaquer.

L. J. : Et on ne me fera pas croire que le type qui va jouer
ça peut blaguer avec l'accessoiriste ou taper sur les fesses de la
souffleuse!

Il faut être en soi-même, avoir une oreille étonnante pour cadrer
sa voix. C'est une expression des tournées d'autrefois. En tournée,
l'acoustique n'est pas la même d'une salle à l'autre. L'œil ne ren-
seigne pas suffisamment, il faut « cadrer sa voix ». C'est d'une
précision extraordinaire, et tout est de cette perfection-là dans le
classique, en particulier dans cette pièce. [A Jacky.] Un tic que
tu as [L. J. se lève et mime] : à la fin de ta phrase, tu mets tes
mains derrière le dos. Si tu n'y prends pas garde, c'est un truc
que tu vas cultiver. En t'enlevant ce tic, tu te donneras l'obli-
gation de faire autre chose, par conséquent de progresser dans
l'expression. C'est pour cela, pour la diction et la respiration,
qu'*on doit augmenter toutes les difficultés possibles de manière à permettre
au comédien de progresser* dans l'expression, dans la gesticulation, la
marche.

JACKY : C'est quelque chose qui me fait très peur, l'expression.

L. J. : Le point de départ de l'expression est dans ce phénomène premier : la respiration, l'articulation.

On peut te donner tout de suite une canne, un chapeau, une
épée, tu arriveras à jouer avec la canne, le chapeau, l'épée, ce
n'est pas tellement compliqué. Il y a des gens qui disent que
l'accessoire rend service aux comédiens; je crois moi que c'est
aller au plus facile et contourner la vraie difficulté. Quand la
respiration et l'articulation sont justes et que, par conséquent, la
gesticulation et la marche le sont aussi, l'accessoire n'apporte
rien. Vous allez continuer cela, n'est-ce pas?

MICHEL : Je le travaille avec un crayon entre les dents maintenant.

L. J. : *Si tu arrives à prendre contact avec toi-même dans un exercice
comme celui-là*, que tu vas répéter à satiété, ensuite, quand tu
passeras à autre chose, que tu joueras Pyrrhus ou Néron, de toi-
même tu ajusteras pour toi les indications qu'on te donnera, parce
que *tu auras le secret de ton comportement physique, parce que tu te connaî-
tras*. C'est là « le truc », *il faut se connaître, s'entendre, s'éprouver.*

CLASSE DU 4 MAI 1940

— Qu'est-ce donc? Qu'avez-vous?
— ...
— Dans vos brusques chagrins je ne puis vous comprendre,

L. J. : On sifflera celui qui mettra le mouvement par terre.

— Qu'est-ce donc? Qu'avez-vous?
— ...
— Je m'irais, de regret, pendre tout à l'instant.

L. J. : C'est bien, mais tu commences, sans t'en rendre compte, maintenant que tu connais le mécanisme du morceau, *à introduire dans ta diction de petites* INTENTIONS.
Est-ce que vous êtes d'accord?
Ainsi, par exemple, tu as sorti : « Je m'irais, *de regret*, pendre tout à l'instant. » — « De *protestations*, d'*offres* et de *serments*. »

MICHEL : Je vais vous dire franchement que *j'ai essayé de rompre la platitude*.

L. J. : Le fin du fin, est d'arriver à dire exactement comme tu l'as dit précédemment, avec une articulation, une respiration meilleures. Dès que tu vas passer à ce genre de fioritures qu'on fait dans le morceau, tu vas tout ficher par terre, c'est certain.
A l'heure actuelle, tu ne respires pas bien parce que tu ne respires pas dans l'indignation, tu n'as pas la respiration indignée, tu n'as pas cette suffocation qui fait que la poitrine se gonfle et qu'on parle. Tu ne respires pas.
Reprends. Je sifflerai toutes les fois que tu ne respireras pas.

— Qu'est-ce donc? Qu'avez-vous?
— ...
— Allez, vous devriez mourir de pure honte;

[Sifflet.]

L. J. : Tu vois ce que tu as fait. Tu n'as pas vu?

MICHEL : Non.

L. J. : Les grands principes ne sont pas nombreux, mais ceux que je t'indique sont sûrs. *Tu n'as pas écouté* ce que Philinte te disait. Alors tu étais simplement prêt à dire ta réplique.
« Je suis donc bien coupable, Alceste, à votre conte? — Allez, vous devriez mourir de pure honte; »
Il faut lui répondre : « Allez. » C'est cela qu'il faut que tu établisses dans le morceau, que tu *répondes à un personnage*. Tu n'as pas respiré, parce que *tu sais simplement d'oreille ce qu'il va te dire*,

mais tu n'as pas réagi à la réplique, parce que tu n'as pas écouté, et *tu ne respires pas parce que tu n'as pas réagi à la réplique.*

— Qu'est-ce donc? Qu'avez-vous?

— ...

— Et vous me le traitez, à moi, d'indifférent.

L. J. : Où est l'erreur?

CLAUDIA : Il me fait mal.

L. J. : Inflexion. Vous avez commencé à laisser tomber le mouvement à « entendre » et à « comprendre ». Gardez l'inflexion. Vous avez commencé à mettre des points, à nager dans une *inflexion entendue, voulue*, qui ne restait pas simplement dans le ton de l'indignation.

[L. J. dit toute la première partie de la scène.]

Quand tu arriveras à donner ce mouvement-là aussi bêtement que ça, tu pourras peut-être essayer de jouer la scène, mais il faudra d'abord l'exécuter comme cela.

La tendance naturelle de tous, est de vouloir jouer beaucoup trop tôt, avant d'avoir atteint le mouvement du morceau; alors on introduit dans le morceau des « trucs » qui font croire qu'on le joue.

— Qu'est-ce donc? Qu'avez-vous?

— ...

— Et témoigner pour lui les dernières tendresses;

L. J. : Doucement, doucement. Vous pouvez *garder le mouvement sans aller vite.*

Vous précipitez, surtout toi Jacky. Gardez une certaine largeur de ton dans tout cela; il faut vous exercer à y arriver.

— Je vous vois accabler un homme de caresses,

...

De s'abaisser ainsi jusqu'à trahir son âme;

L. J. : Trop vite, trop vite. Ne va pas si vite, tâche de trouver ta respiration.

— Je vous vois accabler un homme de caresses,
Et témoigner pour lui les dernières tendresses;

L. J. : Si tu raisonnes là-dedans tout est fichu.

Il faut que tu gardes le mouvement en allant moins vite. Dès que tu arrêtes pour te reposer, tu introduis des nuances qui affadissent, et alors ça n'en finit plus.

— Je vous vois accabler un homme de caresses,

L. J. : Tu raisonnes.

Tu vois, le théâtre, c'est une mécanique extraordinaire; tu ne peux pas reprendre n'importe où; il faut reprendre depuis le début.

— Qu'est-ce donc? Qu'avez-vous?

— ...

— Dans vos brusques chagrins, je ne puis vous comprendre,

L. J. : Ne va pas si vite. Ne lui réponds pas si vite. C'est ça qui vous fatigue. Réponds-lui.

— Dans vos brusques chagrins, je ne puis vous comprendre,

— ...

— Allez vous devriez mourir de pure honte;

L. J. : Tu arrêtes, tu raisonnes.

MICHEL : Je n'y arriverai pas.

L. J. : C'est l'inflexion qui est fausse. Tu n'y arriveras pas comme ça. *C'est l'inflexion du début.*

MICHEL : Ce qui me gêne, c'est de garder le ton haut en respirant.

L. J. : *C'est l'orientation sentimentale de la scène, c'est également l'humeur du personnage.* Tu comprends que si ces deux types ne jouent pas la scène dans cet affrontement qui fait que l'un dit à l'autre : Vous êtes un salopard, et que l'autre répond : Mais enfin qu'est-ce que vous avez? Qu'est-ce qui vous prend? *il n'y a plus de scène; c'est un raisonnement.*

Au théâtre on ne raisonne pas. Il faut que le théâtre soit propulsé *par un sentiment et non par la raison.* Ce sont les gens de l'Université qui raisonnent les textes. Je t'expliquerai ça un autre jour.

Nous prenons un texte, nous essayons de l'animer, or, *ce qui est important,* ce n'est pas d'animer le texte, *c'est l'état dans lequel est le personnage à ce moment-là.*

Tu prends la brochure et tu dis : Là il est en colère, là il est attendri, tu essaies de jouer l'attendrissement ou la colère, mais c'est un procédé par ressuscitation, par raisonnement inverse. En fait, il faut arriver à cet état où, physiquement, tu es tel que tu dis le texte naturellement. Tu comprends ce que je veux dire?

De là vient cette tendance qu'a l'acteur à prendre un texte, à nous l'expliquer à nous spectateur, en quoi il fait exactement ce que fait le type de la Sorbonne : Admirez, Messieurs, combien ce passage...

Ce que je veux c'est que, si tu joues la comédie, tu te mettes dans un état tel que tu sois obligé de dire ce texte.

MICHEL : C'est inquiétant!

L. J. : Il y a la diction, la respiration, le fait de répondre à quelqu'un, de savoir que le public est de l'autre côté, ça fait quatre choses. Ce qui est important maintenant, c'est que, muni des observations que je te présente parce que je te vois, je t'entends (ce que tu ne peux pas faire toi-même) c'est que tu apprennes, en te mettant dans l'état du Misanthrope (c'est une affaire qui concerne ta sensibilité, je n'y peux rien, moi) c'est que tu te mettes dans l'état où il faut que tu sois pour dire les phrases.

On peut y parvenir de n'importe quelle façon, soit en expliquant la scène, ou par tout autre moyen [1].

[A Jacky.] Quand tu dis : « Dans vos brusques chagrins je ne puis vous comprendre », ce qui fait que tu le donnes faux, ce n'est pas que ton inflexion en soi, soit fausse, c'est toi qui es faux, *ta sensibilité qui est fausse*, c'est que tu n'as pas suffisamment de sentiment en toi pour lui dire : « Dans vos brusques chagrins je ne puis vous comprendre. » Je ne vois pas pourquoi tu as besoin de dire cette phrase si tu la dis comme ça : « Dans vos brusques chagrins je ne puis vous comprendre. »

— Dans vos brusques chagrins je ne puis vous comprendre,

L. J. : Dans cette crainte que tu as de fausser ou de laisser tomber le mouvement, tu ne respires plus. C'est parce que ton sentiment n'est pas assez fort ni assez juste en toi.

— Dans vos brusques chagrins je ne puis vous comprendre,

— ...

— Je m'irais, de regret, pendre tout à l'instant.

L. J. : Pas si vite. Tu vois, ce n'est pas juste. Tu as forcé, ta voix s'est éraillée.

MICHEL : On est trahi immédiatement.

L. J. : Mais tu as respiré là. C'est cela qu'il faut que tu arrives à faire : placer ta respiration, ton indignation et que tu te prives rigoureusement de la moindre intention. Vous avez compris quelque chose aujourd'hui ?

C'est quelque chose qui vous regarde vous-mêmes, je n'y peux plus rien.

MICHEL : Si on pouvait y arriver du premier coup, ce serait trop beau !

L. J. : On n'arrive pas à la diction de Mounet-Sully du premier coup. Il faut pratiquer son métier pendant quinze ans pour faire sa diction, son articulation, et son physique même, parce qu'il faut connaître ses tics, les utiliser, les placer, connaître ses moyens.

Ta diction est bien, ce n'est pas laborieux, mais fais attention, tout à coup ce n'est plus sur les lèvres, ça s'enterre. Si tu le sens, tu es sauvé. Tu t'es entendu tout à l'heure ?

MICHEL : L'ennui c'est que, dès qu'on a attaqué, on ne peut plus se reprendre.

L. J. : A l'attaque, vous n'avez pas l'un et l'autre, en scène, *le sentiment de votre présence mutuelle*.

[A Michel.] Tu attaques, on sent que tu es uniquement préoc-

---

1. Les procédés de mise en train, d'éclairage.

cupé de ce que tu as à dire à Jacky. Si tu avais le sentiment de sa présence et si tu savais *que tu lui dis ta réplique pour le faire répondre*, cela te donnerait un sentiment intérieur tout à fait différent.

[A Jacky.] La même chose, quand tu attaques : « Qu'est-ce donc? Qu'avez-vous? » on sent que tu es gêné parce que tu rajoutes un petit mot.

[Il est étonné.]

Oui, on entend : « Et, quoique amis, enfin, je suis tout des premiers aaa... »

Si tu l'écoutais vraiment, si tu avais vraiment le sentiment de la présence d'Alceste, tu n'aurais pas à ajouter un : aaa, en attendant qu'il te coupe.

Quand je vous parle de l'humeur, c'est ici une mise en mouvement particulière; si tu as à attaquer, par exemple, l'entrée de Thésée, c'est encore une autre mise en mouvement.

« Ah! le voici! Grands dieux! à ce noble maintien — Quel œil ne serait pas trompé comme le mien? »

Cette colère puissante qui doit être large est le commencement de la scène; après il y a l'exécution de la colère.

En travaillant des morceaux qui sont écrits du point de vue physique d'une façon extraordinaire, si vous arrivez à les jouer, vous aurez ensuite la clef de quelques états physiques importants, qui plus tard, quand vous jouerez du Verneuil, vous permettra de le jouer comme vous voudrez.

MICHEL : On le joue déjà comme on veut.

L. J. : Il faut que le comédien apprenne son métier, au début, avec des choses difficiles. L'intérêt du Conservatoire est de vous empoisonner avec des trucs dont vous ne comprenez pas l'utilité immédiate, qui cependant sont nécessaires, car il n'y a pas d'autres rôles dans le répertoire qui soient aussi parfaits que ceux-là. Si chacun de vous travaille quatre ou cinq scènes de ce répertoire classique, si au total cela fait une vingtaine de scènes travaillées à fond dans la classe, cela suffit. A l'examen, vous prenez une pièce d'une heure et demie, vous la jouez en dix minutes, y compris l'exposition et le dénouement, vous passez dans des costumes, vous vous frisez et vous vous mettez du rouge. Le difficile c'est de jouer la comédie sans tout cela.

On peut toujours prendre Hamlet et y montrer ce qu'on veut, jouer Macbeth et voir Hitler dedans. Il y a tout dans ces pièces-là. Seulement, ce qui est difficile, c'est de prendre la pièce et de la jouer dans le sens où elle est, sans non plus faire de reconstitution.

Les Amoureuses

Molière

LE MISANTHROPE

ACTE III, SCÈNE 4

CÉLIMÈNE, *Nadia*.
Arsinoé, *Claudia*.

CLASSE DU 7 SEPTEMBRE 1940

[Elles donnent toute la scène.]

L. J. : Ce n'est pas mal. Qu'est-ce que tu en penses?

NADIA : J'aime beaucoup ce personnage. J'aimerais le jouer un jour.

L. J. : Tu en as l'amusement.

NADIA : Oui, je m'amuse beaucoup.

L. J. : Seulement c'est un peu insistant. Tu triomphes. Il y a dans ton attitude quelque chose d'un peu insolent qui est facile. Si c'était plus enrobé dans de l'amabilité, ce serait aussi cruel. Tu insistes un peu. Tu lui verses un peu le poison goutte à goutte. Cela vient surtout du fait que quand tu rapportes les propos des autres, tu le fais en ayant l'air de lui dire : — Vous comprenez bien que c'est pour vous. — C'est sans doute la sottise du public et l'esprit des commentateurs qui a amené les comédiens à faire de cette scène une scène de médisance.

NADIA : Je le faisais en m'amusant.

L. J. : Tu dis par exemple : « Dans tous les lieux dévots elle étale un grand zèle; — Mais elle met du blanc et veut paraître belle. » C'est une femme ravissante qui parle et qui n'est pas méchante une seconde. Ce qu'elle dit est d'une méchanceté extraordinaire parce qu'elle le dit en s'amusant. « Elle est impertinente au suprême degré, — Et... Ah! quel heureux sort en ce lieu... » *Tu vois le contraste de voix*[1] *?* A partir de ce moment tu l'écoutes avec un intérêt extraordinaire, et tu lui dis : « Madame, j'ai beaucoup de grâces à vous rendre... » — Figurez-vous, comme je vous vois, que... — « En un lieu, l'autre jour, où je faisais visite... »

---

1. Chuchotement avec les marquis suivi du « Ah!... » éclatant.

— Figurez-vous, que... — « Je trouvai quelques gens... » Invente un peu dans le début, et après tu vas y aller avec une volubilité extraordinaire : — Vous savez cette sale gueule que vous avez; non, vraiment, ces cheveux qui ne sont jamais bien coiffés. — Elle le lui dit sur ce ton. « Cette hauteur d'estime où vous êtes de vous, » — Je peux vous le dire franchement, Madame! — Et tout ça tout à fait gentil. — Vous n'avez pas bonne mine aujourd'hui. Vous vous soignez un peu? — Tu sais, comme disent les Parisiennes. « Mais elle bat ses gens et ne les paye point. » — Vous savez ce que c'est, n'est-ce pas? On dit ça comme ça. — « Pour moi... » — Mais moi je leur ai dit... — « Madame, je vous crois aussi trop raisonnable — Pour ne pas prendre bien cet avis profitable. » Et tu te mets un peu de poudre pendant ce temps-là. [Image.]

Arsinoé dit : « ...je vois bien, par ce qu'elle a d'aigreur... » Il n'y a pas d'aigreur, justement.

« Madame, on peut, je crois, louer et blâmer tout, » — Oh! Madame! — Dites-vous des choses aimables! « ...et ce n'est pas temps, — Madame, comme on sait, d'être prude à vingt ans. » Tout cela est très aimable. Il faut que ce soit très fin; si c'est insistant, c'est perdu.

Et Arsinoé dit : — Mais enfin qu'est-ce que vous avez contre moi? — Et Célimène : « Et moi, je ne sais pas, Madame, aussi pourquoi — On vous voit, en tous lieux, vous déchaîner sur moi. » Tout cela très franc. C'est après qu'elles s'insultent, mais tout cela reste dans une politesse absolue, tout en devenant insultant. Puis, pour rompre, à Alceste qui entre : « Soyez avec Madame : elle aura la bonté — D'excuser aisément mon incivilité. » — Allez-vous-en Madame et ne m'embêtez pas. — Et le tout dans le haut, sans insistance.

Célimène est une femme qui est jeune, qui est heureuse, qui est heureuse d'avoir des amants, qui est sûre d'elle, qui est spirituelle, qui est heureuse de vivre, et qui a une certaine franchise. Elle dit des médisances comme ces Parisiennes qui ne font que cela et qui le font avec beaucoup d'esprit; elles sont malicieuses dans le propos, elles jugent les gens tout de suite, et tout de suite on a envie d'alimenter leur esprit. C'est comme dans une station à la mode, quand les gens papotent à la terrasse de leur hôtel : — Oh! ma chère avez-vous vu Monsieur un tel? Figurez-vous que je l'ai aperçu ce matin. Il avait un pantalon! — Et les gens du monde c'est cela, des gens qui ne se détestent même pas. Ils se disent des vacheries la bouche en cœur, et c'est cela qui est joli, cette médisance creuse, légère, ravissante. — Oh! Madame, que je suis heureuse de vous voir! — Et les deux marquis sont des types très gentils.

Ce sont des gens ravissants, seulement ils sont de cette société où on se « débine » : — Vous savez bien, chère, cette famille qui est là, à cet hôtel ? mais si ! il y a la grand-mère, il y a la mère, il y a la fille. La grand-mère a des cheveux mauves, la mère a des cheveux rouges, la fille a des cheveux jaunes. Mais si, vous savez bien, ils sont tous les soirs à l'hôtel. — Bien sûr on pourrait décrire ces gens-là autrement, mais cette façon de les décrire est très spirituelle, méchante et exacte. Il faut jouer ça haut, gracieux tout du long. Il n'y a qu'Arsinoé qui rouspète, mais ce n'est pas une vieille femme, Arsinoé, c'est une femme jalouse.

NADIA : Pour le concours, je n'ose pas le passer.

L. J. : C'est une scène qu'on débite, qu'on récite avec cette insistance, ce ton intentionnel, pour montrer combien on est fielleux, comme on distille bien la méchanceté, avec des mines pointues et des coups d'éventail. *On ne peut la jouer qu'avec la scène des portraits.* Il y a eu un incident, Alceste a fait encore un éclat : « Par la sangbleu ! Messieurs, je ne croyais pas être — Si plaisant que je suis. » C'est le même moment, c'est l'après-midi où Célimène reçoit, elle sort accompagner Alceste avec Philinte et Éliante et tout à coup, Célimène revient : — Qu'est-ce que vous faites là, qu'est-ce que vous racontez ? — Basque entre : — Madame, Arsinoé est là. — Oh ! — Et ça recommence. Ça ne peut vraiment se jouer que dans cet exercice général. Quand on voit entrer les deux filles, au Conservatoire, pour jouer cette scène-là, ce n'est pas possible, ce n'est pas dans le mouvement. Ce doit être en suspens à la fin du troisième acte sur la scène d'Alceste et d'Arsinoé qui est une scène assez étrange. Tu imagines la façon dont ils parlent tout seuls dans ce salon ? Ça se joue mezza voce, à deux : Arsinoé et Alceste, et c'est en contraste avec l'éclat qu'il y a eu avant. Les scènes du *Misanthrope* sont caractérisées par un ton très différent. A la dernière scène du III, on sent qu'il va se passer quelque chose. Le ton dont parle Arsinoé : « Vous voyez, elle veut que je vous entretienne, — Attendant un moment que mon carrosse vienne ; » Et commence cette conversation entre eux deux, avec Arsinoé qui ne tient pas du tout à ce qu'on l'entende. Alceste revient mélancolique de son procès et se trouve avec cette femme désireuse d'entrer en intimité avec lui. C'est une scène dangereuse, délicate. Mais on joue Alceste dans l'honneur : — Que voulez-vous que je fasse à la cour ? — Non, c'est dans l'étonnement. C'est sur cette scène que la pièce s'arrête pour reprendre au IV. Cette scène d'Arsinoé et d'Alceste, on la joue comme on joue tout *Le Misanthrope*, comme on joue tout le classique, dans un ton où l'acteur veut être spirituel, bien-disant, avoir de l'esprit, du style et paraître un véritable marquis du xviie. Ce n'est pas vrai. Il y a une situation dramatique qu'on ne joue pas.

Tu le sens à partir de la rentrée d'Alceste et Célimène au II :
« C'est pour me quereller donc, à ce que je vois... » A partir de
ce moment-là, c'est un autre acte. Il y a un apologue, c'est le
premier acte; le deuxième et le troisième font un acte, et le IV
et le V sont liés. C'est un après-midi chez Célimène, pas plus,
la fameuse histoire de la fin. Il faut que ce soit fini, beaucoup
plus sur l'humiliation et la contrition de Célimène que sur le
pathétique d'Alceste. C'est une imbécillité de vouloir qu'Alceste
sorte avec cet air de grandeur offensée.

Ce qui est pathétique chez Alceste, c'est ce côté à la fois bouffon
et sincère.

Si c'est un homme qui dit : — Je m'en vais parce que j'en ai
assez de toute cette société — cette sincérité me touche. Est-ce
un homme qui a raison ou un homme qui a tort, dans une certaine mesure, de ne pas accepter ces petites bavures que sont la
médisance, ces petites nécessités sociales que sont la coquetterie
féminine et l'hypocrisie bénigne? Cela reste humain et la pièce
redevient ce qu'elle doit être, *non pas une démonstration, mais une
peinture*, c'est-à-dire *une proposition objective que les comédiens* (c'est-
à-dire Molière) *font au public :* Nous vous présentons des gens,
une histoire, dans lesquels vous allez vous reconnaître, prendre
parti ou non. Mais si on veut présenter une célébration solennelle de la dignité ou de la vertu en caricaturant à droite, en
accentuant à gauche, ce n'est pas drôle. Il faut que ce soit très
objectif, *que le spectateur soit concerné dans sa sensibilité, dans son
jugement.*

CLASSE DU 23 OCTOBRE 1940

[Claudia est remplacée par Irène dans le rôle d'Arsinoé.]
— Ah! quel heureux sort en ce lieu vous amène?
— ...
— Hier, j'étais chez des gens de vertu singulière,

L. J. : On fait un récit ou on ne le fait pas. Tu fais un récit,
tu dis : « Hier », et tu commences ton récit. On est fatigué tout
de suite. On se dit : Bon, elle va encore nous raconter une histoire. Ce n'est pas intéressant. Parle.
— Elle est impertinente au suprême degré,
Et... / / Ah! quel heureux sort en ce lieu vous amène?

L. J. [à Nadia] : Et tu te retournes; elle arrive. Ne lie pas
les deux choses. Les comédiennes qui jouent cela veulent mon-

trer qu'elles ont de l'esprit et qu'elles peuvent passer d'un ton naturel à un ton artificiel, ce n'est pas ça.

— Elle est impertinente au suprême degré,

...
— Je viens, par un avis qui touche votre honneur,

L. J. [à Irène] : Ne dis pas : «Je viens / / par un avis »

— Je viens, par un avis

L. J. : Non, parle-le, reprends.

— ... L'amitié doit surtout éclater

...
Témoigner l'amitié que pour vous a mon cœur.

L. J. : Tu commences une phrase par l'amitié et tu la termines par l'amitié. Tu ne comprends pas?

« *L'amitié* doit surtout éclater... » — L'amitié, celle que j'ai pour vous, n'est-ce pas, Madame. Je viens vous témoigner l'amitié que j'ai pour vous. — Voilà la phrase, seulement elle a six vers.

— ... L'amitié doit surtout éclater

...
Hier, j'étais chez des gens de vertu singulière,

L. J. : Tu lui fais un récit.

— ... L'amitié doit surtout éclater

...
— Madame, j'ai beaucoup de grâces à vous rendre.

L. J. : Vous vous amusez beaucoup, mais moi ça ne m'amuse pas du tout. Réponds-lui; parle-lui : — Ma robe ne vous plaît pas, vous n'avez pas regardé votre pardessus, il est dans un état épouvantable. —

— Un tel avis m'oblige, et, loin de le mal prendre,

...
Là, votre pruderie et vos éclats de zèle

L. J. : Non, vous voulez être spirituelles, moi ça ne m'amuse pas du tout cette volonté de vouloir vous moquer l'une de l'autre, ce n'est pas du tout intéressant. Vous y mettez de la perfidie : c'est une scène qui est jouée par deux chipies. Ce n'est pas drôle, deux chipies qui se disent des choses désagréables.

Elles se disent des choses très aimables au contraire. Tu ne vois pas la différence? Je t'assure que la scène est beaucoup plus étonnante, beaucoup plus perfide et beaucoup plus vraie si ces deux femmes se parlent sur un ton naturel. Faites-le aimable, c'est d'une amabilité extraordinaire. Si tu veux le jouer avec l'intention de cligner de l'œil au public pour lui dire : Écoutez donc ce que je vais lui sortir, c'est fini, ce n'est pas la scène.

La scène est dans ce ton naturel, dans cette amabilité authentique qu'ont deux femmes du monde qui se parlent entre elles
et qui se disent des choses effroyables. Ce sont deux femmes dont
on dit : elles s'adorent, et si on écoutait mieux on verrait qu'elles
se disent des choses abominables. Quelquefois ça se passe dans un
salon; le monsieur d'à côté vous dit en désignant deux femmes
qui parlent avec animation : Elles ne peuvent pas se voir. Vous
écoutez bien attentivement et vous voyez qu'en effet...

Ce qui est révoltant dans cette scène, c'est l'esprit que les
comédiennes veulent y mettre; c'est suffisamment clair, évident,
qu'elles se disent des méchancetés !

— Madame, j'ai beaucoup de grâces à vous rendre.

— ...

— D'excuser aisément mon incivilité.

L. J. : Il faut que tu travailles cette scène, seulement il ne faut
pas que tu la travailles dans la tendresse. Ce que je t'ai dit tout
à l'heure c'est bien, seulement ce n'est pas une raison pour y faire
de la tendresse. Il faudra apprendre ton texte, ma petite Irène.

IRÈNE : Je l'oublie chaque fois.

L. J : C'est fâcheux, parce que si tu veux faire ce métier, tu
ne pourras pas oublier ton texte du jour au lendemain.

C'est une scène qu'il faut jouer aimable, seulement [à Nadia]
tu la joues tendre, maintenant.

NADIA : Je ne sais plus, maintenant.

L. J. : Vous n'avez jamais assisté à des scènes comme ça, dans
la vie?

CLAUDIA : Tous les jours.

L. J. : Vous n'en jouez pas de temps en temps, vous-mêmes?

NADIA : Plusieurs fois par jour.

L. J. : C'est ce qu'il faut jouer dans la scène, et non pas une
intention perfide.

Marivaux

LE PRINCE TRAVESTI

ACTE I, SCÈNE 2[1]

HORTENSE, *Claudia.*
La Princesse, *Nadia.*

CLASSE DU 25 NOVEMBRE 1939

[Elles commencent, mais L. J. les interrompt presque aussitôt.]
L. J. : C'est très pimpant ce que vous faites, mais ce n'est pas
ça. La Princesse est en état d'émoi; c'est quelqu'un qui est trou-
blé et qui va dire à une confidente le motif de son trouble. L'attitude dans laquelle est Hortense est subordonnée, pas subordonnée
physiquement, mais moralement; c'est une confidente de tragédie
ou de comédie qui se dit : — On va me ficher à la porte tout à
l'heure si j'ai l'honneur de déplaire à Madame. — Elle est dans
un rapport de dépendance avec l'héroïne. Pourtant, l'héroïne de
la pièce sera Hortense.
[Elles recommencent.]
L. J. [interrompant; à Nadia] : On ne parle pas directement
aux confidents.
[A Claudia.] L'attitude physique est beaucoup trop dépendante
maintenant. Il faut que ce soit dans le ton, mais pas dans le corps.
Tu fais vraiment domestique. Pour commencer une scène, il faut
avoir le sentiment juste. Quel est-il ici? La Princesse va s'expliquer, elle ne sait pas très bien comment commencer; Hortense
est prête à recevoir la confidence; elle est dans cet état de dignité
où il faut être pour cela, elle en a du moins l'apparence; elle est
en même temps très attentive. C'est dans cette finasserie entre les
personnages que commence à naître notre intérêt.

    — Ma chère Hortense, depuis un an que vous êtes absente,...
  — ...
    — J'aime, voilà ma peine.

L. J. : Pas de tendresse. N'en mettez pas dans Marivaux. Dans
Marivaux, on s'en fiche de la tendresse.

1. Voir texte page 275.

— J'aime, voilà ma peine.

— ...

— ... Madame, ce calcul-là mérite attention.

L. J. : Ne raisonne pas la tirade, lorsque tu décris les avantages de Lélio. C'est un flot de paroles qui amorce la comédie. Ne raisonne pas.

CLAUDIA : Je ne sens pas que je raisonne.

L. J. : Tu es coquette, mais tu n'es pas amoureuse. C'est beaucoup plus instinctif que cela.

— J'aime, voilà ma peine.

— ...

— ... Madame, ce calcul-là mérite attention.

L. J. : C'est trop nerveux tout cela, trop nuancé, trop raisonné. Hortense est une femme charmante, une femme de bonne humeur. Il faut qu'au début de la scène on pense : La Princesse est bien jolie, mais moi, ce n'est pas mon genre; je préférerais la petite Hortense.

[Elles achèvent la scène.]

L. J. : Tu n'as pas assez souligné, dans le récit de l'attaque des voleurs, les effusions qui ont dû se produire. Hortense est une femme tendre; elle a rencontré un homme galant, généreux. Elle n'a pas résisté. Il y a ce côté « belle humeur », « bon vivant », que tu n'as pas donné. Toi tu fais de la vivacité. Il faut qu'on sente qu'à travers la beauté accorte de cette femme passent, tout à coup, je ne sais quels effluves de désirs qui ne sont pas contentés. C'est une femme aimable, généreuse. C'est ce qui en fait l'intérêt. La Princesse découvre tout à coup, dans Hortense, une femme qu'elle ne soupçonnait pas, qu'elle ne croyait pas amoureuse, et qui l'est plus qu'elle-même. Il faut qu'on voie qu'Hortense est une femme qui attend l'amour. Chacun l'attend à sa manière; certaines l'attendent comme elles attendent l'autobus, d'autres, qui sont « claires », s'offrent. Ce n'est pas une soubrette, mais il y a un côté belle humeur qui fait, qu'entre dix femmes, c'est Hortense qu'on regarderait. Elle a ce côté aimable que les hommes aiment. C'est ce qui éclaire tout de suite la scène. Hortense est un beau personnage. Ce qu'il faut, c'est le détendre, le mettre dans l'heureuse harmonie où est cette femme.

CLASSE DU 6 DÉCEMBRE 1939

— Ma chère Hortense,...

— ...

— ...et vous me serez toujours chère;

L. J. : Ce n'est pas mal, mais tâchez de le dire un peu plus large. La diction est un peu rapide.

Attention, Nadia, tu fermes tes phrases. Soutiens la phrase; n'y fais pas d'arrêts de voix. Reste à la même hauteur de ton; si tu as une nuance à faire, que ce soit franchement. C'est clair, ce que je te dis?

NADIA : Oui, oui.

L. J. : C'est un commencement d'acte, et même de pièce; si tu dis : « Ma chère Hortense / / depuis un an que vous êtes absente, / / il m'est arrivé une grande aventure », tu fermes la phrase. Ton sentiment à toi fait que, cette phrase, tu veux la continuer et c'est intéressant pour nous. Mais si tu termines sur un point, tu n'as plus le sentiment pour continuer, ce n'est pas *intéressant.*

[A Claudia.] Attention; tu attends qu'elle donne sa réplique alors qu'il faut l'interrompre.

— Ma chère Hortense,...

— ...

— ...mais nous avions des témoins, et d'ailleurs vous aviez besoin de repos.

L. J. : Là aussi, c'est une circonstance de la pièce; alors, ralentis.

— Que vous est-il arrivé donc, Madame?...

— ...j'ai peur que vous ne condamniez mes faiblesses.

L. J. : Il faut qu'on sente que le débat va commencer sur cette question de faiblesses, sur ce mot « faiblesses » qu'elle a prononcé.

Cela commence assez large; c'est l'andante.

— Moi / / Madame / / les condamner!

L. J. : Ne coupe pas. Dis : « Moi, Madame, les condamner! » C'est beaucoup plus franc. « Madame » doit être « avalé » dans la phrase.

[Claudia recommence cette phrase à plusieurs reprises, et toujours en coupant : « Moi / / Madame / / les condamner! »]

L. J. : Si je t'arrête, ce n'est pas pour que tu fasses exactement ce que je fais. Ce n'est pas une question d'imitation d'oreille. Prends-le dans la pensée.

— Moi, Madame, les condamner!...

...avec sa raison ferme et / / sans quartier,

L. J. : Ne coupe pas cela. Il faut qu'on sente : « Les faiblesses, Madame, c'est l'essentiel... » Il n'y a que cela d'intéressant.

— Moi, Madame, les condamner!

CLAUDIA [s'arrêtant court] : Je ne peux pas le dire. J'y pense trop maintenant.

L. J. : Tu ne respires pas. Tu te crispes là-dessus.

Après : « Moi, Madame, les condamner! » marque ton étonnement, va vers elle tout naturellement, avec un geste des bras, qui te permet de faire la transition.

[Claudia recommence, et achève son mouvement.]

L. J. : Chaque fois qu'on a une difficulté, qu'on éprouve un sentiment qu'on n'arrive pas à exprimer, on l'esquive. Dans tous les rôles que tu joueras, si tu te contrôles bien, il y aura des moments où tu sentiras cela. Tu joues la pièce dix fois, vingt fois, chaque jour tu te dis : il faut que j'arrive à cet endroit-là, et, un beau jour, il passe tout seul. Tu es « confortable » dedans, alors que tu y étais toujours mal à l'aise. Cela prouve que tu n'avais pas réfléchi à ce passage-là *sensiblement*. Il ne peut entrer dans ta sensibilité que par un phénomène de ton imagination. Si tu y parviens, tu arriveras à toucher certains points difficiles de ton mécanisme intérieurement.

Quand on a une difficulté, il faut se mettre en face du problème, et essayer de passer. C'est le seul perfectionnement qu'on puisse acquérir.

— Moi, Madame, les condamner!...
...qui ferait main basse sur tous nos mouvements?

L. J. : C'est une série d'interrogations qui n'en font qu'une. Si tu les varies, elles seront très fatigantes à entendre, et le texte ne sera plus audible.

Tu vas à la Princesse et tu te tournes vers la troisième personne, celle qu'on oublie toujours : le public, comme dans une conversation à trois. Lorsqu'on s'indigne de ce que dit l'autre, on se tourne vers la troisième personne. C'est cela le théâtre.

— Que ferions-nous d'une personne parfaite?...
... Entendrait-elle quelque chose à nous, à notre cœur, à ses petits besoins?

L. J. : Dis bien cela, avec cette bonne humeur qui est dans le caractère d'Hortense. Il faut que ce soit abondant. Ne fais pas d'arrêt entre : « à nous » et « à notre cœur ». Ce sera infiniment plus agréable que ce que tu fais.

— ... Entendrait-elle quelque chose à nous,...
... Croyez-moi, Madame;

L. J. : Tout simple.

Une fois que tu as poussé dans ces « nappes » successives d'étonnement et d'indignation, tu dis simplement : — Madame, croyez-moi, j'en suis pour les faiblesses. — C'est très clair comme sentiment.

— Croyez-moi, / / Madame;

L. J. : N'arrête pas sur le « Madame », ça fait domestique.

— Croyez-moi, Madame ;...
— J'aime, voilà ma peine.

L. J. : C'est un gros aveu : j'aime. Et quand on aime on est dans cet émoi où ce qu'on dit (c'est un aveu) est tel que c'est sensible.

Ne le dis pas à Claudia. Si tu le lui dis à elle, nous n'avons pas l'aveu. L'aveu, c'est au public que tu le fais. Toi, tu l'esquives, tu fais un petit balancement de tête.

— J'aime, voilà ma peine.

L. J. : Tu comprends, nous sommes à la septième réplique de la pièce et le sujet est tout de suite là.

— J'aime, voilà ma peine.

L. J. : Ce n'est pas cela.

Les poètes décrivent cet état : Son sein se soulevait... J'aime, dit-elle dans un soupir. Il faut que ce soit charmant.

C'est une époque ravissante où toutes les expressions doivent être dans une grâce extraordinaire. Quand elle dit : J'aime, il faut que toute la salle se dise : Bon sang, si c'était moi ! tellement ce doit être joli.

— J'aime, voilà ma peine.

L. J. : Non, tu n'aimes pas.

Tu as dit à Hortense : Venez un peu, j'ai quelque chose à vous dire. Tu as ce « j'aime » dans la poitrine depuis le début.

Tu vois ce que c'est qu'un personnage. Il ne s'agit pas de chercher des intonations ou des inflexions en disant son texte. Il s'agit simplement d'imaginer ce personnage. Qu'est-ce que le personnage de la Princesse ? C'est quelqu'un qui garde un secret dans son cœur, et qui voit tout à coup la confidente à qui elle va dire ce secret. Elle est gonflée de ce secret, gonflée aussi de son amour. A la première occasion qu'Hortense lui donne, elle lui en fait l'aveu.

— J'aime, voilà ma peine.

L. J. : Ce n'est pas cela. Nous n'arrêterons pas sur « J'aime » ; nous allons continuer, mais tu vas tâcher de te dire que depuis le moment où elle est entrée en scène jusque-là, la Princesse est chargée d'un secret.

— Que ne dites-vous : J'aime, voilà mon plaisir ?

L. J. : A nous, à nous ! et mets-y plus de joie.

— Que ne dites-vous : J'aime...
— Non, je vous assure ; elle m'embarrasse beaucoup.

L. J. : C'est une phrase directe.

Le début de la scène est assez large; mais il y a des phrases directes. Il faut que tu crées des arrêts à Hortense, qui va débiter son sujet d'abondance.

— Non, je vous assure; elle m'embarrasse beaucoup.
— ...
— Je crois voir qu'on n'est pas ingrat.

L. J. : Ce n'est pas aussi timide que tu le fais. Il faut que ce soit plus riche.

C'est de l'amour dès le début. Il faut que cela ruisselle d'amour. Ce n'est pas de la psychologie.

— Je crois voir qu'on n'est pas ingrat.
— ...
— Vous avez entendu parler de Lélio?

L. J. : Beaucoup plus haut, pas dans le ton mais dans la légèreté. Ça reste pudique par une inflexion qui est un peu évasive. Il est bien entendu que cette phrase est là pour nous faire connaître le personnage de Lélio; mais, quand on fait un aveu, on « tourne toujours », on n'y va pas franchement.

— Vous avez entendu parler de Lélio?
— ...
— ... C'est d'ailleurs l'âme la plus généreuse...

L. J. : La Princesse va commencer à parler.

Il y a chez Hortense une curiosité de femme, et, à partir de ce moment-là, entre ces deux femmes, un appétit d'amour, qui est ravissant.

— Est-il jeune?
— ...
— Jeune, aimable, vaillant, généreux et sage,

L. J. : Ne t'excite pas. N'attaque pas « forte » sur « Jeune ». C'est un sentiment d'étonnement qui va crescendo. Fais la gradation : « Jeune, aimable, vaillant, généreux... » Tu le raisonnes. Tu raisonnes toujours un peu le texte de Marivaux.

« Jeune, aimable, vaillant, généreux... » (et avec ça qu'est-ce qu'il vous faut!), reste dans le même sentiment. Quand tu donnes ta réplique, on dirait que tu fais une « raisonneuse ». Alors que ce n'est pas cela.

Je ne peux pas te l'expliquer autrement qu'en t'arrêtant. *C'est le sentiment qui doit te donner le ton.* C'est l'admiration que tu as pour cette histoire. Tout ce qui, en Hortense, est fait pour l'amour, se dilate et la met dans ce ton, avec ce sentiment d'admiration.

— Jeune, aimable, vaillant, généreux...
... Comptons;

L. J. : Tu arrêtes si tu dis : Comptons (un point).
Ta réplique est juste maintenant, mais tu ne l'as pas dite à Nadia. Ce n'est pas en te tournant vers elle que tu la dis à Nadia, mais par ce je ne sais quoi qui fait que tu la dis *à quelqu'un*.
Dès le début de ta phrase, quand tu commences à énumérer : « Jeune, aimable, vaillant,... » le sentiment arrive. Or, tu as une voix qui est déjà très forte; c'est ta voix qui monte parce que tu ne l'écoutes pas assez : « Jeune, aimable, vaillant, généreux et sage », — mais Madame mais Madame... — Cela va s'amplifier. Or, tu commences « forte » dans le sentiment; il est amplifié dès le début de la réplique..

— Jeune, aimable, vaillant,...
— ...
— Eh bien! Hortense, je vous en croirai; mais

L. J. : Dis le « mais », tout de suite.
C'est une femme qui a de l'irrésolution.

— Eh bien! Hortense, je vous en croirai;...
— ...
— Cela est vrai; je n'y songeais pas,

L. J. : N'arrête pas la phrase. Si c'était un grand raisonnement, il faudrait le morceler, mais là il faut que ça reste léger.

— Cela est vrai, je n'y songeais pas,...
... Avant que le comte Rodrigue

L. J. : C'est une chose du passé. C'est la première fois qu'il y a de la mélancolie dans Hortense. Toute l'animation qu'elle y met est une animation un peu voilée, un peu attendrie, un peu lente dans le débit. Si c'est aussi violent que le reste du débat, ce sera difficile à entendre, et, d'autre part, ce sera lourd.
Le sentiment n'est pas juste.

— ... Avant que le comte Rodrigue m'épousât, il n'y avait amour ancien ou moderne

L. J. : Réfléchis à cela. C'est très beau d'ailleurs. Tu arrêtes, après « amour ». Non. Tout cela, il faut que ce soit ravissant. Langueur... délicatesse... les mots sont à peine colorés au passage, mais il faut que cela s'écoule rapidement.

— ... Avant que le comte Rodrigue m'épousât,...
...pleurs de joie au moindre regard favorable,

L. J. : Tout ce passage est ravissant. Tu en fais une énumération qui est juste du point de vue de l'oreille, mais il faut qu'en gardant cette énumération tu colores les mots, que tu inventes les mots au moment où tu les dis, que tu les trouves; et c'est cette richesse verbale qui témoigne de cet amour.
Cette femme, à ce moment, est dilatée par ces souvenirs. En

quelques mots, il y a toutes les expressions, comme chez une danseuse qui ne fait que quelques pas, et qui décrit tout.

La voix doit mollir à la fin.

Il y a dans toute la première partie une ivresse qui est quelque chose de ravissant à entendre, à sentir... et ça se termine par : « Hélas! Madame ». Tu en mets trop.

Tu as un tempérament assez fort de tragédienne; il te manque la légèreté qu'il faut dans ce personnage. Tu es beaucoup trop tendue, corporellement, physiquement. Tu prends les morceaux de Marivaux comme si c'était du Racine. Les personnages ne sont pas dans le même sentiment, les situations ne sont pas les mêmes. Il faut que tu trouves la légèreté de cet état physique, de cette ivresse, de cette griserie qui est dans le personnage à ce moment-là. Tu n'as pas cette décontraction légère qu'il faut dans la danse et qui laisse à la danseuse ce « souris », comme on disait au xviiie siècle, qui en fait toute la beauté. C'est gracieux, avant tout.

Avec toi, ce n'est pas assez gracieux parce que tu y mets de l'accent. Tu mets une passion qui n'est pas dans Marivaux. *C'est du théâtre psychique, Marivaux.*

Je ne crois pas que ce soit une bonne scène pour toi, mais ce n'est pas mal que tu la travailles.

[Elles achèvent la scène.]

L. J. : Tu as fait quelque chose de bien à la fin, dans le récit, tu revoyais la scène. C'est ce qu'il faut lorsqu'on raconte; que ce soit évocateur.

Il faudrait que vous vous laissiez aller au texte.

[A Claudia.] Tu le dramatises, tu le rends tragique.

CLAUDIA : Je me fais l'effet d'un éléphant dans ce texte.

L. J. : Non, ce n'est pas éléphant du tout. Ce n'est pas lourd... mais ça manque de légèreté. Cela manque de cette allégresse que demande Marivaux. Tant que tu gesticuleras comme tu le fais, tu n'arriveras pas à trouver en toi le sentiment nécessaire. Ta gesticulation est crispée. C'est un texte vaporeux, au contraire, vaporeux, léger, étincelant. Des souvenirs reviennent; c'est vaporeux comme le sont les évocations du passé.

Si tu veux faire de l'esprit dans Marivaux, *sortir des mots*, comme tu faisais sur : « ancien » et « moderne », *on n'entend plus, parce que le détail des mots gêne l'élan de la phrase, l'élan du sentiment.*

Molière

L'AVARE

ACTE I, SCÈNE 1

ÉLISE, *Simone.*
Valère, *Éric.*

CLASSE DU 27 NOVEMBRE 1940

[Simone entre en scène.]
SIMONE : Elle est assise, cette scène?
L. J. : C'est pour plus tard les questions d'assis ou debout.
Dis-la debout.

— Hé quoi! charmante Élise,

L. J. [à Éric] : C'est le début de la pièce. Tu crois que tu
peux attaquer comme ça?

— Hé quoi! charmante Élise...
Je vous vois soupirer, hélas! au milieu de ma joie!

L. J. : « de ma joie! » va au bout de la phrase.

— Hé quoi! charmante Élise...
— Non, Valère, je ne puis pas me repentir...
Mais, à vous dire vrai...

L. J. : Toute la phrase est commencée par : « Non, Valère... »
alors va jusqu'au « Mais... »

— Non, Valère, je ne puis pas me repentir...

— ...
— Hélas! cent choses à la fois :

L. J. : C'est une exclamation. Alors dis d'abord le « Hélas! ».

— Hé quoi! charmante Élise...
— ...d'une innocente amour.

L. J. : Vous venez d'échanger quatre répliques. Tu veux me
dire ce que c'est que cette scène, ce qu'ils ont dit, quelle est la
situation entre ces deux personnes?
SIMONE : Valère est là déguisé et elle l'aime; elle est fiancée

à lui secrètement; elle sait que son père s'il savait cela ne serait pas content, elle a peur que son père ne le sache et elle lui déclare son amour tout simplement. Mais elle a de l'inquiétude, elle se demande ce qui va se passer.

L. J. : Pour quelles raisons?

SIMONE : Parce qu'elle sait que Valère n'est pas fait pour plaire à son père, parce que c'est une chose qu'elle a faite secrètement, elle a peur aussi que Valère ne tienne pas sa parole.

L. J. : Et quoi encore?

SIMONE : Elle dit : Je n'aurais pas dû faire ça parce qu'au fond je ne vous connais pas et puis je ne sais pas ce que c'est que les hommes.

L. J. : Tu découvres cela en ce moment?

SIMONE : Non, je le sais, mais j'étais troublée.

L. J. : Tu ne penses pas assez ce que tu dis, tu dis le texte sans entendre ce que tu dis; c'est une série de propos qui sont très importants, pas seulement pour toi dans le rôle...

SIMONE : Pour le public.

L. J. : Il faut que ce soit d'une très grande clarté. C'est un début de pièce, il faut que ce soit très clair, clair pour le public et pour toi. Et ta première réplique d'Élise...

SIMONE : Ce n'est pas assez tendre?

L. J. : Reprends-le, veux-tu? Écoute la première réplique de Valère : « Hé quoi! charmante Élise... » Tu entends ce que cela veut dire : « les obligeantes assurances... que vous avez bien voulu me donner de votre foi... »

ÉRIC : Après tout ce que j'ai fait pour vous.

L. J. : Qui « a fait »? Tu n'entends pas, Éric, c'est elle qui a donné d'obligeantes assurances.

SIMONE : Elle a dit : Je vous épouserai malgré tout ce qu'on pourra dire.

L. J. : Ils ont dû se presser les mains discrètement derrière les portes. C'est une maison où on ne s'amuse pas du tout; Cléante n'est pas là de la journée. Il n'y a qu'un homme possible dans cette maison, c'est Valère. Élise avec toute la distinction d'une fille de maison qui ne peut pas se commettre devant tout le monde, de temps en temps lui fait de petites œillades; c'est cela les obligeantes assurances. C'est important que tu l'entendes quand tu dis cela.

— Hé quoi! charmante Élise...
— ...une trop douce puissance.

L. J. : « Non, Valère, je ne puis me repentir de ce que j'ai fait pour vous. » La seconde partie de la phrase compense la première.

— Non, Valère, je ne puis me repentir...

— ...

— ...l'emportement d'un père, les censures du monde;

L. J. : Pense bien, énumère bien. Tu ne le penses pas bien.

— Hélas! cent choses à la fois : ...
...les témoignages trop ardents d'une innocente amour.

L. J. : « ...trop ardents » : c'est pour elle; elle se reproche des choses. Pense bien à toi en disant tout cela. Pense bien à tout ce qu'il y a eu entre vous. C'est cela penser et éprouver le sentiment intérieur.

SIMONE : C'est difficile parce que je le sais à peine.

L. J. : C'est simplement pour te dire ceci : dans un certain ordre de diction il faut faire attention; c'est un exemple frappant, typique celui-ci : ce que tu dis, ce que tu as à dire, tu le dis parce que tu as besoin de le dire, parce que tu éprouves intérieurement un sentiment qui te fait dire, alors la diction, dans ce sens, est le résultat du sentiment. Pense bien la phrase d'abord pour en trouver le sentiment.

— Hélas! cent choses à la fois : ...
...d'une innocente amour.

L. J. : Tu sais, quand elle arrive au « témoignages trop ardents d'une innocente amour », elle se reproche peut-être de s'être laissé embrasser, elle se demande si elle n'a pas eu tort. Elle est dans cette inquiétude où sont les amoureux lorsqu'ils n'ont pas encore couronné leur flamme, comme on dit en termes distingués.

— Ah! ne me faites pas ce tort...
— ...ce n'est que les actions qui les découvrent différents.

L. J. : Tu vois comme elle est déjà au fait de beaucoup de choses. Elle a vu des choses déjà, c'est une fille bien.

[Ils achèvent la scène.]

L. J. [à Simone] : C'est bien. Ce n'est pas mal ce que tu fais. Fais attention de ne pas te laisser bercer par ton sentiment. Tu as un peu tendance à cela. Tu es sensible, *tu t'enveloppes de sentiment, alors tu ronronnes un peu*, tu en mets tout de suite trop. Moi, je voudrais te ramener à un peu plus de sécheresse et d'intelligence du texte.

SIMONE : Oui, je sens que ça ronronne trop; d'ailleurs, elle est empoisonnante cette scène pour les spectateurs.

L. J. : C'est une scène ravissante; c'est une scène qui se passe furtivement au début de l'action, dans une salle basse où on est extrêmement inconfortable, où tout le monde passe. Tu te rends compte que la fille de la maison entre en soupirant par un côté, elle regarde Valère de loin, qui est en train de surveiller les domes-

tiques qui lavent les dalles; il y a cette conversation furtive qui doit être comme celle de Junie et de Britannicus, et encore Britannicus est quelqu'un qui a sa place dans le palais, tandis que Valère est là presque comme un domestique; il doit avoir plus ou moins une livrée dont elle souffre; c'est une conversation furtive avec toute la tendresse, toute la confiance qu'il y a entre ces deux êtres. Ils circulent un peu dans la salle : pour cette conversation il ne faut pas se placer en disant cela, comme on se place à l'Opéra. On donne généralement cette scène comme dans un salon, avec des personnes installées; c'est faux. C'est comme dans une réunion mondaine, on voit un homme et une femme qui se parlent, ils ont l'air d'échanger des propos d'une grande banalité, et si on entendait ce qu'ils se disent, ce sont des choses très tendres; de même Valère et Élise, si on les voyait au travers d'une glace, lui aurait vraiment l'air d'un intendant, et elle d'une fille de maison qui donne ses ordres; mais si on entendait leurs propos, ce serait bien différent. C'est une fille qui dit :
— Je suis tombée amoureuse du butler de mon père; je ne sais pas comment ça va tourner. — C'est une situation très tendue, qui n'est pas seulement sentimentale et plaintive, c'est un amour merveilleux.

Apprends-la, parce que c'est une scène très difficile, et surtout penses-y bien. Réfléchis bien à ce que veulent dire les choses dans leurs dessous.

Molière

LES FEMMES SAVANTES

ACTE I, SCÈNE 1

ARMANDE, *Irène.*
Henriette, *Annette.*

CLASSE DU 2 MARS 1940

[Irène entre suivant Annette.]
L. J. [arrêtant tout de suite; à Irène] : Tu n'es pas entrée.
IRÈNE : Ah!
L. J. : Tu ne sens pas que tu *n'entres* pas? Qu'est-ce que ça veut dire : tu n'entres pas?
IRÈNE : Il y a un arrêt qui se produit, qui ne devrait pas se produire, et la démarche ne va pas très bien.
L. J. : Bien.
[Elle recommence.]
L. J. : C'est la même chose.
[Elle recommence.]

— Quoi! le beau nom de fille

[Irène s'interrompt elle-même.]
IRÈNE : Ça ne marche pas encore.
L. J. : Parce que tu ne marches pas.
Mets-toi dans la situation du personnage. C'est une conversation entre deux femmes.

— Quoi! le beau nom de fille est un titre, ma sœur,
— ...
— Trouvez-vous, je vous prie, entière sûreté?

[Sa mémoire lui manque tant à la fin, qu'elle achève péniblement la scène et, chose qu'on remarque quand elle ne sait pas bien son texte, elle semble ne plus se posséder elle-même; son regard est absent; elle devient tout à fait inerte, et ne cherche même pas à donner le change par une certaine animation de geste ou de mimique; elle ne joue plus; elle n'est plus.]
L. J. : Qu'est-ce que tu en penses? [Irène s'approche pour

descendre de scène; toujours le regard vague.] Ne t'en va pas;
reste là-bas; reste.

L. J. [à Annette] : Ce n'est pas mal ce que tu fais. Mais il
faut te mettre plus à l'aise. Henriette est surtout une fille qui est
très à l'aise, quelqu'un qui est très clair; de temps en temps c'est
un peu malicieux, mais c'est surtout quelqu'un de très tranquille.
Tous ces « loustics » avec leur philosophie l'agacent un peu; elle
se dit : — Moi je les aime beaucoup, mais je vais aller vivre
ailleurs. — On sent quelqu'un qui a pris son parti, qui s'est dit
que la philosophie n'est pas ce qu'il lui faut. Ce qui est agréable,
au milieu de tous ces gens qui se trompent sur eux-mêmes, c'est
cette personne naturelle.

Ce n'est plus très amusant, *Les Femmes savantes*, parce que ce
n'est plus d'actualité, quoique le snobisme des gens, leurs travers
le soient toujours. Sois beaucoup plus à l'aise.

Et toi, Irène?

IRÈNE : Je me demande s'il n'y a pas assez de préciosité.

L. J. : Comment cela?

IRÈNE : Si je mets assez de préciosité?

L. J. : Ce n'est pas cela qui m'intéresse. On s'en moque de la
préciosité; la préciosité sort toute seule. C'est une manie de comédienne de dire : je vais jouer Armande précieux; tu files la voix,
tu prends des airs pâmés, tu joues de l'éventail, et tu fais : Oh!
oh! C'est du café-concert; c'est montrer au public : Voyez, je
vous joue Armande; vous voyez ce que c'est; comme je suis spirituelle! et comme ce personnage est ridicule! Voilà ce que tu
feras si tu veux faire de la préciosité.

C'est une histoire toute simple; n'allez pas plus loin que le
texte. Tu verras que dans le texte tu trouveras tout ce dont tu as
besoin. Sinon on peut toujours tout rajouter à ces personnages-là.

Tu es ici au Conservatoire pour apprendre : *l'art de dire, la
façon d'entrer en scène, d'attaquer une scène et d'éprouver en toi le sentiment* que tu dois avoir pour jouer cette scène, et pour savoir *ce
que c'est qu'une situation dramatique.*

Or, quand tu joues Armande, il n'y a rien dedans; il n'y a
pas de situation; parce que la préoccupation que tu as en voulant
jouer Armande n'est pas bonne.

Il ne s'agit pas de savoir si Armande est précieuse. Là n'est pas
le problème.

C'est une conversation entre deux filles, deux sœurs, dont l'une
a déjà un petit côté collet monté. Le fond de la conversation est
fait des sentiments de ces deux femmes pour un homme.

L'entrée en scène : — Quoi! ma sœur! — Il faut nous montrer cet
étonnement d'Armande : — Ma chère petite sœur, il ne faut pas
faire cela! — Armande boude contre elle-même quand elle dit

cela; elle dit sérieusement que le mariage est une chose basse, que la philosophie est ce qu'il y a de plus haut; elle dit tout cela par aveuglement sur ses propres sentiments, et quand elle demande : — Mais ce n'est pas Clitandre? — cela devient un peu plus intéressant.

Voilà la situation.

Tu entres en scène très mal; Annette entre beaucoup mieux que toi; quand elle entre, on voit qu'elle est dans l'attente de ce que sa sœur va lui dire. On peut inventer n'importe quel début de conversation... et brusquement, Armande qui n'a jamais fait attention à cette petite fille, à cette sœur plus jeune : — Vous avez l'intention de vous marier? Ah! —

C'est une conversation de sœur aînée qui veut savoir de quoi il retourne; elle lui fait un peu la morale suivant ses principes à elle, et, à un moment donné, elle se trouve devant quelqu'un de déterminé; elle n'avait pas vu que la petite sœur avait grandi, que tout à coup elle a des opinions qu'elle ne formule pas dans la maison en présence de Mme Philaminte et de Mme Bélise.

C'est ça qu'il faut me donner; le sentiment *d'une conversation entre la grande sœur qui traite avec une certaine condescendance sa petite sœur.* Et cette conversation crée en toi, Armande, des réactions.

Tu n'entres pas du tout, on ne te voit pas entrer.

IRÈNE : Je n'étais pas dans le sentiment.

L. J. : Avant d'entrer en scène, il faut être dans le sentiment ou dans l'humeur du personnage.

Là, le sentiment est assez facile, assez simple. Il est élémentaire; il n'y a pas d'humeur.

Quand Alceste entre en scène, il est dans une certaine humeur, dans un état intérieur d'homme irrité.

Ici, il n'y a pas d'humeur; on ne peut pas appeler cela une humeur; c'est un sentiment très simple. Armande est tout à coup amorcée par ce que vient de lui dire Henriette, elle découvre que sa sœur n'était pas comme elle, ne marchait pas dans la voie de la philosophie. Alors la conversation s'engage.

Mais que ce soit l'humeur, le sentiment... pour jouer, *ce qui est important, c'est d'avoir besoin de dire ce qu'on a à dire,* tu comprends?

IRÈNE : Oui, oui.

L. J. : C'est *la nécessité de parler.* Tant que tu ne sentiras pas en toi la nécessité de dire ce que tu as à dire... Oublie si tu veux le sentiment dramatique, oublie l'humeur, mais retiens ça : il faut que, quand tu es en coulisse, et que tu rentres, tu aies besoin de dire ce que tu as à dire. Or, quand tu viens en scène pour nous dire ton texte d'Armande, on voit que tu n'as pas du tout besoin de le dire; on le voit uniquement à la façon dont tu remues les jambes, dont tu te comportes; tu te places là, et tu commences.

Tu n'es pas du tout quelqu'un qui entre et qui dit : — Venez un peu; je vais vous dire un mot, ma petite sœur. — Ça se sent dès le début.

Si tu éprouvais cette nécessité, ce besoin de dire la réplique du personnage, tu aurais gagné.

C'est vrai pour tous les personnages; que ce soit Elvire, ou Bérénice; il y a un certain besoin de dire les choses qu'il faut que tu trouves; tu ne l'as pas.

Attention à ta mémoire. Ce n'est pas su.

On sent très bien, quand Annette te parle, que tu n'as pas besoin de lui répondre, pas besoin de continuer à lui parler; tu as oublié ce que tu voulais lui dire; ça prouve non seulement une absence de mémoire, mais une absence totale de sentiment dramatique.

Et encore : tu prononces toutes les muettes, comme si tu étais à la distribution des prix.

Essaie de me donner une entrée; imagine-toi cette entrée-là.

— Quoi! le beau nom de fille est un titre, ma sœur,

L. J. : Veux-tu savoir l'impression que tu me donnes?

Tu as pris évidemment une certaine température pour entrer en scène, mais tu as l'air de pourchasser Henriette. C'est la fin d'une chasse à courre dans tous les corridors de la maison, une chasse au bout de laquelle tu l'as enfin coincée là. Au contraire, c'est une invite que tu lui fais.

— Quoi! le beau nom de fille / / est un titre, ma sœur,

L. J. [rectifiant] : « Quoi! le beau nom de fille est un titre, ma sœur, »

— Quoi! le beau nom de fille est un titre, / / ma sœur,

L. J. : Eh bien! cette fois-ci, tu as eu le temps de poser tes bagages et de repartir!

— Quoi! le beau nom de fille est un titre, ma sœur,
...
Ce vulgaire dessein vous peut monter en tête?

L. J. : Ce que tu viens de faire est juste. Tu l'as senti? Seulement c'est un peu sur la pointe des pieds.

Ce n'est pas un sentiment bien difficile, tu vas le trouver : l'étonnement intéressé, un peu cauteleux même d'Armande pour savoir de quoi il retourne. Elle va tirer les vers du nez d'Henriette, en même temps elle va exposer la pièce.

— Quoi! le beau nom de fille est un titre, ma sœur,
...
— Oui, ma sœur.

L. J. [à Irène] : Ta réaction commence là. Encore un peu plus curieux au début : — Quoi, vous osez? — Oui, répond l'autre. C'est gentil, c'est charmant.

> — Ah! ce « oui » se peut-il supporter?
> Et sans un mal de cœur saurait-on l'écouter?

L. J. : Ce n'est pas assez étonné. Elle est indignée, et elle en rajoute un peu. C'est cela la préciosité; ce n'est pas la croupe et l'éventail, c'est l'excès. C'est ce qu'il y a d'excessif dans ce sentiment dont elle sera dupe à la fin.

> — Oui, ma sœur.
> — Ah! ce « oui » se peut-il supporter?
> Et sans un mal de cœur saurait-on l'écouter?

L. J. : « Ah! » étonné. Il faut apprendre à mettre les sentiments dans les exclamations. On devrait vous donner comme exercice un travail sur les exclamations, et vous devriez pouvoir donner des exclamations de tendresse, d'indignation, etc.

> — Ah! ce « oui »

L. J. : Non, ça c'est un soupir, un soupir de soulagement. Fais un « ah! » d'étonnement.
Tu ne sens pas ça?
IRÈNE : Oui, mais je ne sais pas comment le faire.

> — Ah! ce « oui » se peut-il supporter?
> — ...
> — Ah! fi! vous dis-je. [La mémoire lui manque.]

L. J. : Tu ne sais plus, parce que tu ne sais pas ce que c'est qu'apprendre un texte; tu ne sais pas ce que c'est que le jouer.
Il faudrait que tu essaies de comprendre ce que je te dis et que tu travailles un peu toi-même. Je ne pourrai pas te faire faire toutes tes classes en te faisant de la décomposition de mouvement.
N'importe quelle camarade ici te dira ce que c'est que le « Ah! » que tu fais!

> — Oui, ma sœur.
> — Ah! ce « oui » se peut-il supporter?
> Et sans un mal de cœur saurait-on l'écouter?

L. J. : Du bout des lèvres; tout l'étonnement sur le « Ah! », et le reste de la phrase tombe tout seul si ta réaction est vive sur le « Ah! »

> — Ah! ce « oui » se peut-il supporter?
> — ...
> — Ah! mon Dieu, fi!

L. J. : Henriette vient de dire un gros mot devant une personne très distinguée : « Ah! mon Dieu, fi! »

Ton « Ah! » n'est pas bon; il n'y a pas d'indignation. Tout le texte est magnifique, mais si tu le dis comme à la première communion, ça va être terrible.

> — Qu'a donc le mariage en soi qui vous oblige,
> — ...
> — Ah! fi! vous dis-je.

L. J. [expliquant] : — Vous ne comprenez pas, petite sotte. —

> — Ah! fi! vous dis-je.
> Ne concevez-vous point ce que, dès qu'on l'entend,
> Un tel mot à l'esprit offre de dégoûtant,

L. J. : « Ne concevez-vous point... » — enfin vous ne vous rendez pas compte de ce que vous venez de dire? Vous ne vous rendez pas compte que vous venez de roter en société; ça ne se fait pas, ma petite sœur. —

> — Ah! fi! vous dis-je.
> — ...
> — De tels attachements, ô Ciel! sont pour vous plaire!

L. J. : Elle se dit à elle-même : « ô Ciel! » Cela devient intéressant; on sent qu'il va se passer quelque chose.

Annette, si tu pouvais donner un peu plus de gaieté.

« Les suites de ce mot, quand je les envisage, — Me font voir un mari, des enfants, »; gai.

> — Les suites de ce mot, quand je les envisage,
> — ...
> — Que d'attacher à soi, par le titre d'époux,

L. J. : — Je vous le demande ma sœur, qu'est-ce qu'on a de mieux à faire? — Va bien jusqu'au bout de l'interrogation.

> — Et qu'est-ce qu'à mon âge on a de mieux à faire,
> ...
> — Mon Dieu, que votre esprit est d'un étage bas!

L. J. : Elle a tout à coup la révélation que sa sœur est une sotte.

> — Mon Dieu, que votre esprit est d'un étage bas!
> ...
> Qu'un idole d'époux et des marmots d'enfants!

L. J. : « Que vous jouez au monde un petit personnage, — De vous claquemurer aux choses du ménage, » Les deux vers d'une seule émission.

Armande parle comme toutes les mères parlent à leurs filles quand celles-ci font quelque chose que leurs mères ont fait avant elles.

> — Mon Dieu, que votre esprit est d'un étage bas!
> ...
> Qu'un idole d'époux et des marmots d'enfants!

L. J. : « Que votre esprit est d'un étage bas... et des marmots d'enfants ! » C'est la même chose, la même indignation, le même étonnement ; il faut que l'inflexion soit la même, parce que c'est le même sentiment. Reprends !

— Mon Dieu, que votre esprit est d'un étage bas !

...

Aspirez aux clartés qui sont dans la famille

L. J. : Sort bien le « Aspirez », « Aspirez aux clartés qui sont dans la famille ». Il n'y a pas de vers plus ridicule si on le dit bien. Comme lorsque dans une famille il y en a un qui sort de la tradition et qui dit : Moi, je ne veux pas vendre de la bonnete-rie ; je veux faire autre chose. Mais mon petit, c'est une profession remarquable, honorable.

— Vous avez notre mère en exemple à nos yeux,

...

Mariez-vous, ma sœur, à la philosophie,

L. J. : « Mariez-vous, / / ma sœur, à la philosophie, » Si tu dis : « Mariez-vous, ma sœur, / / à la philosophie, » cela fait une cadence ennuyeuse, ça souligne l'hémistiche.

— Loin d'être aux lois d'un homme en esclave asservie,

— ...

Moi, dans celles, ma sœur, qui sont de la matière.

L. J. : C'est un peu plus vite, Annette. Elle commence à en avoir assez ; toujours gentil, mais un peu pressé.

« Vous, du côté de l'âme et des nobles désirs, — Moi, du côté des sens et des grossiers plaisirs ; »

Dis-lui ça gentiment ; il y a toujours, dans la façon dont on joue Henriette, une manière de reprendre le texte d'Armande et de le ridiculiser. Ce n'est pas vrai. Henriette n'a pas l'intention de ridi-culiser sa sœur : — Moi j'aime mieux les grossiers plaisirs. — La moutarde lui monte au nez.

— Quand sur une personne on prétend se régler,
C'est par les beaux côtés qu'il lui faut ressembler ;
Et ce n'est point du tout la prendre pour modèle,
Ma sœur, que de tousser et de cracher comme elle.

L. J. : La conversation s'anime.

« Et ce n'est point du tout la prendre pour modèle, — Ma sœur, que de... (trouve le mot) tousser et de... cracher comme elle. » De cracher comme elle : avec mépris.

— Mais vous ne seriez pas ce dont vous vous vantez,

— ...

— Et par quelle raison n'y serait-elle pas ?

L. J. [à Annette] : Réponds-lui tout de suite, ne prends pas de temps.

— Et par quelle raison n'y serait-elle pas ?

— ...

— Et vous ne tombez point aux bassesses humaines ;

L. J. : N'argumente pas. N'aie pas d'esprit. Tu fais un peu d'esprit. C'est ce que les acteurs veulent toujours faire.

Joue-le dans le vrai sentiment, dans la chaleur du sentiment du personnage, mais n'essaie pas de nous montrer comme Henriette est spirituelle ; le texte, la réplique, suffisent.

— Oui ; mais tous ces soupirs chez vous sont choses vaines,

— ...

Que pour adorateur on veut bien à sa suite.

L. J. : Ces quatre vers, c'est tout l'artifice d'Armande : — Mon petit tu ne comprends pas ; tu ne sais pas ce que c'est que l'amour ; ce n'est pas la peine de se frotter l'un contre l'autre. — Et elle lui explique l'amour platonique, la communion dans les sphères supérieures de la science. Si tu le joues comme cela, c'est drôle.

— Cet empire que tient la raison sur les sens

— ...

— Et qu'en son cœur pour moi toute flamme soit morte ?

L. J. : Elle sourit avec confiance : — C'est un homme qui est dépité, qui est allé vous dire qu'il vous aimait ; mais c'est du dépit, ma petite fille ; tu ne te rends pas compte, tu ne sais pas. — Très sûre d'elle.

— Il me le dit, ma sœur, et, pour moi, je le crois.

— ...

Qu'il n'y songe pas bien et se trompe lui-même.

L. J. : C'est dans le même sentiment : — Et vous êtes une sotte. — Et Henriette, impatientée, lui réplique : — Bon, très bien, ne discutons pas plus longtemps, nous allons voir ! — Tu le sens un peu ?

IRÈNE : Oui, je vais le retravailler.

L. J. : Ce n'est pas difficile.

Je ne connais pas de scène plus ennuyeuse que celle-là par l'application et l'intention qu'on y met toujours en la jouant. C'est tellement simple ; *il n'y a qu'à lire les vers et entendre ce qu'ils veulent dire*. Quand on joue cette scène, c'est toujours une séance de deux perroquets ; on ne joue plus la situation.

A un moment donné, il y a eu des actrices qui jouaient Armande en faisant d'elle le personnage intéressant de la pièce, l'incomprise supérieure ; on a fait d'Armande un personnage romantique, sympathique : l'incomprise. On a eu cette tendance-là pendant tout le XIXᵉ siècle.

Il n'y a pas longtemps, ici, on me disait : Je n'aime pas Henriette ; c'est un personnage inintéressant. Je demandais : Qu'est-ce que vous préférez jouer alors dans *Les Femmes savantes?* Et toutes d'un seul chœur, d'un seul cri : Armande.

CLAUDIA : C'était dans notre première année.

L. J. : C'est terrible de répondre ça et de croire qu'Armande est le personnage sympathique de la pièce.

Armande est un personnage sympathique quand on peut le jouer dans le ton de Bélise : quelqu'un qui a subi une influence fâcheuse. C'est difficile à jouer alors, parce qu'il n'y a plus de préciosité; Armande croit vraiment que l'amour doit être purement spirituel; et c'est par quoi elle est sympathique, par le désir qu'elle a d'être un ange; elle a entendu dire depuis longtemps qu'il y a l'ange et la bête...

[A Irène.] Regarde ce rôle avec confiance, c'est facile à faire. Ce sur quoi j'attire ton attention, c'est sur la nécessité de dire ce qu'on a à dire, ce besoin de dire la réplique. S'il y avait un timbre sur la table et qu'on sonne chaque fois que vous parlez sans avoir rien à dire...

CLAUDIA : Il serait cassé.

CLASSE DU 13 MARS 1940

[Irène et Annette donnent la scène jusqu'au bout. Irène n'a pas de défaillance de mémoire, elle donne plus de voix, elle a plus de présence que d'habitude.]

L. J. : Ce n'est pas mal. Ce n'est pas encore ça, mais ce n'est pas mal.

IRÈNE : Je n'ai pas encore le sentiment.

L. J. : Non, ce n'est pas mal, pas mal, mais ça manque d'animation encore.

[A Annette.] C'est un peu pointu ce que tu fais, et c'est « malin ». Et aussi tu laisses tomber, tu arrêtes un peu les phrases. Le mouvement n'y est pas encore.

[A Irène.] Ce n'est pas encore assez aisé, pas assez libre. Tu n'écoutes pas.

IRÈNE : Mes répliques ne mordent pas.

L. J. : Ce n'est pas la même chose. Je dis : tu n'écoutes pas.

IRÈNE : Il me semble que j'écoute, alors sûrement, il y a quelque chose qui n'est pas au point.

L. J. : Tu crois que tu écoutes, mais tu n'écoutes pas *assez*. Si tu écoutais plus avidement ce qu'elle te dit, tu aurais la repartie plus facile, tu attaquerais plus facilement ta réplique. Les attaques sont molles. C'est ce que je voulais dire quand je disais :

ça manque d'animation. Ce n'est pas encore le mouvement, ce n'est pas encore l'animation qu'il faudrait.

Et évite autant que possible de regarder le plancher.

IRÈNE : J'ai toujours la tête tournée vers elle, je voudrais regarder devant moi, mais je ne sais pas comment faire.

L. J. : Si tu avais un grand afflux de sentiment, si tu étais possédée par ce que tu dis, si tu avais vraiment la nécessité, le besoin de dire ce que tu as à dire on ne te verrait pas ces petits signes : regarder le plancher, remuer les mains, etc., qui trahissent que tu es gênée.

Il faut que le sentiment soit beaucoup plus fort encore, pour que tu arrives à jouer la scène.

IRÈNE : A l'entrée, il y a quelque chose qui me gêne, dans la marche à côté d'elle. Je ne trouve pas.

L. J. : Il faut trouver, pour cette scène, le ton d'une sœur aînée parlant à sa petite sœur; c'est aussi le ton d'une femme qui vit dans les hautes régions de la philosophie, et qui, par conséquent, veut avoir une supériorité d'esprit; il y a aussi de la curiosité vis-à-vis d'Henriette qui vient de lui apprendre qu'elle a l'intention de se marier. Dans cette maison, on ne se marie qu'après avoir parcouru très longuement la carte du Tendre. Enfin, il y a, secrètement, l'idée que c'est peut-être à Clitandre que pense Henriette, ce qui contrarie un petit peu Armande. Elle le dit d'ailleurs à la fin de la scène.

Il faut plus d'animation, tu n'es pas encore échauffée par ce débat. C'est par cette chaleur, cet intérêt que tu trouveras le ton du début : « Quoi!... Ce vulgaire dessein vous peut monter en tête? » Tu n'as pas assez d'étonnement dans ce début.

Si ton sentiment est juste au début, si l'afflux du sentiment est suffisant, la scène viendra toute seule. Si tu veux le faire maintenant, tu n'as qu'à y penser fortement, le méditer, et tu arriveras à sentir exactement le ton qu'il faut. Quand tu auras le ton de la scène, quand tu auras éprouvé l'impression que ton sentiment est juste, parce que tu l'auras fortement ressenti en toi-même, tu auras fait un progrès considérable. Et à l'avenir, pour une autre scène, il suffira qu'on te montre la différence entre ce que tu fais et ce que tu éprouves pour que, de toi-même, tu puisses travailler et progresser, apprendre à jouer.

IRÈNE : Je n'ai pas compris.

L. J. : Tu dis toi-même qu'au début tu es gênée, tu sens que quelque chose manque, quelque chose ne va pas. C'est que tu n'as pas la force nécessaire, un sentiment assez fort pour partir dans cette scène; c'est excellent que tu l'aies senti. C'est capital que tu prennes conscience de ce que tu fais. Si tu arrives ensuite à éprouver en toi le sentiment tel qu'il doit être éprouvé, tu comprendras quand je te dirai : non, ce n'est pas juste; et tu arriveras à mesurer par toi-même la différence qu'il y a entre l'interprétation que tu m'offres et celle que je te demande.

En tout cas, c'est la première fois que tu passes une scène sans une faute de mémoire et avec une certaine continuité. Il faut que vous travailliez cette scène ensemble, Annette et toi.

[A Annette.] Fais attention parce que tu laisses tomber des phrases.

ANNETTE : Ce matin je suis enrouée.

L. J. : Ça n'a rien à voir. On peut être enroué et ne pas laisser tomber les phrases.

Tu dis : « Qu'a donc le mariage en soi qui vous oblige, / / ma sœur? » c'est le ronron habituel. Tout le monde fait des ronds de voix, comme on fait des ronds de jambe, sur le « ma sœur ».

[L. J. lit le texte.] Tu comprends comme les répliques partent? Tu n'en donnes pas le mouvement; vous n'en donnez pas le mouvement parce que vous n'en avez pas le sentiment, parce que toi, Annette, tu mets des intentions, tu veux faire de l'esprit sur « ma sœur », enfin parce que vous ne savez pas encore jouer la comédie.

[L. J. lisant.] « Ne concevez-vous point ce que, dès qu'on l'entend, — Un tel mot à l'esprit offre de dégoûtant, — De quelle étrange image on est par lui blessée? — Sur quelle sale vue il traîne la pensée? — N'en frissonnez-vous point? et pouvez-vous, ma sœur, — Aux suites de ce mot résoudre votre cœur? »

C'est une série d'interrogations successives qui vont croissant; c'est le mouvement qu'il faut voir dans un texte, tu y fais du détail, des pointes.

ANNETTE : Je m'en suis rendu compte.

L. J. : Il n'y a pas encore le mouvement. Le mouvement c'est du sentiment juste, quand on n'a pas le mouvement, c'est qu'on n'a pas le sentiment vrai, c'est qu'on n'est pas dans le ton, l'humeur de l'écrivain, c'est-à-dire, du rôle. C'est une discussion, cette scène.

[A Annette.] Tu as des intentions. C'est malicieux; c'est juste, évidemment, mais j'aimerais mieux que ça parte dans le mouvement plutôt que de faire des nuances dans le texte.

Dans un texte, *les nuances ne viennent qu'après;* ce sont aussi les sentiments qui les donnent, le mouvement qui les apporte naturellement. Quand on a un sentiment assez fort, on a le mouvement, et, dans le mouvement, tu trouveras, à force de répéter, de petites nuances qui te viendront. Ne mettez pas de nuances au début dans un travail de scène, n'en mettez jamais.

CLASSE DU 10 AVRIL 1940

[Irène et Annette donnent toute la scène. Irène est plus présente qu'elle ne l'a été jusqu'ici dans cette scène, mais, comme
toujours, elle joue sans se fatiguer.]
L. J. : Vous allez recommencer.

— Quoi! le beau nom de fille est un titre, ma sœur,
— ...
      Ce vulgaire dessein vous peut monter en tête?

L. J. : Ne PENSE pas ce que tu dis [1].
Cela paraît contradictoire avec ce que je dis quelquefois. C'est
simplement parce que tu alourdis ce texte; tu l'alourdis parce
que tu veux être présente à ce que tu fais.

N'appuie pas tant. C'est un début de pièce, un début de personnage, un début de conversation que tu joues là. Que ce soit
clair de ton pour commencer.

« Quoi! le beau nom de fille est un titre, ma sœur, » il manque
à cela une certaine clarté sonore.

Pour traduire ce que je te disais : un début de pièce c'est
quelque chose de clair, c'est quelque chose qui s'attaque devant
quelqu'un d'autre.

Donne-le-moi à nouveau dans le même élan que tu viens d'avoir.
Laisse-toi simplement aller au mouvement du vers, à ce qu'il
contient.

— Quoi! le beau nom de fille est un titre, ma sœur,
— ...
— Ah! mon Dieu, fi!

L. J. : Recommence. « Ah! », c'est ce « Ah! », cette interjec-
tion qui n'y est pas. Respire sur le « Ah! ».
IRÈNE : Elle le dit dans quel sentiment?
L. J. : « Ah! » ce n'est pas possible.
« Ah! » vous n'allez pas me faire croire ça.
« Ah! » quelle ordure.
Elle en met un petit peu trop.
On peut jouer comme on veut un rôle classique. Il y a des
comédiennes qui jouent Armande comme on joue Bélise, tu peux
aussi le jouer sincère. Mais l'expression est toujours la même. C'est
ce « Ah! » qu'il faut trouver.

---

1. Emploi du mot penser. Ici, *penser trop* c'est encore *l'intention* parce
que le ton, l'humeur, n'y est pas.

— Qu'a donc le mariage en soi qui vous oblige,
Ma sœur?
— Ah! mon Dieu, fi!

L. J. : Tu veux lier ce « Ah! ». Pousse le « Ah! » d'abord. Il faut que « Ah! » vienne des poumons, c'est tout. Toi, ce n'est pas un soupir que tu pousses, c'est un soupir que tu veux pousser. J'insiste là-dessus parce que c'est important, parce que c'est cela qui te montrera le mécanisme d'un rôle ou d'une expression.

— Ah! mon Dieu, fi!

L. J. : Pousse le « Ah! » d'abord.
Ça n'y est pas encore; tu vas le travailler. Tu sens ce qu'il faut que tu trouves? Exerce-toi à faire des : ah! ah! ah!

— Ah! mon Dieu, fi!
— ...
— De tels attachements, ô Ciel! sont pour vous plaire!

L. J. : « ô Ciel! » c'est autre chose.
« De tels attachements, / / ô Ciel! / / sont... » Tu peux le jouer comme tu veux en en mettant un petit peu trop, ou en le faisant très sincère, ou entre les deux, mais *c'est l'étonnement des ah! ah! ah! qui compte.*

— Et qu'est-ce qu'à mon âge on a de mieux à faire,
...
Ce nœud, bien assorti, n'a-t-il pas des appas?

L. J. : Beaucoup plus simple. Tu tarabiscotes; tu essaies de le détailler.
Ne dis pas : « Ce nœud, / / bien assorti, / / n'a-t-il pas des appas? »

— Mon Dieu, que votre esprit est d'un étage bas!

L. J. : Mon Dieu! mon Dieu! C'est la même chose que le début.

— Que vous jouez au monde un petit personnage,

L. J. : C'est lourd, comme diction.

— Mon Dieu, que vous jouez au monde un petit personnage! C'est fou! Mon Dieu, est-il possible! —

— Mon Dieu, que votre esprit est d'un étage bas!

Mariez-vous, ma sœur, à la philosophie,

L. J. : Gronde-la un peu; fais-lui des reproches : « Mariez-vous, ma sœur, à la philosophie, — Qui nous monte au-dessus de tout le genre humain, — Et donne à la raison l'empire souverain,... » Explique-lui.

— Mariez-vous, ma sœur, à la philosophie,
...

— Le Ciel, dont nous voyons que l'ordre est tout-puissant,
Pour différents emplois nous fabrique en naissant;

l. j. : C'est assez drôle. A toutes ces raisons, la petite oppose le Ciel. Il y a un peu d'hypocrisie, mais elle est assez maligne. Ne réponds pas comme si tu allais commencer une démonstration. C'est plus simple, mais Henriette en a un peu assez. — Ma sœur, n'allez pas me courir sur les pieds avec cette histoire-là; fichez-moi bien la paix. —

— Le Ciel, dont nous voyons que l'ordre est tout-puissant,
...

— Quand sur une personne on prétend se régler,
C'est par les beaux côtés qu'il lui faut ressembler;
Et ce n'est point du tout la prendre pour modèle,
Ma sœur, que de tousser et de cracher comme elle.

l. j. : Récite-le-lui comme on dit une maxime. C'est drôle. Si tu dis « Quand / / sur une personne / / on prétend se régler, / / c'est par *les beaux côtés* », c'est drôle aussi évidemment, mais je n'ai plus la pièce, je n'ai plus le rôle, je n'ai plus le texte.

— Mais vous ne seriez pas ce dont vous vous vantez
...
Quelque petit savant qui veut venir au monde.

l. j. : N'insiste pas là-dessus; dis-le-lui bien vite. « Quelque petit savant qui veut venir au monde »; — laissez-le pousser, ce petit; moi je vais en faire un, et le plus tôt possible. —

— Je vois que...

[Irène rit tant, tout à coup, qu'elle ne peut plus jouer.]

l. j. : Pourquoi ris-tu? Tu penses soudain à ce que ça veut dire?

— Je vois que votre esprit ne peut être guéri
Du fol entêtement de vous faire un mari;

l. j. : Armande est une de ces filles qui, à cette époque, font l'amour en parcourant la carte du Tendre. Elle croit que l'amour se pratique dans les hautes régions de la philosophie; on échange d'abord longuement des billets doux. Mais elle est tout de même un peu inquiète.

— Mais sachons, s'il vous plaît, qui vous songez à prendre.
Votre visée au moins n'est pas mise à Clitandre?

[Annette prend un temps avant de répondre.]

— Et par quelle raison n'y serait-elle pas?

l. j. [à Annette] : Réponds-lui tout aussitôt, mais lentement; c'est toute la pièce.

— Mais sachons, s'il vous plaît, qui vous songez à prendre.

— ...

— Oui; mais tous ces soupirs chez vous sont choses vaines,
Et vous ne tombez point aux bassesses humaines;

L. J. : C'est tout ce que Clitandre lui a dit dans le couloir :
— Votre sœur, il y a longtemps qu'elle me fait courir. Elle ne
veut pas que je l'embrasse; elle dit que ce ne sera que beaucoup
plus tard. —

— Oui; mais tous ces soupirs chez vous sont choses vaines,

— ...

— Et qu'en son cœur pour moi toute flamme soit morte?

L. J. : Tout ça est très juste; elle veut lui créer un doute dans
l'esprit.

— Il me le dit, ma sœur, et pour moi, je le croi.

L. J. : Bon, tâchez de travailler encore et nous verrons la
prochaine fois.

CLASSE DU 20 AVRIL 1940

— Quoi! le beau nom de fille est un titre, ma sœur,

— ...

— Oui, ma sœur.

[L. J. leur fait recommencer six fois cette entrée.]

— Quoi! le beau nom de fille est un titre, ma sœur,

— ...

— Ce nœud, bien assorti, n'a-t-il pas des appas?

L. J. : Recommencez. Vous n'irez peut-être pas plus loin que
ces vers-là ce matin, mais vous allez recommencer jusqu'à ce
que vous soyez dans le mouvement.

— Quoi! le beau nom de fille est un titre, ma sœur,

— ...

— Aux suites de ce mot résoudre votre cœur?

L. J. : A la dixième fois, cela commence à avoir un peu de
chaleur, c'est évident. C'est cela qu'il faut faire. Je ne peux pas
vous y obliger, je ne peux pas prendre un tire-bouchon pour vous
le sortir. Il y a une température dans un personnage, un état
physique, une humeur, un ton qu'il faut trouver. Répétez comme
vous voudrez, pendant deux jours et deux nuits si vous voulez;
il faut que vous arriviez à vous chauffer. Ce n'est pas parce
que je rectifierai ton inflexion, Irène, que je dirai ceci n'est pas
bon, etc., que cela te donnera cette chaleur qu'il faut avoir.

Votre entrée n'est pas bonne; vous avez l'air de vous pourchasser. Ce n'est pas du tout l'entrée de deux personnages qui vont avoir une explication. Il faut attaquer dans cette chaleur, avec la dignité, la retenue d'Armande qui est tout de même très attentive à cette histoire parce que là-dedans, il y a Clitandre. Mais tu comprends, j'aurais beau te donner des explications et faire des corrections, si tu ne m'apportes pas cette chaleur au départ, ça n'ira jamais.

Travailler, pour toi, maintenant, *c'est préparer ce que tu peux être.*
Vous vous voyez souvent, toutes les deux, pour travailler cette scène. Deux fois par semaine, ici!

ANNETTE : Oh! non, nous nous voyons plus que ça.

L. J. : Vous vous figurez que la classe va vous apprendre quelque chose. La classe ne vous apprendra rien si, munies des propos que j'y tiens, vous n'essayez pas de travailler de vous-mêmes. La scène est claire, on l'a expliquée la dernière fois.

[A Annette.] Tu as recommencé à faire de la fioriture. Il faut que votre scène s'anime. Elle s'animera à condition que vous preniez le texte en vous-mêmes, que vous essayiez de trouver tout de suite ce mélange de sentiments qui donne le ton.

[A Irène.] Tu vas reprendre cette scène. Nous sommes samedi. Mercredi tu me la donneras avec une chaleur qui la rendra intéressante pour tout le monde. Si c'est cet exercice froid et sans répétition que vous apportez ici, vous n'y ferez aucun progrès. Je ne pourrai que vous donner ma bénédiction et une indulgence plénière, mais ça ne vous fera rien. Il faut travailler cette scène jusqu'à ce que le ton vienne.

IRÈNE : J'ai bien compris.

L. J. : Oh! si tu as compris, c'est l'essentiel.

CLASSE DU 4 MAI 1940

[Irène et Annette entrent bien et donnent toute la scène.]
L. J. : Ce n'est pas mal. Tu vois comme avec de l'acharnement on arrive à faire quelque chose. Je voudrais que tu travailles encore cette scène.

Le départ va bien, mais ce n'est pas assez timbré, assez sonore. Dans une grande salle ce serait vraiment confidentiel. En entrant, il faudrait donner du timbre, du volume. Le mouvement n'est pas mal. De temps en temps, cela s'enterre. Vous ne gardez pas le débat assez haut. Et quand tu lui parles, prends-moi à témoin.

De temps en temps, tourne-toi vers moi. Sans quoi le public a l'air d'être là par indiscrétion.

IRÈNE : Je ne peux pas vous prendre à témoin. Je ne peux pas regarder. D'ailleurs, ça doit se voir dans mon œil.

L. J. : Oui, tu as un œil vague.

IRÈNE : Je n'y arrive pas.

L. J. : C'est parce que tu n'es pas encore installée dans le morceau.

Cette scène est très difficile. Tous les débuts de pièce sont difficiles. C'est pourquoi cette scène est une de celles sur lesquelles on peut s'arrêter longtemps, parce qu'il faut entrer dans le débat de la pièce avec une animation parfaite, dans un ton parfait.

Toutes les pièces classiques commencent ainsi, brusquement, dans le plein de l'action dès le départ. Il faut que le ton y soit.

Depuis un certain temps déjà, Armande s'aperçoit des histoires d'Henriette et de la façon dont Clitandre est moins empressé auprès d'elle. Un beau jour ça éclate. Elle est toute prête pour cette explication ; elle choisit le moindre prétexte pour la provoquer : — Quoi vous avez l'intention de vous marier ? — « Quoi le beau nom de fille... » Pense bien à ce que tu dis : « ...le beau nom de fille... »

IRÈNE : Je n'arrive pas à vous prendre à témoin.

L. J. : Tu n'as qu'à bien le penser, bien trouver ce débat entre une personne avec qui tu te trouves et un tiers que tu prends à témoin.

Cette scène se joue d'habitude, ou bien entre les deux filles qui discutent entre elles, et le public se dit : De quoi est-il question ? nous sommes peut-être de trop. Ou bien il y a deux filles qui sont installées de chaque côté, comme les chanteurs, au bord de la rampe, et qui disent au public les répliques qu'elles devraient se dire l'une à l'autre.

Le débat est justement dans une animation entre deux personnes qui prennent à témoin les spectateurs. Il faut que tu sentes bien cela. Cela te permettra d'aller de ton interlocuteur à cette tierce personne. Il y a des personnes qui font cela naturellement. Elles vous parlent et en même temps parlent à l'univers. Tu verras comme alors la scène sera plus claire.

[A Annette.] Toi aussi, tu te tournes toujours vers elle. Il faut que le public soit tout de suite mêlé à ce débat. C'est vrai pour n'importe quel début de pièce classique. Sauf peut-être le début de *Tartuffe* avec Mme Pernelle, et encore, il faut que les gens qui se font engueuler ne soient pas là comme au Musée Grévin. Il faut, *dès le début d'une pièce*, et en particulier d'une pièce de Molière, *prendre le public à témoin, la preuve c'est qu'ensuite dans la pièce il y a des monologues, des soliloques d'un acteur au public.*

IRÈNE : Je vais pour me tourner, mais je suis retenue.

L. J. : Parce que tu as un peu de pudeur. Il faut y aller. Si tu te forces à le faire, tu verras quelle confiance tu auras et quelle autorité cela te donnera. Si tu avais du public devant toi, tu sentirais toi-même le « retour » que cela te donne, comme quand certaines personnes vous disent : Oui, oui, vous avez raison, bien sûr! Si le public est pris à partie, il réagit, même dans le silence. Ce débat est fait au début de la pièce pour que le public prenne parti et qu'il dise : Que va-t-il se passer? Si l'acteur ne l'aide pas à entrer dans le débat, l'attaque de la scène est molle, elle ne s'installe pas. Cela doit se passer devant des gens rassemblés qui sont pris à témoin tacitement.

C'est important chez l'acteur, le sentiment de la présence du public. Si tu n'as pas une façon de prendre le public à témoin, de lui cligner de l'œil, ça ne passera pas, même avec un grand acteur, qui est sûr de sa puissance à cause de son autorité, de sa réputation, qui est sûr qu'on le regardera. Même chez lui il y a des trucs pour pêcher le public.

Tu n'as pas d'autorité, tu n'as pas de puissance sur le public. Si tu jouais ta scène comme tu le fais, ça ne donnerait rien. On sait, au début d'une scène, si le public écoute ou n'écoute pas. S'il n'écoute pas, il y a une façon de ralentir un peu, ou de parler plus haut, ou de faire un petit temps qui crée immédiatement dans le public du silence, de l'attention.

Quelquefois tu commences ta scène et tu entends les fauteuils. Ou bien tu regardes le partenaire et tu dis : tant pis, continuons, on ne va pas se fatiguer pour ces crétins. Ou bien, à la façon dont le partenaire te regarde, tu te dis : il faut trouver quelque chose pour les faire écouter.

Quand tu sauras également t'écouter toi-même et *être consciente du public en face de toi*, tu verras que tu t'ajusteras au public, comme on s'ajuste à une autre présence devant soi quand on parle à quelqu'un et qu'on voit très bien si on parle trop haut ou trop bas, si on le convainc ou si on ne le convainc pas.

CLASSE DU 15 MAI 1940

[Irène et Annette donnent toute la scène.]

L. J. : Ce n'est pas mal. Mais il faut faire attention, maintenant il y a des vers qui n'ont plus douze pieds.

C'était plus animé que la dernière fois, vous êtes plus à l'aise, mais faites attention encore parce qu'il faut bien être dans le mécanisme de ce morceau; ça ne répond plus; il faudrait que ce soit plus détendu; qu'on sente les différentes phases de la conversation.

IRÈNE : Je me suis sentie moins à l'aise.

L. J. : C'est un peu laborieux.

ANNETTE : On a tellement travaillé la respiration.

L. J. : Vous êtes dans le mouvement du morceau, n'insistez pas trop sur le fait de votre respiration; si vous devez modifier votre respiration à l'intérieur du morceau, maintenant, vous le pouvez. *C'est le mouvement qui modifiera la respiration; ce n'est plus la respiration qui vous donnera le mouvement.* Vous avez atteint le mouvement du morceau. Ne vous appliquez pas d'une façon un peu primaire à respirer. Vous avez le mouvement, vous sentez bien quand la respiration vous lâche, alors vous n'avez qu'à la modifier.

Actuellement, vous ne faites que respirer le morceau. S'il y a une respiration qui vous gêne, ôtez-la. Ce sont des vers qui se disent admirablement; si votre respiration n'est pas à l'aise, mettez-la à l'aise.

Vous avez actuellement le mouvement et le ton; placez votre respiration à l'intérieur de ce mouvement; si vous êtes gênées à un moment donné par la respiration, ça n'a pas d'importance, arrêtez votre vers, respirez au milieu, mettez-vous maintenant à l'aise dans ce morceau pour respirer.

Quand vous serez à l'aise dedans, vous verrez que vous pourrez faire autre chose dans le morceau. On sent que c'est appliqué, on sent la respiration et l'application. Vous devez maintenant être à l'aise et faire des nuances dans le morceau que vous ne faites pas. Vous pouvez y aller maintenant.

[A Irène.] Tu peux le travailler tant que tu voudras, et tu travailleras ensuite Arsinoé. Travaille des textes qui sont simples, parce que dès que tu rentres dans du sentiment dramatique plus fort qui nécessite que tu aies une certaine puissance, tu te noies. Il faut que tu apprennes maintenant une diction parlée, il faut que tu apprennes la façon d'amorcer ta sensibilité. Elle est toujours à la traîne, elle est toujours derrière, elle ne suit pas. Fais des exercices pour t'entraîner, sur des textes comme celui-là. Qu'est-ce que ça te dit, Arsinoé? [Irène fait la moue.] Ça ne t'amuse pas.

IRÈNE : Si. Pas énormément, mais je suis à l'affût de travailler tout ce que vous me direz de travailler pour faire quelque chose. J'en suis contente. *Mais ça ne me nourrit pas,* c'est un fait.

L. J. : C'est que tu n'arrives pas à nourrir facilement les rôles qu'on te propose. Qu'est-ce qui te plairait à travailler, dis-moi des rôles auxquels tu as pensé, que tu sens bien; non pas que tu veux jouer, mais ce que tu sens bien, des personnages que tu as vu jouer en pensant : Moi je le ferais mieux que ça!

IRÈNE : Roxane.

L. J. : Tu t'abuses, c'est toujours le sentiment qu'on a; *c'est un des ressorts de l'acteur, pas seulement de l'acteur, mais de l'humaine nature.* On voit quelqu'un et ce qu'on éprouve fait qu'on se substitue à lui; mais on est plus loin que lui, comme quand on entend un violoniste, on est ravi de ce qu'il fait, on se sent plus violoniste que lui. Il est évident que quand on n'a jamais tenu un violon, c'est une prétention difficile. C'est un sentiment un peu simple, il ne faut pas que tu en sois dupe. Quand tu parles de Roxane, c'est un personnage dans lequel tu te noieras. Qu'à la réflexion tu sois capable de l'éprouver, que quand tu vois une camarade qui joue ce rôle tu aies envie de le jouer toi-même, *c'est le fait du spectateur, et par conséquent le fait de l'acteur.* Mais c'est quelque chose dont il ne faut pas que tu sois dupe. Il faut que tu ressentes en toi fortement un personnage pendant longtemps pour arriver à vraiment le posséder. Une fois qu'on est chargé de cette dose considérable qui fait qu'il suffit de tourner le commutateur pour que ça vienne, à ce moment-là on peut essayer d'exécuter, mais c'est lent.

Elvire

Molière

DOM JUAN

ACTE IV, SCÈNE 6

ELVIRE, *Irène.*
Dom Juan, *Michel.*
Sganarelle, *Léon.*

CLASSE DU 25 NOVEMBRE 1939

[Ils donnent toute la scène. Irène se tient bien; elle est bien faite, mais sa tête paraît trop grosse pour son corps, à cause des pommettes saillantes peut-être. Son visage est expressif, elle a de très beaux yeux et un regard très brillant qui la rend lumineuse. Elle a de l'éclat. Sa diction n'est pas nette.]

L. J. : Ce n'est pas très su.

[A Michel.] De la manière dont tu prends ta réplique, tu l'enterres. Le texte d'Elvire est un solo de flûte; si, toi, tu joues du basson, c'est impossible.

Tu n'es pas dans le sentiment non plus : c'est une femme qu'il a aimée, qu'il a abandonnée; au cours de la visite qu'elle lui fait, elle est justement animée des sentiments qui ont incité Dom Juan à l'aimer. Ce qu'il faut montrer, dans cette scène, c'est le contraste entre la pureté d'Elvire et lui. Il est assez intéressé en la regardant. — Eh! eh!... Elle a de beaux yeux. — Il retrouve son visage. Et il dit à Sganarelle qui, lui, est ému : « Tu pleures, je pense. » C'est très clair. C'est dans l'inconscience du personnage.

[A Irène.] Ce n'est pas bien su; il faut le savoir mieux que cela.

Le morceau manque de tendresse. Je n'appelle pas tendresse cette espèce de langueur qu'on peut mettre dans un texte. Quand je dis tendresse, c'est question de sentiment.

Elvire aime *tendrement* Dom Juan. Cela ne se sent pas assez dans ce que vous faites. Le sentiment tendre qui est en elle, il ne faut pas essayer de le mettre dans les phrases; il y est. *Il faut qu'Elvire soit dans un état de tendresse.* En même temps que la tendresse, il y a en elle *le détachement absolu de toutes choses.* Il y a là un caractère de sainteté. C'est une sainte. Il y a une grande pureté de ton et de cœur.

Ne croyez pas qu'il soit nécessaire, quand vous dites : « ...que je vous demande avec larmes; », d'avoir des larmes dans la voix. C'est une erreur qu'on commet souvent. Il ne s'agit pas de mouiller la voix. C'est absolument inutile. C'est beaucoup plus pur. Ce n'est pas une imploration avec des pleurs. *Elvire est quelqu'un qui parle purement, et les larmes qu'elle verse, elle les verse dans une béatitude céleste.* Il n'y a pas d'imploration pour un homme qu'elle veut reprendre. Ne faites pas de larmes dans la voix. L'énonciation de la phrase n'est pas bonne : trop coupée ou trop rapide. Cela tient à quoi, à votre avis ?

IRÈNE : Parce que ce n'est pas assez su... ?

L. J. : Il y a encore une autre raison. Pour que l'élocution d'une phrase soit juste, soit exacte, il faut avoir la dose de sentiment nécessaire pour la pousser. Il faut que vous ayez, par conséquent, besoin de la dire. Le besoin que vous avez de dire cette phrase-là n'est pas assez grand. Vous sentez cela ?

IRÈNE : Oui, très bien.

L. J. : En déchargeant la phrase, elle ne va pas jusqu'au bout, ou bien elle y va à un régime qui est beaucoup trop bas. A chaque phrase qu'Elvire dit (car ce sont des phrases qui sortent d'elle-même avec une éloquence naturelle), il faut qu'il y ait, au départ de la phrase, *la charge de sentiment suffisante pour obtenir la décharge.* Le sentiment n'est pas à la puissance voulue. Vous n'avez pas *attaqué*, au départ. Le plus important, dans une scène, est le début. Si vous n'avez pas, au début de la scène, le sentiment nécessaire, la charge, la capacité de sentiment nécessaire pour attaquer, vous ne pouvez pas aller jusqu'au bout.

Il y a dans Elvire quelque chose d'étonnant. Tout ce qu'elle dit sort avec une facilité, une clarté, une limpidité, une aisance extraordinaires. Vous comprenez ? Il faut détendre cela.

C'est, dans Molière, un texte unique. Ce n'est pas du Molière « ordinaire ». Si vous voulez lire un texte équivalent à celui-là, prenez l'*Introduction à la Vie dévote* de saint François. Il y a des passages où vous trouverez exactement la fluidité de langage d'Elvire, cette sainteté faite de ferveur de saint François de Sales. C'est un ouvrage qui a été écrit en 1616, c'est-à-dire cinquante ans avant *Dom Juan.* C'est une œuvre dont on a fait une cinquantaine d'éditions au XVIIᵉ siècle, qui était extrêmement connue, et (c'est une impression personnelle) je crois qu'on retrouve dans *Dom Juan* quelque chose de l'*Introduction à la Vie dévote.* C'est surprenant dans l'œuvre de Molière, on ne trouve pas d'échantillon de ce texte-là ailleurs... ce côté céleste qu'il y a dans Elvire.

Si vous écoutez bien la pièce, vous verrez que Dom Juan *est une série d'avertissements providentiels donnés à Dom Juan*. Si vous envisagez *Dom Juan* comme *un « Miracle »*, vous verrez que c'en est un; il y a constamment des interventions célestes.

Les propos de Sganarelle, au premier acte, sont des avertissements. Puis Dom Juan s'en va dans la barque; tempête, il manque d'être noyé, les gens qui le recherchent, qui veulent le tuer, les reproches qu'on lui fait, toute la conversation ensuite, avec Sganarelle, sur l'existence de Dieu : autres avertissements. Les gens qui l'entourent sont constamment préoccupés de le ramener à une existence plus humaine. Au troisième acte, l'histoire de la statue est également un fait miraculeux. Il rentre chez lui, il n'est pas touché par ce qu'il a vu, et successivement voilà son père qui vient lui faire des reproches en lui parlant de l'honneur; voilà Elvire (cette silhouette que nous avons vue au premier acte), apparition qui tient du miracle. Au Moyen Age, elle descendrait du ciel; ce serait la même chose.

Il faut que l'entrée d'Elvire ait ce caractère surprenant, surnaturel. Cette femme qui entre tout à coup... on ne l'attend pas. Il faut que ce soit quelque chose de ravissant. C'est beau dans le texte, c'est *fluide*, c'est *tendre*. Il faut que ce soit *ravissant* par la voix, par le ton. C'est quelque chose de *très détaché*, de *très pur*.

Toute la suite de la pièce : l'arrivée du Commandeur qui laisse Dom Juan indifférent, les reproches de son père au cinquième acte, la façon dont il y répond par un sacrilège supplémentaire, arrivent ensuite la femme voilée, le Temps, le Commandeur, je crois que *Dom Juan*, c'est cela : des avertissements surnaturels envoyés à Dom Juan. Tous ces signes sont différents : il y a des accidents, comme la tempête, ou des interventions miraculeuses comme la Statue du Commandeur. Il y a surtout le personnage d'Elvire. Il n'est pas là pour autre chose.

Au premier acte, c'est une femme offensée qui ne parle que de son honneur, qui vient réclamer auprès d'un homme à qui elle s'est donnée et qui s'est conduit comme un goujat. Brusquement, au quatrième acte, *on la revoit transfigurée, céleste déjà*. Ce qui a résulté pour elle de son histoire avec Dom Juan, *c'est la conversion à un état religieux définitif*. Et elle veut essayer de sauver Dom Juan.

[A Irène.] Vous allez travailler cette scène; exercez-vous jusqu'à ce que vous ayez trouvé *l'amplitude de la phrase*. C'est l'amplitude de la phrase qui vous donnera le sentiment juste.

VIVIANE : Pourquoi ne joue-t-on pas souvent cette pièce?

MICHEL [vivement et comme quelqu'un qui sait] : C'est parce qu'il n'y a pas de Dom Juan.

L. J. : *Dom Juan* est une pièce qu'on ne joue pas, qui est passée au répertoire de l'Opéra avec Mozart, qui, à l'époque de Louis XIV n'a pas été jouée ou presque; on ne l'a pas interdite à Molière, mais on lui a certainement demandé de ne pas la jouer. Il l'avait donnée quinze fois avant Pâques; après Pâques, il y avait une interruption dans la saison, on a dû lui dire qu'il ne fallait pas la jouer. Toute l'histoire sur la religion était un problème beaucoup trop scabreux pour l'époque.

Molière venait d'écrire *Tartuffe* qu'il n'arrivait pas à faire jouer. *Tartuffe* l'avait laissé sur un problème religieux. *Non que Tartuffe soit une pièce religieuse, c'est bien plutôt l'histoire de l'hypocrisie.* Mais le sujet avait, c'est certain, des prolongements religieux. A l'époque, beaucoup d'acteurs jouaient des Don Juan, c'était un sujet à la mode; Molière en a fait une pièce dans laquelle il s'est soulagé de tout ce qu'il n'avait pas dit dans *Tartuffe*. Molière est mort sept ans après, sans l'avoir rejouée.

Et on jouait à cette époque, en France, beaucoup de *Don Juan;* les Comédiens-Italiens, à Paris, en jouaient un avec succès : *L'Athée foudroyé.* Pressé par ses comédiens (dit-on) qui avaient besoin d'une pièce, voyant le succès qu'avaient les *Don Juan* ailleurs, et aussi très atteint par ce thème de la croyance, Molière s'est mis à écrire une pièce rapidement (on voit que l'écriture en est rapide) et il l'a fait jouer. L'état dans lequel il était à ce moment fait qu'il a écrit une pièce... non pas sacrilège, non, mais qui touche à des problèmes auxquels il est difficile de toucher.

C'est, à mon avis, la plus grande pièce de Molière.

Depuis la mort de Molière, elle a été reprise trois fois. Elle n'a pas eu un grand succès. J'ai cherché à m'expliquer cet insuccès, si tant est qu'on puisse expliquer l'insuccès.

Pendant cent cinquante ans, jusqu'en 1841 [1] on a représenté *Dom Juan* dans l'adaptation de Thomas Corneille, avec les galipettes de Sganarelle.

Pour vous donner une idée de la tradition comique dans laquelle on la jouait : au quatrième acte, Sganarelle recommençait toute la scène de M. Dimanche et de Dom Juan. L'adaptation de Thomas Corneille était surtout jouée en province, avec un Sganarelle qui était un joyeux farceur. On faisait de Dom Juan un séducteur, ce qui a fait dire aux acteurs, dans la tradition : « C'est un séducteur qui ne séduit personne. »

Cette adaptation s'est jouée avec quelque chose qui a dû fausser la pièce, à mon sens : comme c'est une pièce religieuse, et qu'il ne fallait pas rigoler, au xviie siècle, avec la Congrégation du Saint-Sacrement, on en atténuait le côté religieux en insistant sur le comique. Molière lui-même avait joué Sganarelle (tandis que Lagrange, son régisseur, faisait Dom Juan) pour donner à la pièce un côté comique qui enlevait ce qu'elle pouvait avoir de

1. Première reprise du texte original de Molière au Théâtre de l'Odéon.

dangereux dans le religieux ou l'irréligieux. Car *Dom Juan est une pièce religieuse, parce qu'elle est la peinture de l'irréligion.*

Enfin, l'opéra de Mozart a eu un succès considérable, qui a nui au succès de la pièce de Molière.

En 1841, époque d'un certain anticléricalisme, on ne jouait plus la pièce « religieuse » on la jouait « galante ». Dom Juan est devenu un homme qui court après les femmes. Mais ce n'est pas cela du tout. Si le stupre et la luxure avaient quelque intérêt pour lui... ça se verrait. [On rit.]

Dom Juan n'est pas un séducteur, c'est un homme qui cherche, qui voudrait croire et qui ne peut pas. C'est, comme on disait au xviie siècle, *quelqu'un qui n'a pas la grâce, une espèce de maudit.*

On a fait de Don Juan 70 ou 75 pièces successives ; la dernière est celle d'André Obey, après celle de Rostand. En 1847, on a joué *Dom Juan* à la Comédie-Française ; il y en a eu deux reprises vers 1860 avec Provost, puis une troisième reprise, pendant la guerre de 14-18 avec Raphaël Duflos. Ce sont les seules reprises de *Dom Juan* à la Comédie-Française. C'est une pièce vierge.

Je ne crois pas que ce soit tellement difficile à jouer, mais on se méprend sur la pièce.

Je l'ai vue à l'Odéon, montée par Antoine. Le rideau se levait sur un décor extrêmement curieux, dont la toile de fond représentait l'Etna en fusion. L'action se situe en Sicile... n'est-ce pas ! Il y avait là-dedans tout ce qu'on peut imaginer... et la tragédienne de l'Odéon qui jouait Elvire !

Tout ce qui est touchant dans l'œuvre, toute la fantasmagorie (car *c'est une pièce fantastique :* le Temps avec sa faux, la statue qui marche...) disparaît si on la joue dans le réalisme pensé par le créateur du Théâtre-Libre ; il n'y a plus de fantastique.

Je crois que *pour représenter la pièce, il faut faire appel à la religion des gens.* Celui qui croit, retrouve, s'il le veut bien, avec un peu de naïveté, la foi qui est contenue dans la Légende dorée. Celui qui n'est pas croyant ne peut pas ne pas sympathiser avec un homme comme Dom Juan et ne pas se poser des questions. La pièce pose, à mon avis, *le problème de la religion d'un bout à l'autre.* Maintenant, chacun le prend comme il veut. On croit au miracle ou on n'y croit pas. Mais faire de Dom Juan un séducteur, un garçon coiffeur qui passe son temps à courir après les bonniches...

La tradition de la Grande Maison est celle-ci : il faut avoir trois jeunesses pour jouer Dom Juan : la jeunesse du cœur, la jeunesse de la voix, la jeunesse de la beauté. Mais alors la pièce n'est pas jouable ! Qu'on trouve un acteur qui ait ces trois jeunesses et qui puisse la jouer !

CLASSE DU 29 NOVEMBRE 1939

[Irène entre par le côté, et reste de côté, regardant Dom Juan. On ne la voit que de profil. Elle ne sait pas son texte.]

L. J. : Recommencez le début de cette scène.

Vous avez attaqué trop bas. Quand on a cette conviction absolue qui est celle d'Elvire, attaquer une scène, c'est prolonger à haute voix une idée qu'on suit. Il y a de l'inconscience dans le personnage ; *c'est une femme touchée par la grâce et qui se met tout à coup à parler.*

Elle entre, elle regarde Dom Juan, elle se met face à nous, et elle dit : « Ne soyez point surpris Dom Juan... » Il faut que *cela coule de source tout de suite.*

[Elle recommence.]

L. J. [interrompant] : Vous entrez, vous le voyez, il vous salue, et quand il vous a saluée, vous vous retournez vers nous et vous dites : « Ne soyez point surpris... » L'attaque de cette scène s'explique par *l'état de sainteté dans lequel est Elvire.*

D'ailleurs, on entre par le fond. [L. J. monte sur la scène et montre comment entrer.] Voilà, vous vous placez face au public. Vous ne regardez pas Dom Juan.

[Irène recommence.]

L. J. : Recommencez encore ; vous avez fait quatre pas, sur quatre, trois étaient mal assurés ; ils montrent que vous n'étiez pas à l'aise. C'est une femme qui arrive et qui parle tout naturellement.

On voit entrer ce personnage qu'on n'a pas vu depuis le premier acte. Elle est maintenant dans *un état d'extase tranquille ;* il y a un *brusque éclatement de sentiment* par la façon dont elle se met à parler tout à coup, « tout d'un soudain », comme on dit.

[Irène recommence.]

L. J. : *Le sentiment de la marche n'est pas bon.* Il ne faut pas avoir peur. Vous avez peur. Tant que vous n'aurez pas ce sentiment aisé pour commencer, vous n'attaquerez pas juste. Ce qui est important dans une scène est *d'attaquer juste.*

[L. J., sur scène, refait l'entrée d'Irène, en exagérant l'hésitation et la peur que trahissait sa démarche. Elle sourit avec confusion.]

Si c'est attaqué juste, il y a quelque chose de surprenant pour le public. Il y a quelque chose de surprenant dans l'attitude et dans le ton qu'elle prend ; cela surprend parce *qu'un flot de paroles déferle.* Aussitôt que quelqu'un commence à parler dans un état de sécurité, disant une série de phrases qui s'enchaînent bien, *on écoute.* Que, dès le début, on voit dans la personne qui entre cette sécurité, cette tranquillité, cela est étonnant.

[Irène s'apprête à refaire son entrée.]

L. J. : Alors, compris? d'abord, la marche! Un « marcher » angélique. Si on faisait la pantomime de ce quatrième acte, on pourrait la faire uniquement sur les démarches des entrées : l'entrée menaçante du père, l'entrée angélique d'Elvire : « *...une tendresse toute sainte* », l'entrée impassible du Commandeur. Ce sont, sans jeu de mots, les trois démarches du quatrième acte.

[L. J. lit la scène tout entière et il indique la diction] : Il ne faut pas marquer de points.

IRÈNE : C'est la respiration qui m'a gênée.

L. J. : C'est surtout le sentiment qui ne vous donne pas la respiration. Si vous avez le sentiment juste, vous aurez la respiration juste. Quelquefois, on travaille un rôle en essayant de « respirer » les phrases et, en « respirant » les phrases, le sentiment finit par vous atteindre. C'est comme lorsqu'on apprend à nager. Quand on est parvenu à accorder sa respiration avec ses mouvements physiques, on a trouvé le rythme de la nage. Et quelquefois le sentiment est tel, qu'il doit vous donner la respiration. C'est le cas ici.

Il ne faut pas mettre de points là-dedans. Il faut que ce soit *un débit...* Quelqu'un qui se met tout à coup à parler pendant deux pages et demi! *C'est quelqu'un qui se « défait »*, qui dit d'abondance ce qu'il a à dire. Si vous mettez des points, vous coupez le sentiment, vous coupez l'effusion dans laquelle cette femme parle. Respirez à l'intérieur de la phrase, mais ne respirez pas aux points. [L. J. lit.] Ça court toujours. Si vous faites cela [il lit en respectant la ponctuation écrite] à coups de robinet, c'est fatigant. Il faut trouver la respiration de ce texte.

[Il achève de lire la scène.] Si vous arrivez à dire cela avec cette *fluidité*, avec cet *élan dans la tendresse*, cette *passion égale* (en ne détachant que certains mots que vous « accrochez » par la respiration et par le sentiment : il y a des mots sur lesquels vous devez respirer, que vous détachez, sur lesquels vous vous reposez), si vous arrivez à dire cela dans le sentiment juste, le public écoute, même s'il ne comprend pas tout, car la forme est un peu archaïque, il est atteint par le sentiment.

L'entrée, d'abord dans cette *extase de quelqu'un qui est converti, qui a retrouvé son calme, en contraste avec le premier acte où Elvire était déchaînée.* Elle entre. Elle va vers Dom Juan et elle lui parle. Elle n'a pas préparé son discours. *Ce pourrait être une extase amoureuse; c'est une extase religieuse,* mais c'est dans le même ton.

Molière

DOM JUAN

ACTE I, SCÈNE 3

ELVIRE, *Irène.*
Dom Juan, *Philippe.*
Sganarelle, ?

CLASSE DU 26 OCTOBRE 1940

[Ils donnent toute la scène.]

IRÈNE : Je ne le sais pas asséz.

L. J. : S'il n'y avait que ça, ce ne serait rien. Qu'est-ce que vous en dites, vous?

CLAUDIA : Il faudrait d'abord qu'elle le sache. C'est coupé tout le temps par ses défauts de mémoire, alors on ne peut pas voir jusqu'où elle peut aller.

NADIA : C'est une femme outragée qui vient, qui voit...

HÉLÈNE : Il n'y a pas d'amour outragé.

L. J. : Ce n'est pas tellement ça; on va se perdre dans ce genre d'indications. Que dites-vous sur la scène? sur la conduite de la scène?

JACKY : Au point de vue du sentiment du personnage, elle n'a pas fait de plans différents.

L. J. : La scène ne commence pas, elle ne finit pas, alors que c'est vraiment le propre d'une scène. Celle-ci présente l'avantage, étant donné le niveau du personnage, de pouvoir commencer, s'installer, avoir des incidents successifs (les petites particularités qu'il y a dans une scène) et finir, alors que tout ce que tu fais est sur le même ton, dans le même état d'un bout à l'autre. Tu joues ça comme tu joues la tirade du quatrième acte. Alors que la tirade du quatrième acte est une entrée; tu entres et tu commences : « Ne soyez point surpris, Dom Juan,... » C'est une scène qui commence abrupte comme la plupart des scènes classiques et qui va jusqu'au bout, c'est le même thème qui se développe, alors qu'au premier acte, il n'y a pas de thème, c'est une scène complète, avec exposition, péripéties et fin.

Il faut poser comme point de départ la situation précédente des personnages : Sganarelle, Elvire, Dom Juan; ce sont des personnages qui depuis huit jours ont disparu les uns pour les autres. Pendant huit jours, Elvire s'est dit : Où est Dom Juan? Pourquoi ne revient-il pas? Elle l'a cherché, elle a découvert sa retraite par Gusman, son majordome; une fois qu'elle sait où il est, elle vient. Prends cela à ton compte pour essayer d'imaginer l'état physique où se trouve cette femme au moment où elle découvre son amant. Imagine bien ça, et c'est ta première phrase : « Me ferez-vous la grâce, Dom Juan, de vouloir bien me reconnaître? »

Tu vois l'entrée : cet homme prend un visage indifférent devant cette femme qui entre. Cette femme entre, il ne la reconnaît pas; ce n'est pas une scène qui débute dans le plein de la voix, c'est une scène qui s'installe. C'est une femme qui est dans un état de saisissement intérieur; elle est interdite physiquement et moralement. Comprends-tu le sentiment, la sensation de ce début de scène? Si on voulait l'analyser comme on analyse un minéral, on verrait que ce qu'on trouve de plus fort, c'est la sensation de sa retenue intérieure, la volonté de parler, la volonté de s'expliquer, qui va jusqu'à : « Parlez, Dom Juan, je vous prie, et voyons de quel air vous saurez vous justifier. » Elle irait jusqu'au bout pour avoir l'explication. Elle va tellement loin qu'elle va jusqu'aux outrages. Tu ne le donnes pas dans ta scène.

La scène part sur ce commencement où cette femme cherche à avoir une explication avec quelqu'un qui n'en veut pas donner. C'est l'inverse de la scène Pyrrhus-Hermione. Pyrrhus, c'est l'homme qui parle, qui veut noyer la femme dans du propos, et la femme ne répond pas : « Et mon cœur, soulevant mille secrets témoins, — M'en dira d'autant plus que vous m'en direz moins. » Là, il y a une réponse de la part d'Hermione : « Seigneur, dans cet aveu dépouillé d'artifice,... » Tandis qu'Elvire n'obtient pas de réponse. C'est une provocation.

Réfléchis à la différence entre les deux personnages, et surtout à la sensation physique du personnage quand elle entre.

CLASSE DU 16 NOVEMBRE 1940

[Ils donnent toute la scène. Irène a des défaillances de mémoire.]

IRÈNE : Ça ne va pas du tout; je ne suis pas du tout dans le bain. Je ne l'ai pas répété...

L. J. : Il faudrait d'abord que tu le saches, comprends-tu, mon petit. Tu ne le sais pas bien.

D'abord tu as joué de dos. Il faudrait peut-être placer Sganarelle dans le fond, et Dom Juan va s'en aller un peu de côté, et c'est au moment où il s'en va que tu dis : « Me ferez-vous la grâce, Dom Juan... — Madame, je vous avoue que je suis surpris, et que je ne vous attendais pas ici. — ...vous êtes surpris, à la vérité, mais tout autrement que je l'espérais ;... » Maintenant, elle est fixée. C'est tout de même tendu, mais ce n'est pas dans la violence encore.

« J'admire ma simplicité et la faiblesse de mon cœur à douter d'une trahison que tant d'apparences me confirmaient. » C'est au public. C'est l'exposition, avec dans le ton de la voix, le passé dont elle parle ; il y a un côté souvenir qu'il faut donner.

IRÈNE : Elle est douloureuse là enfin.

L. J. : Oui, oui.

« Mais enfin cet abord ne me permet plus de douter,... » Il y a un temps. Elle fait un effort énorme sur elle-même, puis : « Je serais bien aise pourtant d'ouïr de votre bouche les raisons de votre départ. » Il y a de la douleur et de l'attente.

IRÈNE : Je croyais qu'elle était très persuasive.

L. J. : Qu'entends-tu par « persuasive » ?

IRÈNE : Elle veut absolument qu'il s'explique.

L. J. : C'est quelqu'un qui « attend » une explication. C'est une femme douloureuse qui est venue jusqu'ici parce qu'elle ne peut plus supporter cette absence, mais ce qui est le plus important, c'est cet état de douleur, de détresse : — Dites-moi quelque chose, je me suis peut-être trompée. « Madame, voilà Sganarelle qui sait... — Moi, Monsieur ? » C'est navrant cette scène, avec ce domestique dans un coin. « Eh bien ! Sganarelle, parlez ;... » Il y a encore de l'attente, là-dedans. C'est une femme qui n'a pas renoncé, qui attend. Il faut, pour que l'indignité soit éclatante, qu'elle s'y prête. Elle redoute bien ce qui va être un soufflet pour elle. Et le malheureux Sganarelle est au milieu de tout ça. C'est le serviteur entre le maître et la maîtresse. Ce n'est pas comique, à ce moment-là, c'est une scène douloureuse.

« Madame, les conquérants, Alexandre et les autres mondes sont causes de notre départ. Voilà, Monsieur, ce que je puis dire. » Il s'en va. Voilà.

« Madame, à vous dire la vérité ... », dit alors Dom Juan. « Ah ! que vous savez mal vous défendre pour un homme de Cour,... »

Ça commence là. Elle a été suffisamment cinglée par cette scène dont elle défie la bassesse, l'indignité, mais il y a tout de même là un moment : « Ah ! que vous savez mal vous défendre... »

Car il est tout de même un peu gêné. C'est un mutisme irritant pour elle, ça l'agace.

« Que ne me jurez-vous que vous êtes toujours dans les mêmes sentiments pour moi,... »

Il y a dans tout cela à la fois une imploration : — Écoutez, vous auriez pu me recevoir plus poliment. — Elle n'est pas encore fâchée, et il y a, en même temps, du mépris pour lui.

C'est un mélange de mépris et d'imploration.

Dom Juan, quand il fait quelque chose, le fait toujours en vue d'un certain espoir : espoir de trouver quelque chose qui en vaille la peine ici-bas, en particulier dans tout ce qui concerne les questions religieuses.

Dom Juan est un homme qui ne croit pas, qui ne peut pas croire, et qui cherche tous les moyens de croire. C'est au fond le problème de chacun de nous. [A Philippe.] Tu as, au fond de ton cœur, exactement les mêmes doutes que Dom Juan, mais tu n'as pas le courage de les affirmer et tu te dis : Moi je vais aller à la messe demain matin. Et comme dit Pascal : Mettez-vous à genoux, marmottez des prières, la foi viendra. En somme : abêtissez-vous, et vous finirez par croire. Dom Juan a plus de courage que toi ou moi. Tu as une croyance quelconque, tu t'es fait un compromis avec le désir que tu as de croire à un au-delà, à la justice divine. Il y a des moments où tu crois, d'autres où tu ne crois pas. Quand tu ne crois pas, tu te précipites au pied des autels, le prêtre te donne sa bénédiction, et tout est fini. Dom Juan est un homme qui ne peut pas croire; les prêtres lui disent qu'il y a un Dieu, il ne veut pas y croire.

PHILIPPE : Qu'est-ce que Molière a voulu montrer en faisant parler la statue du Commandeur au quatrième acte?

L. J. : C'est un des avertissements donnés par le ciel à Dom Juan, justement parce qu'il refuse d'y croire.

Dom Juan est devenu, à cause de Mozart et de l'opéra, un problème sexuel. Tous les types ont fait de Dom Juan un amoureux. La question n'est pas là. Elle est dans le problème de la vie même. C'est cela qu'il faut voir. « ...j'ai craint le courroux céleste...» C'est une façon polie de répondre à Elvire.

« Ah! scélérat, » dit Elvire et ce « Ah!» est un ah douloureux. Douloureux parce que le ton de Dom Juan n'est pas du persiflage, c'est un ton entre cuir et chair. Il parle sur le même plan d'idées que cette femme, mais il n'y croit pas. On sent que c'est seulement de la politesse.

« ...le même ciel dont tu te joues me saura venger de ta perfidie. — Sganarelle! le ciel. »

Il dit cela à Sganarelle parce que Sganarelle est très pieux. Et Sganarelle a les larmes aux yeux.

« Il suffit. Je n'en veux pas entendre davantage,... » Elvire ne peut en supporter plus. C'est scandaleux la façon dont ces deux

loustics se fichent de cette femme. Et pour Elvire « ... C'est une
lâcheté que de se faire expliquer trop sa honte,... »

C'est une femme qui sort dans un état effroyable. Elle vient
d'être reçue par son amant dans des conditions outrageantes; ce
n'est pas ce qu'elle dit qui est important, c'est l'attitude qu'elle
a, c'est le larbin qui est mêlé à cette histoire.

C'est la situation qui est importante; si tu vois bien la situation, tu verras que le texte a une signification extraordinaire. Ce
n'est pas une femme qui raconte et qui crie. Quand on joue *Dom
Juan*, on donne en général le rôle d'Elvire à une tragédienne qui
hurle. C'est la situation qui est importante.

[A Philippe.] Mets-toi à la place de Dom Juan. Tu es à l'hôtel
avec ton chauffeur, et tout à coup cette femme entre : — Oh!
nom de Dieu, tu ne m'as pas dit qu'elle était par là. — Moi,
Monsieur? — dit le chauffeur, alors que toute la scène précédente
était entre les deux chauffeurs, le tien et celui de la femme. Et
l'arrivée d'Elvire, la scène avec Dom Juan, se passe avec les deux
larbins, chacun dans un coin. Ce n'est pas plus, et ce n'est pas
moins. Cette femme est dans un endroit où elle n'est pas chez elle,
elle est reçue par le chauffeur à qui son maître dit : — Albert
explique à Madame pourquoi nous partons... — Ce n'est pas
croyable. — Madame, je crois que je me suis trompé. — Et il y
a une explication distinguée, affreuse à entendre, dans ce lieu
public.

Imagine bien cela, et essaie de le trouver. Quand elle s'en va,
elle tient debout parce qu'elle a de la dignité; elle tomberait par
terre, que ce ne serait pas extraordinaire. Brusquement au quatrième acte on va la voir revenir; tout cela est fini; elle lui dit :
« Ne soyez point surpris, Dom Juan, de me voir à cette heure... »
Par ces deux scènes, tu as l'explication de toute la pièce.

La tempête, la poursuite où il se trouve en présence du frère
d'Elvire, la scène du pauvre, le souper, sont tout autant de signes,
d'avertissements du Ciel à Dom Juan. Et quand Sganarelle lui dit :
— Mais enfin, Monsieur, vous ne croyez même pas au loup-
garou? — C'est la croyance du charbonnier, ce qui est encore
une contrepartie de l'incroyance de Dom Juan. Quand Sganarelle
essaie de le convaincre avec des arguments pauvres, qui doivent
être touchants, si tu le joues dans le comique, c'est imbécile.
Sganarelle n'est pas comique. Mais quand Dom Juan fait une
mauvaise action, il est content, parce qu'il n'a pas le courage de
la faire, lui.

La scène du deuxième acte, le ballet de Pierrot, Mathurine et
Charlotte, est insensée, Dom Juan est là qui fait marcher les
deux filles. C'est du mépris, chez lui. Ça ne l'intéresse pas une
seconde. Les types qui jouent Dom Juan croient que c'est une

scène de séduction; non; c'est une scène où Dom Juan se moque de ces filles. C'est un aspect de l'humanité qui est tout à fait différent de celui de Dom Juan amoureux.

Tu n'as qu'à transposer cela sur le plan moderne si tu veux y arriver.

PHILIPPE : C'est une pièce qu'on n'a pas comprise.

L. J. : C'est une pièce qui était trop dangereuse pour son époque. On ne l'a presque pas jouée, et c'est l'adaptation de Thomas Corneille qu'on a jouée à la Comédie-Française jusqu'en 1847.

Dans trois exemplaires du texte original, qu'on a retrouvés, on a la scène du pauvre, la tirade sur l'hypocrisie, qui avaient été supprimées. L'un de ces exemplaires était celui de M. de La Reynie, lieutenant de police. C'était une pièce dangereuse. C'était aussi une pièce chère, il y avait beaucoup d'artifices.

JACKY : C'est un spectacle extraordinaire.

L. J. : Et moderne. C'est le problème de l'incrédule.

CLASSE DU 4 DÉCEMBRE 1940

[Philippe est remplacé par Éric dans Dom Juan et Léon donne la réplique de Sganarelle. Charles entre derrière Elvire en qualité de Gusman.]

L. J. [à Éric et Léon] : Il faut prendre une ou deux répliques avant pour qu'Elvire puisse entrer.

— Est-elle folle de n'avoir pas changé d'habit, et de venir en ce lieu-ci avec son équipage de campagne?

L. J. : Dom Juan fait quelques pas pour s'en aller et Sganarelle le suit, doucement, mais Elvire entre, et ils s'arrêtent.

— Me ferez-vous la grâce, Dom Juan, de vouloir bien me reconnaître?

— ...

— ... Que ne me dites-vous que des affaires de la dernière conséquence vous ont obligé à partir sans m'en donner avis;

L. J. : Le début n'est pas mal, pas mal ton entrée. Tu as trouvé un ton un peu bas mais très juste; c'est bien une femme qui vient relancer un homme, et qui est douloureuse.

Mais quand cette scène a eu lieu, quand les domestiques ont été impliqués dans cette affaire d'une façon ignoble et qu'ils ont dégagé (ce qui donne au public le témoignage de l'indignité de la scène, si le public ne la sent pas, c'est la honte des domestiques qui la lui montre), à partir de : « Ah! Que vous savez mal vous défendre... », il y a de la tendresse; cette femme passe sur l'indignité de tout cela; une femme qui aime un homme est très maternelle dans ces moments-là, même si le type est ignoble, et le « Ah! que vous savez mal vous défendre... », le ton du « Ah! » est dans la tendresse, dans une quasi-maternité.

> — Madame, à vous dire la vérité...
> — Ah! que vous savez mal vous défendre...

L. J. : « Ah! » pousse bien le ah!

> — Ah! que vous savez mal vous défendre...
> J'ai pitié de vous voir la confusion que vous avez.

L. J. : Il y a du mépris un peu.

> — Que ne vous armez-vous...
> ...rien n'est capable de vous détacher de moi que la mort?

L. J. : Il faut que ce soit un peu douloureux. Parce que ce sont des choses qu'il lui a dites; il lui a dit tout cela quand il ne l'avait pas encore séduite.

> — Que ne me dites-vous que des affaires de la dernière conséquence

L. J. : Ça lui monte comme le lait aux nourrices. C'est de la douleur : — Dites-moi quelque chose... — Et cela va finir par : — Dites-moi quelque chose, salaud.

> — Que ne me dites-vous...
> Voilà comme il faut vous défendre, et non pas être interdit comme vous êtes.

L. J. : C'est déjà un peu méchant : — Ce n'est pas beau, ce n'est pas noble ce que vous faites. — Et la colère vient.

> — Je vous avoue, Madame, que je n'ai pas le talent de dissimuler,...
> — Ah! scélérat,

L. J. [à Irène] : Il faut que tu écoutes tout cela.

IRÈNE : D'ailleurs, j'aimerais mieux qu'il me dise toute la réplique, même si elle est très longue, ça me permettrait de changer.

L. J. : Il faut que tu écoutes tout cela avec une douleur, avec une indignation extraordinaires.

Cela commence par : — Écoutez vous m'avez quittée, vous êtes parti, faites-moi la grâce de me regarder, je ne suis pas plus laide qu'avant. — Puis elle s'étonne et trouve cela étrange : — Écoutez, Dom Juan, pourquoi me faites-vous cela? Que ne me dites-vous que vous avez été obligé de partir, ce serait plus gentil que de me faire répondre par votre domestique. — Et Dom Juan

répond : — Le ciel m'a fait comprendre que notre union n'était pas une chose souhaitable, pas religieuse. —
L'ignominie de cette réplique dépasse les bornes ; elle a supporté l'humiliation en présence des domestiques, elle a un peu argumenté avec Dom Juan : — Écoutez, non, dites-moi des choses plus intéressantes... — Et à ce moment il trouve un argument d'une telle hypocrisie qu'elle en est traversée : « Ah ! scélérat,...»

> — Voilà comme il faut vous défendre, et non pas rester interdit comme vous êtes.

> — ...

> — Ah ! scélérat, c'est maintenant que je te connais tout entier ;

L. J. : C'est un étonnement. — Ah ! scélérat, c'est maintenant que je vois qui tu es. Je ne croyais pas que tu étais si bas. — C'est un étonnement ; nous sommes au début de la pièce.
Il y a eu l'explication de Sganarelle sur Dom Juan, et il y a ensuite la définition de Dom Juan par la scène d'Élvire.

> — Ah ! scélérat...

> — ...

> Il suffit, je n'en veux pas ouïr davantage, et je m'accuse même d'en avoir trop entendu.

L. J. : Dis-le sur un autre ton. Elle suffoque là-dessus.

> — Il suffit...

> ...appréhende du moins, la colère d'une femme offensée.

L. J. : Ce n'est pas bon ; cette femme sort avec les jambes qui flageolent. Ton entrée n'était pas mal, mais ta sortie est celle d'Hermione : « Et crains encore d'y trouver Hermione. » Ce n'est pas cette malédiction qui vient à la fin. Il faut que dans cette scène il y ait déjà l'entrée d'Elvire au quatrième acte.
Je te félicite, tu as trouvé le sentiment du personnage. Tu n'as jamais travaillé le quatrième acte comme il faut, mais tu as trouvé deux ou trois choses pas mal sur cette scène. Travaillez ces répliques, les garçons.
[À Charles.] Tu n'as rien à faire dans cette scène. Gusman c'est le majordome d'Elvire ; elle ne sort pas sans être accompagnée par ses gens.
La scène est pathétique parce qu'elle est jouée entre ces deux amants en présence des domestiques.
Reprenez-la du début.

> — Me ferez-vous la grâce, Dom Juan,...

> — ...

> — ...la colère d'une femme offensée.

L. J. : Il faut finir cela en sortant. Au moment où cette femme écoute ce que lui dit Dom Juan, elle devrait se couvrir le visage à deux mains; elle ne peut pas supporter cette insulte aussi long-temps, alors ce sont les valets qui sont émus et le visage d'Elvire doit être dans un état de douleur effrayant. La dignité d'Elvire est sauvegardée par la honte des domestiques, et cette femme sort avec cette dignité offensée, altérée, bouleversée.

[L. J. monte sur scène, lit la dernière réplique d'Elvire et montre la sortie : « ...appréhende du moins la colère d'une femme offen-sée. »]

IRÈNE : Je ne comprends pas comment tout à coup elle peut se calmer.

L. J. : C'est un calme effrayant.

Dom Juan lui dit : — Je tiens à vous dire que je suis parti parce que je ne veux plus vous voir. — Il y a là quelque chose d'affreux. — Non pas parce que j'ai assez de vous, mais par un pur motif de conscience. — C'est d'une perfidie abominable; c'est tout cela qu'il faut que tu entendes bien. Ce n'est pas mal ce que tu as fait, je te félicite.

ÉRIC : Je peux travailler cette réplique?

L. J. : Bien sûr, tu as même toute la scène d'avant qui est magnifique.

Il faut bien s'entendre sur le personnage de Dom Juan, parce que c'est un des malentendus actuels de l'art dramatique.

ÉRIC : Il est un peu méchant.

L. J. : Il est cynique, mais c'est la conséquence d'un état d'es-prit. C'est un homme qui ne croit pas. Toi non plus, moi non plus nous ne croyons pas; on croit en Dieu quand il fait très beau, quand on est très heureux, pour des raisons purement poétiques; c'est alors qu'on se pose des questions sur l'au-delà et sur l'immor-talité. Si vraiment Dieu existe, le sentiment que nous avons pour lui est vraiment assez indigne, c'est vraiment très insultant pour Dieu. Un homme comme Dom Juan est différent de nous; il est beaucoup plus haut, ou beaucoup plus sincère; c'est un homme qui n'a pas de ces petits sentiments qu'on a par crainte ou par reconnaissance, car au fond c'est cela la religion de tous les jours.

ÉRIC : Il n'est pas du tout fabriqué, il est très naturel.

L. J. : Il dit : — Vous m'embêtez bien avec toute votre morale. Pourquoi est-ce que je n'épouserais pas cette femme? — Pour lui il n'y a pas de raison; c'est une morale religieuse. — Et pourquoi est-ce que je ne donnerais pas mes hommages à toutes les femmes? — Voilà le côté séducteur, mais c'est la conséquence d'une atti-tude spirituelle, intellectuelle.

C'est un homme qui, lorsqu'on lui montrera Dieu, lui rendra hommage; mais on ne le lui montre pas, et il attend.

Cependant Dieu lui fait des signes, de ces signes que nous recon-naissons quand nous avons échappé à un danger, et que nous disons :

Merci, mon Dieu. Lui, après l'accident de la barque où il a failli se noyer, ne croit pas plus. Et devant la statue du Commandeur, il dit : — C'est possible, c'est très drôle, c'est peut-être une vapeur qui nous a trompés. — Il continue ainsi jusqu'au dernier moment, quand a lieu le miracle de la femme voilée qui lui apparaît en spectre, qui se transforme tout à coup en Temps avec une faux. Tout cela l'agace; il tire son épée. Il a tué le Commandeur, il a violé sa fille et il l'invite à souper; et quand le Commandeur revient et se présente devant lui, c'est le dernier miracle qui s'accomplit, il est précipité dans les Enfers. Il a été jusqu'au bout dans son attitude.

Et comme pour toutes les pièces de Molière, si on en donne une représentation objective on fait penser le spectateur. On lui montre un homme qui ne fait pas de compromis sur toutes les questions dont les hommes, au fond, n'ont jamais rien su. Et il va jusqu'au bout.

Et pourquoi n'emploierait-il pas, quand il parle à Elvire, les propos qu'elle emploie elle-même?

C'est un personnage qu'il faut voir dans ce sens-là, et qui n'existe pas à l'heure actuelle.

Il n'est pas nécessaire d'être d'une beauté extraordinaire pour jouer Dom Juan, il est nécessaire d'avoir un parti pris, c'est tout.

La scène d'Elvire, qui est une scène magnifique, n'a presque jamais été donnée ici; jusqu'à ces derniers temps, le Conservatoire n'admettait pas cette pièce.

CLASSE DU 11 DÉCEMBRE 1940

— Me ferez-vous la grâce, Dom Juan,...
— Ah! que vous savez mal vous défendre

L. J. : Nous allons voir cela.

[A Éric, qui donne la réplique de Dom Juan.] Il faudrait tout de même que tu apprennes à lire; tu n'as pas pu apprendre cette réplique, depuis le temps que tu la donnes?

[A Léon, Sganarelle.] C'est une scène pathétique; il faut tâcher de participer aux sentiments de la scène. Je vous l'ai expliqué, ce sont deux larbins qui sont là, qui sont figés de stupeur par la façon dont tout se déballe devant eux et surtout par l'attitude de Dom Juan. Si tu ne veux pas donner dans le personnage de Sganarelle de la douleur, il faut au moins que tu donnes de la gêne. La scène est pathétique par la présence de Sganarelle et de Gusman. Ces deux personnages sont le reflet de ce que doivent éprouver les spectateurs : la honte d'une situation semblable. Ce que dit Sganarelle, c'est ce que dirait le spectateur moyen s'il était à sa place.

[Éric reprend les dernières répliques de la scène 2.]

— Ah! rencontre fâcheuse! Traître!

L. J. [imitant] : Vous avez des bouteilles à vendre? Donne-moi de l'accent là-dessus.

Il y a un changement de ton sur le « traître ». Il y a trois tons là-dedans : « Ah! rencontre fâcheuse! » — Un — « Traître! tu ne m'avais pas dit qu'elle était ici » — Deux — et tu reviens au premier ton que tu avais pris : « Est-elle folle de n'avoir pas changé d'habit,... »

C'est important ces bouts de répliques. Ce que tu fais ici est le témoignage de ce que tu ferais ailleurs, et je te garantis que si tu arrivais à une répétition et qu'à la deuxième fois tu ne lises pas mieux que cela!... Ici c'est la quatrième fois que tu le lis.

ÉRIC : C'est très mauvais ce que je fais, je m'en rends bien compte.

L. J. : Alors travaille-le. Il est inadmissible qu'étant comédien tu lises comme tu lis.

— Ah! rencontre fâcheuse!...

— ...

— Madame, je vous avoue que je suis surpris, et que je ne vous attendais pas ici.

L. J. : Reprends la phrase et donne le ton.

— Madame, je vous avoue...

— Oui, je vois bien que vous ne m'y attendiez pas, et vous êtes surpris, / / à la vérité, / / mais tout autrement que je ne l'espérais,

L. J. : Lie la phrase, ne t'arrête pas.

— Oui, je vois bien... •

— ...de quel air vous saurez vous justifier.

L. J. : Durant cette phrase, tu as expliqué toute la situation au spectateur qui vient d'entrer, qui est en retard et qui ne la connaît pas. Il faut qu'il comprenne clairement.

— Oui, je vois bien...

— ...me persuade pleinement ce que je refusais de croire.

L. J. : A nous maintenant, au public : « J'admire ma simplicité... »

— J'admire ma simplicité et la faiblesse de mon cœur à douter d'une trahison que tant d'apparences me confirmaient.

L. J. : N'accentue pas « à douter ».

— J'admire ma simplicité...

...le relâchement d'amitié qu'elle voyait en vous.

L. J. : C'est un monologue. Il n'y a personne sur scène, il n'y a que toi. Ce n'est pas à Dom Juan, c'est à nous.

— J'admire ma simplicité...

... Mais enfin cet abord ne me permet plus de douter et le coup d'œil qui m'a reçue m'apprend bien plus de choses

L. J. : C'est à lui, maintenant. Fais deux pas vers lui, les deux pas d'une femme qui a toute honte bue et qui veut encore discuter le coup.

— ... Mais enfin cet abord...

— Madame, voilà Sganarelle qui sait pourquoi je suis parti.

L. J. : Éric, tu n'as rien remarqué dans le texte que tu viens de dire? Tu n'as pas écouté ce qu'elle t'a dit; tu lisais plus loin pour voir ta réplique.

La phrase importante, dans ce que dit Elvire, c'est : « et le coup d'œil qui m'a reçue ».

ÉRIC : Oui.

L. J. : Recommence ta dernière phrase, Irène.

— ... Mais enfin cet abord ne me permet plus de douter...

[Elle avance vers Dom Juan.]

L. J. : Non, c'est une grande dame; il faut encore de la dignité, sans quoi il n'y en aura plus à la fin.

— ... Mais enfin...

— Madame, voilà Sganarelle qui sait pourquoi je suis parti.

L. J. : Il y a une hauteur de ton, là-dedans. Quand cette réplique est dite comme il faut, il faut qu'on ait envie de donner une paire de claques à Dom Juan.

— Madame, voilà Sganarelle...

— ...

— Hé bien! Sganarelle, parlez;

L. J. [à Irène] : Reste dans le débat : — Allez-y, allez-y, ça m'est égal, dites-moi...

— Hé bien! Sganarelle, parlez;...

— ...

— Approchez, puisqu'on le veut ainsi,

L. J. : « Approchez » : tu parles à un domestique.

— Approchez,...

— ...

— Madame...

L. J. : C'est : — Madame, je vous demande pardon. Madame,

excusez-moi. — Il se tourne vers Dom Juan « Monsieur... » Ce
« Madame... » et ce « Monsieur... » veulent dire quelque chose.
— Madame...
— ...
— Madame, les conquérants, Alexandre et les autres
mondes

L. J. : Ce n'est pas du comique. Et il se tourne vers Dom Juan :
« Voilà, Monsieur, tout ce que je puis dire », moi.
— Madame, les conquérants...
— ...
— Madame, à vous dire la vérité...

L. J. [à Éric] : Si tu le dis comme cela, elle ne peut pas t'interrompre. Il est d'une mollesse dans la défense, d'une lâcheté
effroyable.
— Madame, à vous dire la vérité...
— ...vous souffrez ce que souffre un corps qui est séparé
de son âme?

L. J. : L'inflexion de toute la tirade est fausse. Il y a une interrogation et en même temps, dans cette interrogation, il y a un
peu de mépris : — Pourquoi ne dites-vous pas que vous m'adorez,
que vous ne pouvez pas vivre séparé de moi? —
— Ah! que vous savez mal vous défendre

L. J. : « Ah! » le « Ah! » te donne l'inflexion finale.
— Ah! que vous savez mal vous défendre...
— ...il est assuré que je ne suis parti que pour vous fuir;

L. J. : — Je ne vous dirai pas que je suis dans les mêmes sentiments pour vous puisqu'il est certain que je suis parti pour vous
plaquer. — Tu comprends comme c'est indigne? Il faut que ce
soit bien posé.
— Je vous avoue, Madame,...
— ...
— ...et sur de tels sujets un noble cœur, au premier mot,
doit prendre son parti.

L. J. : C'est au public et en place.
[Ils achèvent la scène.]
L. J. : Ce n'est pas mal.
IRÈNE : Je n'arrive pas à le faire.
L. J. : Fais surtout de la diction dans le morceau, maintenant.
Ne cherche pas à donner les sentiments parce que tu vas te gêner;
tu as des exercices de diction à faire, sur les nuances différentes
des inflexions. Donne bien cela d'abord. Tu commences déjà à
accentuer sur des mots; à la fin surtout quand tu veux mettre du
sentiment; ce n'est pas vrai, il faut simplifier tout cela. Travaille-le
bien comme diction. Et toi, Éric, travaille cette réplique.

Molière

DOM JUAN

ACTE IV, SCÈNE 6

ELVIRE, *Fabienne.*
Don Juan, ?
Sganarelle, ?

CLASSE DU 19 OCTOBRE 1940

— Ne soyez point surpris, Dom Juan, de me voir à cette heure et dans cet équipage.
...et ne se met en peine que de votre intérêt.

FABIENNE : Oh! j'ai le trac.

L. J. : Continue, vas-y, c'est bien, c'est bien.

[Elle achève la scène.]

L. J. : C'est très bien. Tu ne respires pas assez à fond.

FABIENNE : J'ai toujours peur. Je ne suis pas très sûre de mon texte.

L. J. : Il faut que tu respires bien à fond. On voit que tu reprends à peine ton souffle pour pouvoir continuer.

FABIENNE : Je le sens plus large, seulement je ne peux pas.

L. J. : C'est comme le coureur, le boxeur ou le nageur. Si tu veux essayer de dire avec ampleur, tu verras que tu acquerras la respiration.

FABIENNE : Je le sens beaucoup plus large quand j'y pense, mais quand je m'entends, je ne peux pas reprendre mon souffle.

L. J. : Si tu avais plus de souffle, tu serais plus maîtresse de ton mécanisme, de ta diction par conséquent. Tu inspires et tu continues; c'est très bien pour le tragédien qui sait manœuvrer son souffle. Cela le conduit au hoquet tragique, d'ailleurs.

FABIENNE : Je respire uniquement parce que j'ai besoin de respirer, mais je ne manœuvre pas mon souffle.

L. J. : Il faut que tu arrives à respirer là où il est nécessaire de respirer, et tu verras que c'est la phrase qui te donnera exactement l'endroit où il faut respirer. Ce qui apprend la respiration, c'est le moment où on s'asphyxie; ce qui apprend l'art de danser, c'est le moment où on suffoque. Le garçon qui commence à danser sur la musique, respire, respire, et à un moment donné il arrive à un état tel qu'il ne peut plus, c'est le moment où le danseur suffoque, il est obligé de s'arrêter, il se reprend, et il continue de nouveau; et il y a un moment très curieux, c'est celui où, par la suffocation, sa respiration lui impose un rythme, le rythme pénètre son corps. C'est la même chose dans la natation, quand tu as l'impression que tu ne peux plus respirer, que tu suffoques, et que tu essaies de te rétablir. Tout à coup, tu atteins la respiration.

Le texte n'est qu'une respiration écrite. Pour les professeurs de Sorbonne, le texte sert à des exercices grammaticaux, mais pour le comédien le texte est avant tout une respiration écrite.

Le jour où Molière a écrit ce texte, il savait qui allait le jouer, il connaissait la diction de la femme qui le dirait, il l'a écrit en l'entendant. En plus, il était comédien lui-même.

Tu n'as qu'une solution, c'est de donner ton morceau en public aussi souvent que tu pourras.

Ce qui est bien chez toi, ce qui constitue ton tempérament, c'est un frémissement intérieur, un pathétique, qui est en toi, qui est bien. Dans Camille, étant donné que le morceau est posé, placé, on n'en a pas le plaisir. C'est dans Elvire qu'on touche vraiment ta nature.

On pourrait te distribuer un emploi dans la sensualité. Tu pourrais travailler la Francesca de l'*Occasion*.

FABIENNE : C'est difficile à apprendre, ça ne coule pas.

L. J. : Il faut d'abord que *tu sentes le texte*.

FABIENNE : Je l'ai lu une quinzaine de fois.

L. J. : Tu ne l'as pas lu dans l'état d'esprit qu'il aurait fallu. C'est toujours la même histoire. Pour bien lire un texte, il ne faut pas s'imaginer que ce texte est à soi. Il est à un autre, et tu le lis comme si c'était une découverte que tu fais. En général, le comédien ou la comédienne dit : Ça, je le sens très bien. Il n'y a pas d'objectivité, tu supprimes le personnage immédiatement, puisque tu supprimes « son » texte. Si tu lis ce texte comme le texte de quelqu'un d'autre, tu imagines bien le sentiment; si tu le lis à ton compte, tu n'imagines rien. Tu passes tout de suite à l'exécution et tu tues le personnage.

Si tu lis ce texte comme s'il était de quelqu'un d'autre, tu essaieras de comprendre le sentiment de cette personne (pas trop vite) et tu comprendras le sentiment de cette personne, sans y avoir mis d'abord le tien.

Ce que je t'explique là est élémentaire quand on lit un texte. Pour la poésie, c'est autre chose, on se l'annexe immédiatement. Mais le texte dramatique est un texte qu'il faut lire en respectant la personnalité de celui à qui il appartient ; or, c'est ce que nous ne faisons jamais. Immédiatement, on se l'annexe. *C'est fichu parce qu'on ne sort pas de soi.*

Il faut lire le texte comme s'il ne vous appartenait pas, jusqu'à ce que, à force de lire les phrases, tout à coup on ait un sentiment tellement vif, tellement profond de cette personne, qu'on se dise : je vais essayer de les dire, moi, comme elle les dirait.

Malheureusement, nous ne faisons pas ça. Nous prenons le texte et nous disons : je vais le jouer.

Molière

DOM JUAN

ACTE IV, SCÈNE 6

ELVIRE, *Claudia.*
Dom Juan, *Michel.*
Sganarelle, *Léon.*

CLASSE DU 14 FÉVRIER 1940

[Ils donnent toute la scène.]
L. J. : Qu'est-ce que tu en penses?
CLAUDIA : Je sens que ce doit être ennuyeux pour vous. Moi je suis bien, *je suis dans un état agréable quand je donne ça.*
L. J. : Vous écoutez bien ce qu'elle vient de dire : Je suis dans un état agréable quand je donne ça. Ça te fait plaisir.
CLAUDIA : *Il me semble que je suis dans l'état où Elvire doit être.*
L. J. : Je puis vous donner une indication qui est capitale : chaque fois que vous éprouvez le sentiment qu'une chose vous est facile, je parle d'une chose obtenue sans effort, ce n'est pas bon. L'exécution d'un rôle quel qu'il soit comporte toujours quelque chose de pénible, de douloureux, quelque chose à quoi l'effort doit participer. Sinon il manque quelque chose; une exécution comporte toujours un effort.
[A Claudia.] Alors, tu vois, tu aurais dû te méfier. Remarque que ce que tu fais est bien, mais qu'est-ce qu'on peut te reprocher?
VIVIANE : Elle se laisse aller un peu à la musique du texte.
L. J. : C'est juste. Quoi encore?
IRÈNE : J'ai l'impression qu'elle manque un petit peu de présence vis-à-vis de Dom Juan, et que Dom Juan peut n'en être pas touché parce qu'elle est trop éloignée.
L. J. : *De présence,* tout simplement. Dans ce qu'elle fait, il manque *la présence par rapport au public.* Ce n'est pas convaincant, cela ne touche pas, cela ne passe pas la rampe. C'est parce que tu es si « confortable » dedans que cela ne passe pas la rampe.
Quand tu dis un texte avec le sentiment de le dire juste, mais en pensant : j'éprouve un sentiment agréable, je suis dans un

sentiment juste, ce texte passe bien dans ma bouche, je respire bien, etc., tu ne fais pas d'effort, ça ne passe pas. Tu comprends?

BRIGITTE : Qu'est-ce qu'on doit faire dans ce cas?

CLAUDIA : J'ai fait un effort pour arriver à ce sentiment-là; je voulais arriver à cette sorte de pureté; j'y suis arrivée, mais j'ai eu l'impression très nette que ça ne passait pas.

L. J. : Tu as eu cette impression très nette parce que tu fais du théâtre, déjà, parce que tu as déjà joué. Il n'y a pas d'effort dedans, ce n'est pas assez puissant.

CLAUDIA : Pas assez puissant dans ce sentiment-là?

L. J. : Tu verras que ce qu'il y a de monotone dans le morceau, ce qu'il y a d'inintéressant pour l'oreille vient du fait que pour obtenir le sentiment, tu l'as tiré à toi, *tu as abaissé le niveau, la puissance de la sensibilité* nécessaire au morceau; *tu l'as baissé jusqu'à toi.* Le travail que nous allons faire maintenant va consister à te demander une exécution qui nous touche, qui passe la rampe. Il va falloir que tu donnes le sentiment plus fort. Il y a des contrastes, des accents que tu n'as pas, que tu vas être obligée de trouver.

C'est posé, c'est agréable; tu le lirais comme cela, ce serait très bien.

NADIA : C'est très clair.

L. J. : C'est exactement dans le style et la lecture serait parfaite, mais le jeu, tu en es à un kilomètre.

CLAUDIA : Je me suis dit en le faisant : je regarde toujours Dom Juan. Je sentais très bien qu'il fallait que je regarde la salle; rien à faire; je ne pouvais pas tourner.

L. J. : C'est ce que j'ai expliqué d'une façon élémentaire, et savante à la fois, à Octave : *l'art de faire bouger sa sensibilité en soi pour trouver de nouveaux départs.* C'est la même chose quand on a un texte comme celui-là. C'est comme un afflux d'eau qui arrive et qui coule. L'eau ne coule pas toujours avec cette espèce de majesté lente qu'il y a dans Bossuet; l'eau jaillit, elle rebondit sur un rocher, elle s'écoule plus lentement selon l'inclinaison du sol, ou tout à coup tombe en cascade. L'afflux des sentiments n'est pas cette nappe égale que tu as essayé de lui donner. Il y a là, à part les mouvements de Dom Juan, le bouillonnement de la sensibilité, ce qui n'est pas dans ton exécution.

Tu ne donnes pas les mouvements, parce que ton sentiment est toujours égal.

CLAUDIA : Je me suis surtout méfiée de ne pas jouer sur les mots, ce qu'on fait toujours...

L. J. : Quand tu dis : « De grâce, Dom Juan, accordez-moi pour dernière faveur... » [L. J. imite le ton de Claudia], les mots n'ont plus de couleur, n'ont plus rien. « Que je vous demande avec larmes »: tu feras cela comme tu voudras, tu n'as pas besoin de pleurer, mais que, dans l'intérieur de toi-même, il y ait vraiment des larmes. Le premier travail à faire là-dessus est celui qui consiste *d'abord à adresser la parole à quelqu'un*. Quand on adresse la parole à quelqu'un pour le convaincre, on n'a pas cette égalité de ton. Il y a des moments où on est implorant, où on est menaçant. C'est dans le morceau. Il faut le mettre dans l'exécution. C'est quelqu'un qui est touché par une grâce divine; ce n'est pas une harengère qui vient faire des réclamations, comme elle en aurait le droit; elle vient dire à son amant : — Je ne vous en veux pas; je viens seulement vous dire qu'il ne faudra plus compter sur moi; je suis maintenant convertie; et il y a quelque chose que je viens aussi vous demander... Voilà l'amour que maintenant j'ai pour vous. — C'est cela la transfiguration du sentiment, ce qui est magnifique, mais ce n'est pas une absence de passion.

Tu comprends, c'est clair?

CLAUDIA : Oui, oui, j'ai été trop loin.

L. J. : C'est le sentiment qu'il faut que tu trouves.

CLASSE DU 21 FÉVRIER 1940

— Monsieur, voici une dame voilée qui vient vous parler.

— ...

— ...et ne se met en peine que de votre intérêt.

L. J. [l'arrêtant] : Qu'est-ce que tu en dis, Nadia?

NADIA : ...

L. J. : Que dis-tu de l'entrée qu'elle a faite?

NADIA : ...

L. J. : Qu'est-ce que tu en dis, toi, Claudia?

CLAUDIA : Je ne sais pas; il me semble qu'Elvire entre comme ça, très calme, très sûre...

L. J. : Tu te rappelles ce que nous avons dit d'Elvire lorsque Irène l'a passé?

CLAUDIA : Elle entre plutôt comme une apparition pour Dom Juan, c'est un avis du Ciel, un avertissement à Dom Juan.

L. J. : Très bien.

Tu es entrée en faisant « du pas »; tu as fait une petite pointe en marchant; tu as entrée en faisant une petite pointe que tu as faite aussi dans ta voix : « Ne soyez point surpris, Dom Juan,... » deux petites nuances de grâce ou de joliesse qui ne sont pas du tout dans le personnage d'Elvire.

Il faut supprimer cette petite nuance de galanterie. Comme je l'entends moi, si c'était dans la tragédie grecque, ce personnage entrerait tout seul sur un chariot, en disant : « Ne soyez point surpris, Dom Juan,... »

Une fois qu'elle est entrée, il faut qu'on sente qu'elle a besoin de parler.

C'est le fait du rôle, du vrai rôle; l'acteur entre vraiment parce qu'il a besoin de parler. C'est aussi une définition du rôle.

Si vraiment l'acteur a besoin de parler, on le voit tout de suite.

Pressée par le besoin de parler, Elvire ne dit pas : « Ne soyez point surpris, Dom Juan,... » avec cette tranquillité et ce confort. C'est un besoin pressant. La pièce et le rôle partent de plus haut.

Le début d'une pièce classique : « Qu'est-ce donc? Qu'avez-vous? » ou « Oui, puisque je retrouve un ami si fidèle... », c'est ce que Péguy appelle l' « attaque en falaise ».

Dans la comédie moderne, celle de M. Verneuil par exemple, tu prends l'escalier, tu montes au premier étage, et souvent tu ne vas pas plus haut. Tandis que dans la comédie classique, tu prends l'ascenseur et tu montes directement au sixième.

Chaque fois qu'il entre en scène, que ce soit pour Phèdre ou Elvire, il faut que l'acteur ait besoin de parler. Ce qui est important, c'est qu'il ait quelque chose à dire. Étant donné la situation dramatique dans laquelle Dom Juan se trouve, étant donné que l'intervention de Done Elvire à ce moment-là n'est possible que si elle apporte quelque chose, il faut que dès l'entrée, à ton visage, à ta démarche, à ton costume, on sente que ça va être intéressant et qu'il y a quelque chose de grave.

Alors que tu es entrée avec une petite coquetterie qui alanguit le rôle, parce que tu n'as pas donné la puissance dramatique qu'il fallait à cela.

— Ne soyez point surpris, Dom Juan,...

...le Ciel a banni de mon âme toutes ces indignes ardeurs

L. J. : Tu te souviens de ce que j'ai dit aussi à Irène : il ne faut pas mettre de points. Si tu mets des points, tu coupes le flot de paroles. Respire au milieu des phrases. Si cette entrée un peu lente, un peu fantômale te gêne, trouve une façon plus vive d'entrer, une façon inconsciente.

Tu entres d'une façon un peu trop consciente, un peu trop sûre de ce que tu fais.

Elvire entre, elle écarte les valets, elle va droit au cœur de la maison. Elle aperçoit Dom Juan, elle lui parle. Il faut qu'on soit étonné de cette entrée si simple et de ce ton de parole qui est d'une autorité absolue.

La marche (qui est un geste) doit accompagner le texte; tu es lancée dans ta marche par ce que tu as à dire, et, au moment où tu vas t'arrêter, tu vas avoir le même flot rythmé de paroles. Que tu l'amorces dans ta marche, c'est parfait.

CLAUDIA : Ça me gêne de m'arrêter et de partir dans le texte sur le mouvement de la marche.

L. J. : Si, essaye. Tu peux très bien passer de la marche au texte.

CLAUDIA : Oui, oui, oui, je vais essayer de le faire.
[Elle entre.]

L. J. : Tu es gênée parce que tu entres un peu lentement. Si on jouait toute la pièce, ça ferait un temps mort dans l'enchaînement des scènes. C'est un peu long. Ton entrée prouve d'ailleurs que tu n'es pas absolument dans le mouvement du texte. Si tu entres un peu plus vite, tu vas avoir aussitôt un sentiment un peu différent pour la diction.

— Ne soyez point surpris, Dom Juan,

L. J. : Refais-le encore une fois. Tu es dans le mouvement, mais ce n'est pas encore juste. Ce n'est pas encore surprenant.

— Ne soyez point surpris, Dom Juan,...
...Je ne viens point ici

CLAUDIA : Ça me gêne de ne « pas mettre de points ».

L. J. : Parce que tu vas trop vite.
[L. J. monte sur scène et fait l'entrée.]
Fais des temps au milieu des phrases, mais *parle*. C'est quelqu'un qui parle.
Il faut que ce soit étonnant. Il faut qu'en te voyant le public dise : Quoi! Tu peux commencer sans beaucoup de voix, au début. Si tu as vraiment l'autorité pour entrer, le public fait silence et écoute. Dès qu'il écoute bien, tu donnes un peu plus de voix.
[Elle entre.]

L. J. : Trop long, trop long.
[Claudia, pour entrer, va au fond extrême de la scène, se prépare.]

L. J. : Vous voyez comme elle se prépare à entrer, ce que vous ne faites jamais.

— Ne soyez point surpris, Dom Juan,...
...et ce que j'ai à vous dire ne veut point du tout de retardement.

L. J. : Sens bien, éprouve bien le sentiment de cette femme qui vient là non seulement en envoyée céleste, mais comme une femme qui vient sauver son amant. C'est une situation...

CLAUDIA [étonnée] : Ah?

L. J. : Mais oui. Ce n'est pas seulement une annonciation. C'est une femme qui vient pour sauver cet homme. Autrement c'est l'annonciation que tu as faite la dernière fois, l'ange du Seigneur qui vient à Marie : « Je vous salue, Marie... »

CLAUDIA : Elle l'a aimé. [Elle sous-entend : elle ne l'aime plus.]

L. J. : Tu l'interpréteras comme tu voudras, mais elle a tout à coup l'idée de la punition, de l'enfer, toutes ces idées religieuses qui font qu'elle court chez Dom Juan. Elle vient non pour lui demander des excuses, elle vient l'avertir d'un danger pour qu'il y échappe. C'est le sentiment du danger qu'il court qui la pousse chez Dom Juan.

Et, ce qui est important et magnifique dans ce personnage d'Elvire, c'est que cet homme qu'elle vient sauver est celui qui l'a subornée, abandonnée. Malgré cela, elle vient; elle fait preuve de cette magnanimité, de ce détachement céleste, oui, mais en même temps, avec un ardent amour.

Pense à un autre danger que celui de l'enfer et du salut de l'âme, si tu veux, si celui-là n'est pas très apparent pour toi.

— Ne soyez point surpris, Dom Juan,...
— Tu pleures, je pense.
— Pardonnez-moi.

L. J. : Ne t'inquiète pas de ce qu'ils disent, ce sont des idiots qui n'arrivent pas à placer leur réplique.

— C'est ce parfait et pur amour qui me conduit ici pour votre bien, pour vous faire part d'un avis du Ciel

L. J. : Tu sens que c'est déjà plus difficile que la dernière fois?

CLAUDIA : Je n'y arriverai jamais.

L. J. : Tu y es presque, mais le sentiment n'y est pas.

Le sentiment est juste comme la dernière fois, mais ce n'est pas encore assez fort.

Tu comprends : lorsque cette femme arrive elle est dans un état de bouleversement, d'égarement.

Dom Juan est, malgré tout, une comédie religieuse; c'est un miracle du Moyen Âge. Elvire entre, *elle est dans un état de sainteté* que tu cherches à donner au rôle par ce caractère d'apparition brusque. Dès le début, on sent ce qui caractérise le sentiment dans lequel est Elvire : c'est *l'autorité et la facilité de son élocution.*

C'est le seul moment de la pièce où le texte déferle avec cette sonorité, avec ce ton presque racinien qu'on ne trouve dans aucun autre passage de Molière.

Le sentiment est beaucoup plus fort. Il faut vraiment, quand cette femme dit : « Je vous ai aimé », que cela vous arrache les tripes. Les scènes d'Hermione ne sont pas plus tendres. Il y a toujours une meurtrissure dans Hermione, là *il y a une béatitude, mais un immense amour.* Quand on dit à quelqu'un « sauvez-vous! »,

qu'on le lui dit avec cette tendresse-là, il faut que ce soit bouleversant, déchirant.

De même la querelle du père; il y a chez cet homme une
noblesse désespérée. Ce sont des personnages extrêmement purs.
Il faut vraiment que l'imploration d'Elvire soit déchirante.

J'ai vu jouer *Dom Juan* par des tragédiennes qui faisaient de
la voix, de ces femmes qui, à l'Odéon, jouent aussi bien Hermione
qu'Andromaque que Chimène, qui s'en vont dans le contralto.
«Ne soyez point surpris, Dom Juan,...» De mon temps c'était
comme ça, à l'Odéon!

Voilà pourquoi j'en suis arrivé à ce point de vue. Je me suis
dit : ce n'est certainement pas cela, la scène, parce que c'est
ennuyeux et on se demande pourquoi, si Molière a du génie... Et
ce n'est certainement pas dans cette scène qu'il en a si on la joue
comme cela.

Il faut que cette scène soit bouleversante de tendresse, d'imploration, d'amour, mais d'un amour pur, comme dit Elvire; elle va
dans un pathétique croissant. Et il y a Dom Juan, personnage
assez curieux, qui regarde avec étonnement; il faut naturellement
qu'il ne fasse pas trop de jeux de scènes.

La tragédienne dit ce texte avec une solide voix de poitrine,
parce qu'elle sait que Dom Juan et Sganarelle pendant ce temps,
pour distraire le public, font des galipettes, parce qu'ils pensent :
cette scène est ennuyeuse. C'est également dans la tradition de
Dom Juan et c'est une habitude.

Sganarelle est bouleversé par cet amour extraordinaire; à ce
moment-là, ce n'est pas un personnage comique. Il dit : « Pauvre
femme! »; ce « Pauvre femme! » va vraiment avec la scène; c'est
très déchirant.

CLAUDIA : Jamais je n'arriverai à ça.

L. J. : Mais si; tu y es presque.

Je suis content que tu aies pris Elvire; c'est exactement ce à
quoi il faut que tu atteignes : au sentiment. Tu as de la facilité
technique, tu as déjà du métier; mais ce que tu n'as pas encore
assez poussé, c'est ton tempérament, c'est la recherche du sentiment par rapport à ce que tu joues.

Souvent tu introduis dans une scène plus de métier qu'il n'en
faudrait. *Il faut que ton métier vienne de l'usage de ton sentiment dramatique*, alors que dans ce que tu fais, il y a plus d'habileté que
de tempérament. Cependant, tu as du tempérament! Il faut que
tu le pousses.

*Tu ne peux faire du théâtre que riche de ton sentiment dramatique, de
ton tempérament dramatique*. C'est avec cela que tu entendras ce qu'un
metteur en scène t'expliquera. C'est avec cela que, dans les hésitations continuelles que tu auras dans ton métier, comme tout le

monde, tu te guideras. Si tu pars de ton sentiment dramatique, si tu essaies de *trouver le sentiment de la scène, de la sentir*, et que tu y apportes un *gros afflux de sentiment*, tu gagneras.

C'est pour cela qu'Elvire, qui n'est pas une bonne scène de concours, est un exercice extraordinaire pour le sentiment et pour la diction. Il n'y a pas besoin de travailler beaucoup de scènes au Conservatoire; une dizaine suffirait, en commençant par la technique, et en arrivant au sentiment, pour que vous compreniez, en cinq ou six exemples, comment se pose la question.

Tu dois y arriver, si tu n'y arrives pas tu me décevras beaucoup, parce que le seul reproche que je te fais... c'est celui que je te faisais pendant ta deuxième année, tu te le rappelles, je te l'ai expliqué un jour : tu as mal joué le jeu, tu as truqué, tu as maquignonné; tu as voulu arriver à avoir une scène de concours éblouissante, tu avais admirablement préparé ta scène (tu as un sens, tu as une intelligence du théâtre!), mais en te voyant faire ça, je me disais : ce n'est pas vrai; elle n'y met pas ce qu'il faut y mettre. Tu n'y mettais pas de sentiment dramatique.

L'expression dramatique que tu y mettais était un peu truquée; tu ne jouais pas cette scène parce que tu l'éprouvais profondément, mais tu la jouais comme ça, parce que tu es intelligente, et tu maquignonnais la scène. Et tu as tendance à faire du chiqué, parce que la *technique qui ne vient pas du sentiment, c'est du chiqué.*

Il faut rejeter ça; il faut te replacer devant ton sentiment dramatique. Tu la sens cette scène d'Elvire, tu la sens très bien, ce que je te demande, c'est de te « sortir les tripes » comme on dit vulgairement et d'y aller, de nous les montrer.

Il y a des comédiens qui ne se « sortent pas les tripes » par timidité, par une espèce de gêne qui est complexe, par pudeur. Chez toi, ce n'est pas par pudeur ou par timidité. Tu es quelqu'un qui comprend tout de suite les choses du point de vue de leur exécution; le fait que tu conçois très clairement dans ton intelligence, dans ton imagination dramatique (on voit bien ce que tu imagines), fait que tu es *préoccupée uniquement de l'exécution; mais tu ne t'es pas suffisamment nourrie du sentiment et du personnage.*

CLAUDIA : Je m'en occupe beaucoup plus, maintenant.

L. J. : Tu ne t'en occupes pas assez. Comme dit Shakespeare : « Que le lait de la tendresse humaine te monte aux lèvres », la tendresse, ou la colère...

CLAUDIA : Je vais vous donner d'autres scènes...

L. J. : Ce n'est pas timidité chez toi, ou pudeur; comprends-moi bien. C'est très grave, c'est très vrai. Ce qui te gêne toi, pour le sentiment, c'est ton orgueil.

Tu es intelligente dramatiquement, tu te dis : moi je ne veux pas faire ce travail-là, ça va m'agacer... Tu aurais une bonne petite nature pas intelligente, tu aurais été touchée, tu aurais senti ce que je t'ai expliqué. Et tu te serais dit : je vais essayer de le faire, même si ça m'humilie devant les camarades, pour arriver à me connaître. Toi tu te dis : j'ai bien pigé ce qu'il m'a expliqué, ça va m'ennuyer de faire ça devant les camarades, je vais passer à autre chose. C'est cela que j'appelle ton orgueil.

CLAUDIA : Je peux répondre?

L. J. : Mesure bien tes paroles, comme je mesure les miennes.

CLAUDIA : Ce n'est pas tout à fait ça...

L. J. : Tu dis : pas tout à fait...

CLAUDIA [riant] : Je ne peux pas vous dire que ce n'est pas ça du tout!

Je veux arriver à me défaire de ce que je fais là pour pouvoir le passer comme vous me l'indiquez. J'avais pris ce rôle simplement du côté « annonciation », alors pour arriver à le faire comme j'ai essayé de le faire tout à l'heure, pour y arriver vraiment, pour me baigner dedans, je ne vais pas y arriver maintenant... Chez moi c'est très long, c'est de l'incubation.

Il arrive que je sois dans le sentiment pendant huit jours, puis tout à coup je ne peux pas y arriver. C'est une question d'incubation.

C'est pour cela que je vous dis je vais le laisser; je ne veux pas vous le passer avant quelque temps, parce que je n'aurai pas fait de progrès dedans. D'ici trois semaines, je pourrai peut-être faire ce que vous m'avez demandé.

L. J. : Je ne retire pas ce que je t'ai dit; ce que je voudrais que tu fasses : c'est TRAVAILLER TON SENTIMENT.

CLAUDIA : C'est ce que je vais faire.

L. J. : Ce n'est pas vrai; cette façon de travailler n'est pas vraie, parce que tu vas de nouveau faire un travail personnel et purement cérébral.

C'est une méthode qui va te laisser seule avec toi-même.

Il faut que tu laisses de côté toute ton intelligence dramatique, et que, pour le temps qui te reste à passer au Conservatoire, tu essaies de t'entraîner sur le sentiment. C'est ce qu'il y a de plus important dans ton cas; c'est ton gouvernail.

Travaille dans le sentiment, parce que c'est comme ça que, dans la vie, tu travailleras. Quand un metteur en scène te dira : le sentiment n'est pas mal, mais ça ne passe pas la rampe, il ne pourra pas attendre trois semaines. Il dira : revenez demain, nous allons voir.

Laisse tes conceptions, tes idées, travaille le morceau. C'est uniquement ce qu'il faut que tu fasses.

CLAUDIA : Je vais le faire; je vous le redonnerai samedi.

L. J. : Il faut que tu cherches le sentiment; *l'intelligence drama-*

tique ne suffit pas s'il n'y a pas de sentiment. Ce qui fait de Raimu le plus grand acteur de notre époque, c'est qu'il est *puissant dans le sentiment.*

Il faut arriver à puiser en soi ce potentiel, cette puissance, cette *faculté du sentiment porté à l'excès;* c'est par un excès de sentiment, par un excès de tendresse, par un excès de colère, d'indignation, d'orgueil, c'est en cultivant toutes ces qualités, tous ces défauts, toutes ces vertus cardinales, que tu arriveras à rendre tes personnages.

Qu'Irène donne Elvire sans mettre de sentiment... elle est en première année! Il faut qu'elle essaie de voir ce que c'est qu'une scène, qu'on la lui explique, qu'elle y pense, mais pour toi, la pensée doit s'accompagner d'un sentiment violent, d'un sentiment profond.

Il ne faut pas que tu puisses te dire : moi, je vais jouer ça en apparition et que tu le donnes confortablement. Il faut que tu développes ton sentiment.

[Claudia fait une moue.]

L. J. : Elle n'est pas convaincue! Tu penses que je ne te dis pas ça pour avoir le plaisir de t'expliquer des balançoires. Dans vingt ans d'ici tu penseras peut-être à ce que je te dis maintenant, quand tu raconteras des souvenirs de jeunesse à des camarades plus jeunes, en voyage par exemple... : Je me suis embêtée dans sa classe! pendant trois ans! Je ne l'aimais pas, mais un jour il m'a dit quelque chose de pas mal.

Je ne souhaite pas autre chose que (pendant ces trois années) vous faire un jour, un instant, toucher du doigt votre instrument. Vous aurez appris quelque chose le jour où, dans une conversation comme celle que nous avons en ce moment, vous aurez été tout à coup saisis, touchés, par une idée, une sensation que je mettrai devant vous; où vous aurez eu cette révélation intérieure de ce que vous êtes par rapport à ce que vous faites.

[A Claudia.] Si ton sentiment te monte à la gorge pendant quelques secondes et que tu en éprouves le goût; si pendant une scène où je t'explique quelque chose, tu t'es vue, tu as gagné trois ans de travail.

C'est ce que j'essayais d'expliquer l'autre jour à Léon; j'essaie de vous le dire toujours de manière compréhensible pour que ça vous touche, soit par réaction vive, soit par une espèce d'amitié que je sais peut-être mal exprimer. Ce qui est ennuyeux, quand on vous parle, c'est que vous avez tout de suite une réaction de défiance. On sent très bien que, quand on vous dit quelque chose, ça ne vous a pas touchés directement, que malgré tout il y a tout de suite un petit réflexe « contre ».

J'ai salivé l'autre jour avec Octave (c'est un des plus beaux exemples de ma carrière de professeur), j'ai essayé de lui expliquer le rapport de la phrase, du sentiment, de la respiration, et après cette longue explication, Octave m'a répondu : Oui, oui, j'ai compris, je l'ai fait la dernière fois. Ce qui prouve qu'il n'avait pas écouté une seconde ce que je lui avais dit. J'aurais préféré qu'il me dise : Oh! vous me fatiguez!

OCTAVE : Maître, je ne pouvais pas vous dire que je n'avais pas compris, puisque j'avais compris.

L. J. : Si tu l'avais compris, tu ne m'aurais pas répondu : Je l'ai fait la dernière fois.

OCTAVE : Je vous ai dit cela, parce que je croyais l'avoir fait la dernière fois.

L. J. : Et la semaine dernière, tu nous a donné, exactement dans les mêmes conditions, les fureurs d'Oreste.

L'explication que j'ai donnée sur le rapport de la longueur d'une phrase, du sentiment et de la diction, est une chose que tu ne peux pas comprendre, parce que *comprendre c'est sentir, éprouver*. Quand tu l'auras éprouvé, soit sur un texte de Bossuet, soit sur un texte de Molière, de Marivaux ou de Giraudoux, tu auras le secret du métier, tu auras le secret de tout.

Je ne te reproche pas de n'avoir pas compris; tu me l'aurais dit... je me serais efforcé de te le faire comprendre autrement, mais tu m'as répondu : Je l'ai fait la dernière fois!

Tu pourrais comprendre *La Somme théologique* de saint Thomas d'Aquin, tu pourrais connaître toutes les théories philosophiques... cette intelligence-là n'a rien à voir avec le théâtre.

L'intelligence du théâtre, c'est une intuition, qui est difficile à définir, mais qui n'est pas l'intelligence ordinaire des savants; c'est un sens qu'on a, un sens intelligent; et l'explication que je t'ai donnée, ce n'est pas par la pensée que tu pouvais la comprendre, mais en la *sentant*.

Peut-être diras-tu plus tard que l'explication que je t'ai donnée était mauvaise, que celle que tu trouveras toi-même sera supérieure, ça ne fait rien...

L'explication n'est faite que pour vous faire sentir les choses, pour vous permettre de les éprouver, vous, sur vous-mêmes.

CLASSE DU 24 FÉVRIER 1940

[Ils donnent toute la scène.]

L. J. : Qu'est-ce que tu penses?

CLAUDIA : J'ai été dans le sentiment jusqu'au bout. Il me semble que j'ai donné jusqu'au bout le sentiment. Je ne sais pas si c'est ça que vous m'avez demandé, mais moi j'ai été dans le sentiment jusqu'au bout. Cette chose effrayante : cet homme qui va se perdre et que j'ai aimé...

L. J. : Tu as bien exécuté la scène jusqu'au bout et sans défaillance.

CLAUDIA : Est-ce qu'on sentait que j'étais sincère à ce moment-là, parce que j'ai été...

L. J. [à tous] : Je vous le demande?

LES FILLES : Oui.

JACKY : Tu n'as donné quelque chose de vraiment sincère que dans la seconde moitié.

VIVIANE : Au début, elle a essayé de faire ce que vous lui aviez dit : pas de points.

CLAUDIA : Je joue ça sur une lame de couteau...

L. J. : C'est pile ou face : si tu ne peux pas arriver à le jouer dans le sentiment, tu es perdue; c'est une des scènes les plus difficiles que je connaisse dans le répertoire. Qu'est-ce que vous avez remarqué d'autre?

OCTAVE : Elle ne lui parle pas assez.

HÉLÈNE : Elle n'est plus sur terre.

L. J. [répondant à Octave] : Je ne suis pas de ton avis : elle lui parle trop. A mon avis, à ce moment-là, dans la situation où est Elvire : *elle est seule sur scène,* elle n'a pas besoin de parler à Dom Juan.

De même, quand son père vient le voir, Dom Juan est dans un coin; il attend que son père ait fini de le moraliser. Son père lui parle; lui ne regarde pas son père. S'il le regardait, il lui répondrait. Mais non, quand le père est fatigué de tout son discours, Dom Juan lui dit simplement : « Monsieur, si vous étiez assis, vous en seriez mieux pour parler. » Ce sont des personnages qui ne se parlent pas.

Elvire entre; *elle entre comme une extatique.* Nous ne pouvons pas entendre le texte si tu es tournée vers lui. Moi, je ne me serais pas tournée vers lui. Je trouve que tu lui parles trop.

Il y a des acteurs qui sont un peu exhibitionnistes; ils arrivent en scène, on sent qu'ils ont plaisir à ce que tout le monde les voie, voie leur bonheur ou leur malheur. Il n'y a pas d'autre mot pour ça; un côté exhibitionniste. Il y a un peu ça dans Elvire : *un exhibitionnisme inconscient.* Fais ton entrée en le regardant, en lui disant : « Ne soyez pas surpris, Dom Juan, de me voir à cette heure et dans cet équipage.» Prends-le dans le naturel pour commencer; elle a un côté femme du monde pour commencer.

« Ne soyez pas surpris, Dom Juan, de me voir à cette heure et dans cet équipage. C'est un motif pressant...», il y a *un côté Grande Mademoiselle et familier à la fois.* Et elle le rassure : « Je ne viens point ici pleine de ce courroux que j'ai tantôt fait éclater, » un peu familier.

« Le Ciel a banni de mon âme toutes ces indignes ardeurs... » *C'est là que ça commence.* Il faut que le public voie le changement; qu'il éprouve un bouleversement intérieur. Elle commence là; et c'est face au public.

Le métier d'acteur consiste à s'enrichir, à augmenter sa sensibilité par des personnages, à emprunter, *faire une espèce d'usure avec les sentiments des autres*, c'est une introspection qu'on fait chez les autres.

C'est une question de culture personnelle, d'effort personnel. Mais je me ferais cistercienne pendant trois mois pour savoir ce que c'est que cette sérénité! pour en avoir le sentiment!

Nous croyons bénévolement que nous sommes capables de sentir ce que sentent Œdipe, Rodogune; ce n'est pas vrai. Ils ont des sentiments bien supérieurs aux nôtres! Nous nous installons chez Célimène, et nous disons : je suis Célimène! C'est beaucoup plus difficile que ça.

Il faut *d'abord assimiler le sentiment, le comprendre, comprendre le personnage.*

Au bout d'un certain temps, si tu as joué des personnages du même ordre, du même emploi, tu arrives (après vingt ans de métier, car on ne fait pas un comédien avant vingt ans de travail), *tu arrives à avoir à l'intérieur une sécrétion abondante au point de vue sensible, une palette de sentiments,* comme les peintres ont une palette de couleurs. *L'acteur* est quelqu'un qui, au bout d'un certain temps, *possède une charge de sentiments;* c'est un *accumulateur.* Un acteur, par rapport à un autre homme, est quelqu'un qui est capable d'être chargé de sentiments.

Il y arrive par l'exercice, par la méditation, par le fait que tous les soirs, il emprunte des sentiments qui ne sont pas des sentiments ordinaires. En jouant la tragédie tous les soirs, Mounet-Sully, à la fin de sa vie, pouvait jouer Œdipe ou Oreste. Mais tu ne peux pas jouer Oreste maintenant.

Malheureusement, il y a une présomption (et nous sommes bien obligés de l'avoir si nous voulons faire ce métier) : pour essayer de jouer Oreste, nous sommes bien obligés de nous croire Oreste! Mais, de temps en temps, il faut se rendre compte qu'il y a autant de différence entre soi et Oreste qu'entre le pape et le vicaire de Saint-Eustache!

OCTAVE [à qui tout ceci ne s'adresse pas] : J'ai voulu le faire au point de vue travail!

L. J. [agacé] : Oh! toi, laisse-moi, tu m'embêtes. [A Claudia.] Tu veux essayer de refaire l'entrée?

[Claudia entre, plus lentement que tout à l'heure.]

L. J. : Tu as ralenti ton entrée. Quand tu entres en ralentissant, c'est une position d'attente; c'est comme si tu attendais quelque chose. Tu comprends?

CLAUDIA : Oui.

L. J. : Je crois qu'il faut *qu'elle entre parce qu'elle a quelque chose à dire;* par conséquent, ce n'est pas une marche ralentie; au contraire, *c'est une marche accélérée pour lui dire :* « Ne soyez point surpris, Dom Juan, de me voir à cette heure et dans cet équipage... »

Tu n'as pas le sentiment dramatique juste; tu n'as pas vraiment en toi cet état d'âme qui est le suivant : elle a quelque chose à dire.

Mais avant de le lui dire, elle commence par : « Ne soyez point surpris, Dom Juan... », c'est une phrase préliminaire, et c'est ce qui différencie le morceau; pourtant il faut que ce début soit dans le sentiment; mais si tu arrives chargée du sentiment général du morceau à l'attaque, tu te fatigues, le sentiment est toujours le même, et tu fatigues l'auditeur.

Tu as le sentiment au départ, mais tu as aussi un petit sentiment préalable; tu as toute cette tendresse, cette annonciation en toi : je vais vous dire quelque chose..., mais avant : ne soyez pas surpris...

[Claudia entre rapidement; les bras écartés, elle met ses bras au corps dès qu'elle parle.]

L. J. : C'est ça, mais garde ton geste un peu plus longtemps, avant de parler. Voilà, tu l'as trouvée, l'annonciation!

[Claudia entre en parlant.]

— Ne soyez point surpris, Dom Juan,

L. J. : Ne parle que plus tard.

CLAUDIA : Je garde mon geste, je m'arrête, et je parle. J'ai compris.

[Elle entre.]

— Ne soyez point surpris, Dom Juan,...
Ce n'est plus cette Done Elvire dont l'âme irritée

L. J. : Tu te noies en ce moment parce que je t'ai dit de ne pas faire de point. Il y a trois choses successives. Tu as attaqué sur « vous me voyez bien changée de ce que j'étais ce matin », mais c'est encore une chose qu'elle lui dit avant de commencer.

Elle vient pour le sauver, mais d'abord :

1° « Ne soyez point surpris, Dom Juan,... »

2° Je ne viens pas pour vous faire des reproches : « Je ne viens point ici pleine de ce courroux... Ce n'est plus cette Done Elvire qui faisait des vœux contre vous,... »

3° « Le Ciel a banni de mon âme toutes ces indignes ardeurs... »

Il faut que ce soit trois choses distinctes; les deux premiers sentiments « préalables » si je puis dire, repoussent le sentiment qui est en toi à plein, et qui est : « Le Ciel a banni de mon âme... »

Tu es pressée d'arriver à : « Le Ciel a banni de mon âme... » Tu vois ce que je veux dire.

Le mouvement du morceau ne t'est pas donné par les indications du professeur qui te dit : pas de points ni de virgules, mais par toi-même, par ce que tu as à dire. Tu entres, portée par ce que tu veux dire, et c'est comme si tu disais : Le Ciel... pardon — ne soyez point surpris Dom Juan de me voir à cette heure et dans cet équipage. Le Ciel... pardon — vous me voyez bien changée de ce que j'étais ce matin. Ça reste dans un ton soutenu avant l'attaque.

[Claudia recommence.]

L. J. : Tu n'y es pas arrivée. C'est comparable au type qui est sur le tremplin, prêt à plonger. Il prend son élan, mais : il se touche le ventre, un; il fait un geste pour assurer son bonnet de bain, deux; puis il y va. Mais dès le début il avait pris son élan pour plonger.

Réfléchis à cela. Tu arriveras à l'inflexion.

Attaque sur « Le Ciel »; et à partir de ce moment, tu ne le regardes plus.

— Ne soyez point surpris, Dom Juan,...
   ...et il n'a laissé /   / dans mon cœur

L. J. : Ne coupe pas; ne dis pas : « et il n'a laissé /   / dans mon cœur ».

A chacun des mots que tu dis, il faut que tu sentes ce que tu dis, que tu sentes ce que cela représente. A chacun des mots que tu dis, il faut que le sentiment monte en toi, que tu sois baignée par ce que le mot exprime. Si tu fais cet exercice en appelant en toi, à mesure que tu penses le mot, le sentiment que ce mot exprime, à un moment donné, les sentiments monteront en toi, au fur et à mesure, avec tant d'intensité, que tu pourras presque jouer intérieurement le texte sans le dire, puis tu seras obligée de le dire. A ce moment-là, tu joueras le rôle.

— Le Ciel a banni de mon âme...
— ...
— Je vous ai aimé avec une tendresse extrême,

L. J. : La diction trahit encore à certains moments une application du sentiment. Il y a dans ce passage un bouleversement que tu n'atteins pas.

Il n'y a que la méditation qui puisse te le donner.

Quand tu attaques : « Je vous ai aimé... », c'est une femme qui ne peut plus parler; c'est cela qui est touchant.

Tu veux le travailler?

CLAUDIA : Oui. Je veux y arriver.

L. J. : Je suis content de ce que tu as fait, d'abord parce que tu arrives à quelque chose, ensuite parce que tu comprends. Si tu comprends bien, sur un morceau comme celui-là, *le mécanisme de l'acteur*, ce que c'est que jouer la comédie, si tu comprends comment apprendre *à trouver dans un texte la raison de le dire, la raison sensible;* à te *gorger des sentiments que tu vas ensuite décharger petit à petit...* tu arriveras à la psychologie du morceau, à la psychologie du personnage, et, à un moment donné, tu seras obligée de dire le texte.

Le jour où une actrice (je n'en ai jamais vu) arrivera à dire ce morceau dans un état de nécessité intérieure, ce sera bouleversant.

Même pour des choses simples, on ne peut arriver à les dire qu'avec un *état de nécessité intérieure profonde.*

[A Léon.] Quand tu joues Pancrace, c'est la même chose; il faudrait que tu arrives au moins à sentir la difficulté, à sentir qu'il ne faut pas procéder vis-à-vis des personnages avec cette présomption qui consiste à dire : ôte-toi de là que je m'y mette.

CLAUDIA : Je vois bien ce que je veux faire, mais je n'y arrive pas toute seule.

L. J. : Parce que tu as une intelligence dramatique très grande; tu comprends au sens cérébral; il n'y a aucune comédienne ici dans la classe qui transpose immédiatement comme toi les indications qu'on donne. Tu es intelligente, méfie-toi. Ce que je voudrais que tu nourrisses en toi, c'est ton sentiment.

Pour jouer Alceste, on peut truquer, faire de la colère, de la voix, etc., mais pour arriver à l'humeur d'Alceste, à cet état d'amour, d'étonnement, d'indignation, de tendresse, il faut une longue méditation.

Pour atteindre à l'amour de Dieu, il y a des gens qui restent dans un couvent pendant trente ans; pour atteindre à des héros, qui sont des demi-dieux, il faut les fréquenter longtemps.

CLASSE DU 28 FÉVRIER 1940

— Monsieur, voici une dame voilée qui vient vous parler.

— ...

— ...une tendresse toute sainte,

[L. J. interrompt.]

CLAUDIA : Ce n'est pas ça.

L. J. : Ce n'est pas psychologiquement tout à fait juste, et ce n'est pas encore assez puissant, mais c'est bon.

Je voudrais, quand tu entres, que ta marche nous donne déjà :

— Écoutez, Dom Juan, le Ciel a banni de mon âme. — Mais les trois phrases que tu dis avant, dis-les chaque fois comme une incidente.

Tu devrais commencer ton discours à : « Le Ciel... », mais tu as trois phrases à dire avant. Prends ton temps sur ces trois phrases précédentes. Pas trop vite quand tu entres. Entre!

> — Ne soyez point surpris, Dom Juan, de me voir à cette heure et dans cet équipage. C'est un motif pressant qui m'oblige à cette visite, et ce que j'ai à vous dire ne veut point du tout de retardement.

L. J. : C'est trop vite. Tu attaques trop vite sur : « Ne soyez point surpris, Dom Juan,... »

Tu entres, pour lui dire : Écoutez, Dom Juan, le Ciel a banni de mon âme... mais tu lui dis : Ne soyez point surpris de me voir à cette heure et dans cet équipage. C'est une personne qui entre, qui est très au fait de ce qu'elle va dire; elle n'a pas peur. On lui a dit : Il est là. Elle sait qu'il est là. Elle entre et elle va dire : Le Ciel... Mais elle dit : « Ne soyez point surpris, Dom Juan, de me voir à cette heure et dans cet équipage. C'est un motif pressant qui m'oblige à cette visite, et ce que j'ai à vous dire ne veut point du tout de retardement. » (C'est la première incidente). Le Ciel... « Je ne viens point ici pleine de ce courroux que j'ai tantôt fait éclater, et vous me voyez bien changée de ce que j'étais ce matin. » (Deuxième incidente). Le Ciel... « Ce n'est plus cette Done Elvire qui faisait des vœux contre vous, et dont l'âme irritée ne jetait que menaces et ne respirait que vengeance. » (Troisième incidente). [L. J. paraphrasant la troisième phrase] : Ce n'est pas du tout le même genre de relations que nous avions avant; je ne viens point pour la même chose. Ce sont trois incidentes successives, trois paliers qui se baissent pour ainsi dire lentement et qui t'amènent sur : « Le Ciel a banni de mon âme... »

Elle entre, elle a quelque chose à lui dire, elle ne sait peut-être pas comment elle va commencer, mais elle veut lui dire : « Le Ciel a banni de mon âme... »

Il faut que tu sois pressée d'arriver à : « Le Ciel a banni de mon âme... » c'est là que ça commence; c'est là qu'est l'attaque à pic du morceau.

> — Ne soyez point surpris, Dom Juan,...
> ...et ce que j'ai à vous dire ne veut point du tout de retardement.

L. J. : Tu le préviens : C'est pour ça que je suis venue, ce n'est pas pour autre chose. C'est une incidente. Et sur : « de retardement... » tourne-toi vers nous, puis vers lui : « Je ne viens point ici pleine de ce courroux... »

— Ne soyez point surpris, Dom Juan,...

— ...

— ...pour moi, je ne tiens plus à vous par aucun attache-ment du monde.

L. J. : Ce n'est pas mal, mais ce n'est pas encore très pur. Est-ce que vous vous rendez compte que la diction est une chose qui facilite le sentiment?

Le sentiment n'est pas encore plein, la diction est encore un peu voulue, mais si tu travailles le morceau dans cette diction-là, tu verras que tu auras le sentiment.

Il y a une chose qui n'est pas juste; tu accentues des mots. Sans accentuation sur les mots, la phrase serait plus pleine, le sentiment serait plus juste.

« Je suis revenue *grâces au Ciel*, » n'accentue pas. Parce qu'alors, la phrase ne déferle plus.

> — Je suis revenue, grâces au Ciel, de toutes mes folles pensées; ma retraite est résolue, et je ne demande qu'assez de vie

L. J. : Tu dis : « Je ne demande / / qu'assez de vie »

> — Je suis revenue, grâces au Ciel...
> ...et ce me sera une joie incroyable,

L. J. : Parle-le.

> — ...et ce me sera une joie incroyable...
> ...et, si vous n'êtes point touché de votre intérêt, soyez-le au moins de mes *prières*,

L. J. : C'est ça qui est terrible! [L'accentuation sur les syllabes soulignées.]

> — De grâce, Dom Juan, accordez-moi...

> — ...

> — Je vous ai aimé

L. J. : Prends ton temps, éprouve bien l'idée que c'est un homme condamné à des supplices éternels. Il faut que ce soit une chose qui te touche, non pas intellectuellement, mais presque physiquement. Elle est persuadée que cet homme brûlera au feu de l'enfer, cet homme qu'elle aime. Elvire a été touchée par la grâce, par l'idée de la pénitence; elle est persuadée que cet homme qu'elle n'a pas cessé d'aimer, qu'elle aime autrement, sera condamné au feu éternel; et cela la bouleverse.

« Je vous ai aimé... » — Je m'en rends compte maintenant.

> — Je vous ai aimé avec une tendresse extrême,

L. J. : Il y a une chose qui manque : c'est le souvenir. Tu comprends?

— Je vous ai aimé avec une tendresse extrême,...
...j'ai oublié mon devoir pour vous, j'ai fait toutes choses pour vous,

L. J. : « Je vous ai aimé » il faut que ça déferle, alors que tu fais un raisonnement logique.

J'ai tout fait pour vous, je ne vous demande qu'une chose, c'est...

— Je vous ai aimé...
...je vous en conjure par tout ce qui est le plus capable de vous toucher.

L. J. : Ça finit là. Et elle lui dit très gentiment : Je m'en vais maintenant. Je ne vais pas vous importuner plus longtemps.

Il faut que ça arrive jusqu'au bout : « Je vous en conjure par tout ce qui est le plus capable de vous toucher. » Et, la gorge un peu serrée : « Je m'en vais maintenant. » — Madame, dit Dom Juan qui est un peu « cochon », je vous en prie demeurez. Vous me ferez plaisir. — Non, non, vous dis-je.

— Je m'en vais après ce discours,...
— ...
— ...et songez seulement à profiter de mon avis.

L. J. : N'arrête pas.

CLAUDIA : Y arriverai-je, ou n'y arriverai-je pas ?

L. J. : C'est ton sentiment qui n'y est pas encore. Moi, ce que je voudrais là-dedans...

CLAUDIA [pour sa compréhension personnelle] : Je suis mieux, mais ce n'est pas assez.

L. J. : Tu es mieux. Mais, attention. Il faut être émue quand on pense un texte, quand on cherche un personnage; quand tu auras trouvé la technique du morceau, *l'émotion que tu éprouveras sera plutôt le résultat de ta technique.*

CLAUDIA : J'ai peur de ne pas être touchée par le personnage lui-même, par ce qu'il éprouve, parce que c'est tellement loin de moi.

L. J. : Tous les sentiments sont les mêmes. Ne te dis jamais de choses comme celle-là. Si l'idée de l'enfer ne te touche pas, qu'est-ce que ça peut faire ? Ce sont des sentiments que tu peux très bien transposer. Imagine un autre danger : un voyage dangereux, une expérience mortelle. Et tu viens voir cet homme : Écoutez, je ne viens pas ici pour... Si les larmes ne peuvent pas vous toucher, je vous en supplie par tout ce qui est capable de vous toucher. Pour arriver à cela, il faut que le sentiment soit plus net. Tu ne l'as pas tout à fait atteint encore, mais la technique n'est pas mal. C'est la première fois que j'entends ce morceau, ou à peu près. D'habitude on en fait une récitation pour la fête de Jeanne d'Arc ou pour la distribution des prix.

CLAUDIA : Je commence à le sentir; ce n'est pas encore ça; je n'y arriverai pas tout de suite. Ça vient petit à petit chez moi.

L. J. : Il faut que dans huit jours d'ici tu me donnes ce morceau. C'est le propre du comédien d'atteindre à un sentiment rapidement.

IRÈNE : C'est beaucoup, beaucoup, beaucoup mieux.

L. J. : Elle est plus maîtresse du morceau. Tu as un contrôle de ce que tu fais, mais ce contrôle n'est pas encore suffisant...

CLAUDIA : J'ai trop de contrôle et pas assez de sentiment. Je n'ai pas encore atteint... enfin je suis sur la voie.

L. J. : Elle ne pleure pas quand elle dit qu'elle pleure. C'est après qu'elle pleure, c'est ce qui est étonnant. *Quand un comédien dit qu'il pleure, il ne faut pas qu'il le fasse, ce serait trop simple.*

Mais tu sens encore que tu mets des points? Il n'y a que deux ou trois endroits où le morceau accroche. « Je vous ai aimé... » là tu peux y aller. Qu'on entende bien que c'est tout le passé qu'il y a eu entre eux; ça a été le premier appel de l'amour chez Elvire; elle en a été emplie, et brusquement, tout cet amour qui est monté en elle, par un phénomène de chimie céleste, a été transformé en amour de Dieu. Elle revient lui dire : « Je vous ai aimé... » Le morceau s'accroche là-dessus, ce souvenir qui est là : Mon Dieu! comme je vous ai aimé, et ça continue.

Qu'on sente bien à la fin *la façon dont elle se défie de Dom Juan.* Elle n'a pas peur, c'est quelqu'un qui a été touché par la grâce; *elle est sûre d'elle.* Elle a une politesse qui montre qu'elle n'est pas dupe de ce que Dom Juan vient de dire : Non, ne me retenez pas davantage... Je ne céderai pas. Elle est ferme, elle est sûre d'elle : Je ne suis pas venue ici pour recommencer. Il y a ce sentiment-là dès le début. Il y a ce *sentiment de fermeté dans son attitude, dans sa démarche* : Ce n'est plus cette Done Elvire... Vous me voyez bien différente de ce que vous m'avez vue ce matin. Explique-lui bien; éclaircis la situation.

Rends-toi compte de l'état dans lequel elle est; elle vient de loin; elle a voyagé dans un carrosse pendant longtemps pour venir à lui. Elle a eu brusquement cette visitation, cette grâce, et il n'y a qu'une chose qui l'a touchée, c'est *l'idée du salut de Dom Juan, la peur de sa damnation.* Alors elle est partie tout de suite, de nuit, n'importe comment, dans une toilette qui n'est pas de circonstance, et, pendant tout le trajet, elle pense à ce qu'elle va lui dire. Elle sait bien ce qu'elle va lui dire. Elle a hâte de le voir. Elle arrive dans le palais, elle écarte les gens : « Ne soyez point surpris, Dom Juan... Je vous ai aimé... »

C'est la délivrance de ce long moment, de ce qu'elle a éprouvé pendant ce long trajet avant d'arriver à lui. Elle a couru, elle s'est hâtée, aussi quand elle le voit, tout cela coule naturellement, *tout son discours est prêt, il jaillit.*

Ce n'est pas une de ces visites où on se dit : comment vais-je commencer; vais-je le prendre par la douceur, ou bien... et est-ce que je ne risque pas... *Elle est portée par ce qu'elle a à dire.* C'est pourquoi *c'est une annonciation.*

C'est quelqu'un qui vient délivrer un message malgré lui, et c'est ce qu'il faut qu'on voie quand tu entres.

CLASSE DU 18 MAI 1940

[Ils donnent toute la scène.]

L. J. : Qu'est-ce que tu en penses?

CLAUDIA : J'y ai beaucoup pensé depuis que je l'ai travaillé; j'ai essayé de faire tout ce que vous m'aviez demandé, je ne sais pas ce que ça donnait, mais j'y étais, *chaque chose que j'ai dite, je l'ai sentie.*

L. J. : Seulement, le morceau est un peu raisonné malgré tout.

CLAUDIA : Maintenant, cependant je...

L. J. : *Il faut que le sentiment t'oblige à dire le texte. C'est cela l'art du comédien.* Pour un morceau comme celui-ci, si la diction engendre le sentiment, pour le spectateur et l'acteur, c'est bien, mais je crois que c'est le sentiment dans lequel l'actrice se trouve qui doit lui faire dire ces phrases.

CLAUDIA : Je suis cependant rentrée « comme ça ». [Geste des mains, comme une apparition.]

L. J. : Ce n'était pas mal, cependant c'était un peu pressé. C'est pourquoi je voudrais que tu reprennes ce début. Je suis sûr de ce que j'avance avec ce morceau. *Ce qui caractérise un texte,* et en particulier une longue tirade comme celle-là, *c'est son mouvement.* Tu peux évidemment donner un mouvement artificiel à ce texte-là, tu peux y donner le mouvement que tu voudras, mais *le véritable mouvement, c'est le sentiment qui te le donnera,* c'est le sentiment préalable au morceau. *Ce n'est pas la respiration qui te le donnera,* ni l'argumentation qui est dans le morceau, c'est véritablement le sentiment.

Quand tu entres, c'est trop pressé, tu n'es pas encore dans le sentiment.

C'est une femme qui est arrivée à bride abattue. Tu cours chez ton amant, et, au moment d'entrer dans la maison, tu reprends ta respiration. Elle a quelque chose de somnambulique et de calme dans la marche. Cette femme qui s'est hâtée, qui était pressée, est tout à coup dans un état de calme et de douceur extraordinaire. Elle lui dit : « Ne soyez point surpris, Dom Juan, de me voir à cette heure et dans cet équipage, c'est un motif pressant... » mais elle ne commence pas comme tu l'as fait, parce que tu as fermé la phrase.

Le fait que tu as fermé la phrase, que tu l'as raisonnée, prouve que le sentiment n'est pas juste. Il faut que le morceau ne s'attaque que beaucoup plus tard.

Il faut ce sentiment-là pour commencer, sans ça tu ne le diras pas bien. Tu argumentes, tu raisonnes; c'est une série de phrases dont la logique est apparente, mais il n'y a pas besoin de logique dans ce texte. Ce qu'il faut, c'est qu'il soit délivré avec cette aisance qui vient du cœur. Je trouve que c'est la tirade la plus extraordinaire du théâtre classique.

CLAUDIA : Est-ce que dans tout le morceau, et surtout à la fin, on a senti l'amour que j'avais eu pour Dom Juan et qui restait une tendresse. Vous m'aviez reproché que c'était trop froid.

L. J. : C'est une façon de m'exprimer. Je ne lui demande rien à ce morceau, je demande que l'actrice me le donne à cette altitude, dans la tendresse, dans le rayonnement, dans ce sens où je dis que *Dom Juan est un Miracle*, un miracle du Moyen Age, *une pièce* qui n'est ni religieuse, ni antireligieuse, mais qui est *baignée tout entière de la préoccupation de Dieu*. C'est cela Dom Juan. Ce n'est pas un coureur de filles. *Le problème est là.*

[Ils redonnent toute la scène.]

L. J. : Le début de ta scène est bien, mais on ne sent pas l'oubli, le pardon des injures : Ce matin j'étais en colère, mais le Ciel a banni de mon âme tout ce ressentiment et n'a laissé dans mon cœur que ce sentiment que je viens vous dire.

Cela commence par le pardon, l'oubli des injures, la première vertu du chrétien.

[Claudia se prépare à entrer.]

L. J. : Elvire est bonne, elle est tendre.

[Elle entre.]

L. J. : C'est mieux, tu sens que c'est mieux?

CLAUDIA : Je le fais encore sur la pointe des pieds.

L. J. : C'est le *sentiment qui te donnera la diction*. C'est quelqu'un qui a renoncé à tout, par conséquent, il y a un détachement au début qui est extraordinaire. C'est quelqu'un qui descend du ciel par des moyens surnaturels ou qui s'avance sur l'eau. Dans la vie de Dom Juan où elle apparaît tout à coup, *c'est un avis du ciel*, et on entend soudain *ce solo de flûte* avec des sanglots. C'est une scène qui doit soulever la salle.

Cette femme qui, au premier acte, avait une hauteur, une violence extraordinaires, revient tout à coup au moment où la pièce s'obscurcit et devient douteuse, où l'action se peuple de signes, et elle vient dire cette complainte de tendresse, ce solo de suavité. Tu vois le contraste.

CLAUDIA : Je voudrais y arriver.

L. J. : *C'est un état intérieur.* Dans beaucoup de religions, pour exercer les gens à un certain état, on les fait jeûner, c'est-à-dire qu'ils doivent éviter les impuretés de ceci ou de cela. L'acteur est exactement dans les mêmes conditions. *Pour obtenir un certain état psychique, il lui faut se conformer à une certaine existence, soumettre même son corps à une préparation.*

CLAUDIA : Je ne vais plus manger.

L. J. : Tu peux très bien jouer Elvire l'estomac plein, si, à un moment donné, par n'importe quel procédé, tu obtiens cet état de viduité qui fait que tu puisses dire ce texte. Que ce soit par le jeûne ou autre chose.

MICHEL : Par l'alcool.

L. J. : Tu ne seras pas visité par des choses comme celles-là avec l'alcool.

Ce qu'il faut, c'est obtenir en toi cet état de sensibilité où tu peux éprouver ce qu'éprouvent les autres, *cette photographie de la sensation des autres que tu peux faire sur toi.*

Va dans une église où tu vois des gens qui ont jeûné pendant un certain temps, qui ont un certain état de rayonnement physique, qui sont privés de tout contact impur, des gens qui sont dans un état de transparence qui leur donne une autre couleur d'yeux, une certaine fixité ; si tu arrives à éprouver physiquement cet état dans lequel ils sont, tu as la clef d'un sentiment.

Marie Dorval, quand elle jouait *Marie-Jeanne ou la Femme du peuple*, essayait de se mettre dans le sentiment du personnage.

Regarde la petite fille qui fait sa première communion et qui la fait bien... ça ne t'empêche pas ensuite d'exécuter Elvire dans d'autres conditions physiques, d'avoir mal à la tête ou d'avoir trop mangé, mais tu as *la clef de l'état physique dans lequel il faut être pour la jouer.*

Alors que ce qui préoccupe les actrices, d'habitude, c'est de prendre Elvire et d'y faire passer toute une série de sentiments qui constituent leur arsenal personnel. On ne joue plus le rôle, *on se joue soi-même dans le rôle.*

CLAUDIA : Si on pouvait y arriver...

L. J. : Être acteur demande du temps, demande une expérience de la vie et des choses ; c'est pour apprendre cela que vous êtes ici.

CLASSE DU 10 SEPTEMBRE 1940

[Claudia entre par le fond gauche, entrée mauvaise. Elle donne toute la scène.]

CLAUDIA : Je n'ai pas retrouvé ce que j'avais fait dedans. Je ne le retrouve pas. Quand je l'avais donné une fois à l'examen de mai, quand j'étais entrée je pouvais aller jusqu'au bout. J'aurais pu en raconter comme ça pendant des heures. Et quand j'essaie de le redonner, je ne le retrouve plus. D'ailleurs, je ne retrouve rien dans aucune de mes scènes en ce moment.

L. J. : Tu dois le retrouver ou alors tu n'es pas une comédienne, tu es une tricheuse. Personne ne te le donnera que toi-même. Elvire est dans un état qui est si fort intérieurement, c'est si plein d'amour intérieurement, qu'elle est quasiment inconsciente de ce qu'elle dit. C'est une somnambule qui rentre. Or, ta marche d'entrée est une marche consciente déjà, on sent que tu entres volontairement. Tout ce que tu dis là-dedans est conscient d'un bout à l'autre. Tu donnes l'inverse de ce qu'est le morceau, c'est-à-dire une conscience constante, une politesse mondaine, avec l'accentuation de certains mots. Ça fait discours du directeur de conscience à sa pénitente, alors que le morceau est le contraire : ce morceau est étonnant, stupéfiant parce que cette femme se met tout à coup à parler sur un ton, avec une éloquence, dans un style ravissant qui jaillit d'elle inconsciemment. Tu nous donnes, toi, l'impression d'expliquer ce que tu dis, de le détailler. La marche d'entrée : c'est quelqu'un qui entre dans un état d'égarement total. C'est l'égarement de Lady Macbeth. Elle est touchée par la grâce; entre la matinée où elle est venue invectiver Dom Juan dans son hôtel et le moment où elle vient chez lui, l'après-midi, elle a été touchée intérieurement par l'idée de la damnation de Dom Juan. Elle vole vers lui, elle est tout amour, elle n'a plus de ressentiment et l'amour terrestre qu'elle avait pour lui le matin devient un amour détaché; elle revient uniquement parce qu'elle aime cet homme. Elle est touchée tout à coup par le scandale de la vie de Dom Juan, par ce que cette vie a de monstrueux, sans cela ce serait un discours moral qu'elle lui tiendrait.

L'entrée d'Elvire est un des avertissements que le Ciel envoie à Dom Juan, c'est un trémolo de flûte céleste; tout le morceau se joue dans ce registre-là.

Toi, tu sais ce que tu vas dire tout le temps. Tu n'es pas arrivée à cet état de congestion intérieure, de congestion de sentiments, de sensations, tu n'es pas arrivée à cet état qui te donnera l'égarement, l'inconscience de ce que tu dis, qui par conséquent te donnera cet état céleste dont je te parlais tout à l'heure, ce ton prophétique qui est stupéfiant. C'est ce que tu n'as pas là-dedans.

Même tes gestes, sont les gestes que tu fais quand tu veux les faire. Quand tu fais un geste ton corps suit le geste, c'est tout toi qui participe à ce geste, alors que les gestes d'Elvire sont des gestes inconscients, ce sont des gestes d'extatique, c'est quelqu'un qui est dans un état d'extase. Il y a, dans le personnage, une fixité intérieure qui lui donne un côté hagard et extatique, alors que chez toi il y a une inclinaison de la tête voulue.

Cela se trahit continuellement dans la diction. Il n'y a pas une accentuation dans tout ce texte; ça sort rond, ça sort creux aussi, c'est un débit monotone. Tu as dit : « ma retraite / / est / / résolue » en trois temps. « Au plus grand de tous les *malheurs*, » « Ce me sera une joie *incroyable* », ce qui prouve que tu n'es pas dans l'état physique du personnage. Alors tu cherches à le remplacer avec des gestes, avec le texte. Et surtout tu parles à Dom Juan. C'est une femme, à ce moment-là, qui parle devant elle (donc complètement au public). Elle entre, elle lui dit : Ne soyez pas surpris, Dom Juan... j'ai quelque chose à vous dire... Elle a les yeux baissés, presque. Quand on a couru pour venir dire quelque chose de très important, on ferme les volets de ses yeux pour rester seul avec ses pensées, avec ce qu'on a à dire. Elle lui dit : Ne soyez pas surpris de ceci, ne soyez pas étonné de cela, et ça part, face au public.

« Rien au monde ne m'a été si cher que vous » : quand tu dis ça, tu le dis avec une conscience, avec un sens de ce que tu dis qui est le contraire du morceau. La femme qui dit ça ne s'entend pas, c'est de l'égarement absolu, elle ne s'entend pas, il ne faut pas que la comédienne s'entende dire ça. Si tu te reposes sur le texte, si tu veux nous l'expliquer, tu trouves dans le texte des moyens d'émotion personnelle, et le texte est perdu. Ce serait une langue inconnue que tu dirais, ça vaudrait mieux.

« Non, vous dis-je, ne perdons point de temps en discours superflus », c'était mondain, gracieux, ce que tu as fait là-dessus. Le miracle de cette scène est dans l'inconscience et il faut que le public se rende compte que cette femme est dans un état de transe, d'extase.

CLAUDIA : J'espère le retrouver. Quand je suis rentrée, je savais que je n'étais pas au niveau.

L. J. : C'est l'entrée en scène du personnage, c'est toujours la même histoire.

CLAUDIA : Si c'est ça, ça marche, si ce n'est pas ça...

L. J. : Tu ne peux pas te rattraper là-dedans, ce n'est pas possible.

CLAUDIA : Ça vient de ce que je n'étais pas au diapason.

L. J. : C'est ce qu'il faut trouver : l'entrée en scène. Provoque ton état, jeûne, va au pied des autels ; ce sont des procédés d'exhortation qu'on emploie. C'est le contraire de l'euphorie, une scène comme celle-là, ça relève plutôt du fakir.

La scène est étonnante, stupéfiante par ce caractère de somnambulisme, d'égarement dans lequel est cette femme, et même si on n'est pas religieux, on doit en être frappé. C'est un texte d'une pureté extraordinaire, qui a une suavité étonnante. Au bout d'un certain temps ça sent l'encens.

Il faut avoir, dans ce morceau, ce sentiment que donnent les gens qui parlent sous un impérieux besoin de parler et d'arriver au bout de leur message. Quand Elvire a fini de parler, il faut qu'on sente qu'elle a fini de parler, qu'elle n'a plus rien à dire. Elle est venue là comme un messager divin. C'est une apparition, une annonciation qui arrive, brusquement, avec l'éclat que donne l'apparition. C'est une apparition céleste comme en songe : la nue éclate, on voit tout à coup l'apparition et puis elle parle, et quand c'est fini, c'est fini, comme l'apparition d'Iris dans *La Guerre de Troie*. C'est quelque chose de soudain et qui disparaît. Dans la scène d'Elvire, la difficulté est qu'il n'y a pas de moyens artificiels, il n'y a pas de machinerie, c'est l'actrice elle-même qui doit donner ce caractère étonnant, soudain et merveilleux.

CLASSE DU 21 SEPTEMBRE 1940

[Ils donnent toute la scène.]

L. J. : C'est bien, c'est bien. C'est bien supérieur à ce que tu as fait l'autre fois. Je trouve que tu as fait sur l'autre fois de très gros progrès, en particulier tout ce que tu as enlevé dans : « Je vous ai aimé ». Quand tu dis sans émotion : « Je vous le demande avec larmes » c'est infiniment plus émouvant. Tandis que si tu te soulages : « Je vous ai *aimé* avec une *tendresse* extrême », c'est l'actrice qui fait du trémolo, de la virtuosité.

CLAUDIA : *J'ai envie de pleurer maintenant.*

L. J. : Tu vois si c'est difficile. Évidemment, par endroits, on pouvait noter une baisse de potentiel, ou de la fatigue.

CLAUDIA : Je crois que c'est la fatigue.

L. J. : Le théâtre c'est du sport et le fait du comédien, c'est de s'entraîner d'abord à dire dans la longueur, dans la puissance physique pour pouvoir atteindre la puissance du morceau.

Alors quel est le procédé ? Le procédé consiste à dire le texte à longueur de journée pour en avoir la facilité mécanique et la puissance respiratoire. Une fois que tu as atteint ça, tu peux laisser aller le sentiment.

On sentait que, au point de vue mécanique, tu peux encore t'entraîner à le dire, mais si tu as un mécanisme, comme le pianiste a le mécanisme d'un morceau, tu verras à un moment donné, que tu pourras exécuter magistralement. Là où tu dis la phrase dans sa longueur d'onde, c'est parfait. Les moments où le morceau a un peu baissé, sont les moments où physiquement tu n'avais pas la force, sont ceux où tu avais amorcé un petit coup de sensibilité. Tu as ralenti sur l'énumération du début quand tu as dit : « Il n'a laissé dans mon cœur pour vous qu'une flamme épurée... un amour détaché de tout... » et l'inflexion était fausse parce que tu n'as pas fini. La phrase touche terre, si l'on peut dire, *c'est la fin*. « C'est ce parfait et pur amour... » tu reprends là-dessus. Si tu touches terre avec la phrase : « Un amour détaché de tout, qui n'agit point pour soi et ne se met en peine que de votre intérêt », l'aparté de Dom Juan et de Sganarelle se place admirablement (« Tu pleures, je pense. — Pardonnez-moi. ») Si tu ne finis pas la phrase, il y a un arrêt dans le débit. Alors que si tu termines sur « intérêt » tu repars très bien sur : « C'est ce parfait et pur amour... » C'est à ce moment-là qu'il faut te surveiller dans la diction, et les foulées que tu fais à ce moment-là doivent être plus régulières que jamais.

« ...qu'une flamme épurée de tout le commerce des sens... un amour détaché de tout... » ce sont des reprises successives ; il y en a quatre qu'il faut donner, *non comme un crescendo, mais plutôt dans l'accélération* et en mordant chaque fois.

Ça fléchit à mon sens sur : « Pour moi, je ne tiens plus à vous par aucun attachement du monde. Je suis revenue, *grâces au Ciel*,... » Tu as insisté sur « grâces au Ciel », après tu as été très bien.

CLAUDIA [récitant] : « Accordez-moi pour dernière faveur cette douce consolation... » le morceau me manque toujours à ce moment-là. « Accordez-moi » j'ai toujours tiqué.

L. J. : Quand, dans un texte, il y a une faute comme cela que tu commets chaque fois, c'est le *mécanisme qui n'est pas bon*.

CLAUDIA : « De grâce, accordez-moi pour dernière faveur ».

L. J. [regardant le texte] : Tu ne le sais pas, parce qu'il y a : « De grâce, Dom Juan, » il y a un rythme qui intervient et comme tu manques une note tu ne le trouves plus.

L. J. [lisant] : « ...l'épouvantable coup qui vous menace. De grâce, Dom Juan, accordez-moi (...) à des supplices éternels. — Pauvre femme ! » le « pauvre femme » qui est là te donne juste le temps de reprendre ta respiration. A partir de « De grâce, Dom Juan », c'est le seul mouvement que tu ne peux interrompre sous aucun prétexte et dans lequel il faut trouver le rythme. Il y a des rythmes comme celui-là qui sont étonnants : le rythme du cheval qui galope et qui allonge le galop sans changer de rythme. Il y a cela dans ce texte, *le rythme qui s'allonge, mais qui reste le même.* C'est une amplitude un peu plus large de cadence, mais c'est le même rythme. [L. J., lisant, donne le rythme.] « De grâce, Dom Juan, accordez-moi... ». Si tu arrives bien à cette *mécanique de diction, cette répétition du rythme,* si tu cherches bien le rythme physique tu peux le trouver. Ce n'est pas une question de respiration, comme dans la Prière d'Esther. Ici c'est la même respiration tout le temps.

Vous n'avez jamais entendu battre au fléau dans la campagne ? Quand les hommes prennent le rythme à deux et qu'un troisième vient, il s'insère dans leur rythme, puis vient un quatrième ; jamais le battement n'est le même, mais le rythme n'est pas brisé, il y a un *élargissement du mouvement,* avant qu'ils aient gagné la cadence juste.

Si tu sens bien des choses comme celle-là, au point de vue de l'oreille, physiquement, ça te fera comprendre des problèmes de diction. Il y a des *rythmes entendus et qu'on assimile bien, qu'on éprouve sensiblement, et qu'on réintègre ensuite dans le jeu.*

Des amoureux

Molière

DOM JUAN

ACTE II, SCÈNE 1

PIERROT, *Jacky*.
Charlotte, *Hélène*.

CLASSE DU 18 SEPTEMBRE 1940

[Ils donnent toute la scène.]

L. J. : Il faut essayer de le jouer.

JACKY : Comme c'est la première fois que je le donne, ça m'est difficile.

L. J. : Il y a une histoire de *prononciation* qu'il faut bien voir. Tous les *s* : « *testiguenne* ». Tu ne peux pas dire « j'*estions* »; il faut dire « j'étions », « tétiguenne »; tu as vu les vieilles éditions du XVIIᵉ : tu ne dis pas « *maistre* » mais « maître ». Tu n'apprends pas ça à la classe de diction?

JACKY : C'est difficile.

L. J. : Si ce n'était pas difficile, ce ne serait pas intéressant. *Il faut que ça s'entende, et que ça s'entende aussi dans le sens.* Il y a des choses que tu dis vite parce qu'elles t'ennuient à dire ou que tu en as un peu honte.

JACKY : Non, même pas. Je ne peux pas tellement dire que c'est une chose qui m'effrayait.

L. J. : Ce que tu as fait n'est *pas dramatisé*. Pourquoi?

JACKY : Ce n'est pas assez bien su peut-être, ça ne me vient pas.

L. J. : Tu le joues comme à l'Odéon. *C'est un récit.* Seulement comme tu le dis, ce n'est pas un récit, c'est une tirade. Il n'y a pas d'action parce que ce n'est *pas animé*. Ce n'est pas dit dans l'esprit où ça doit être dit. Au moment où tu attaques le récit, tu baisses le ton, alors que c'est exactement le contraire, c'est le moment où Pierrot se hausse à son récit, à son action. Dès les premières répliques, il y a l'orgueil du garçon qui vient raconter une histoire; cela commence dans cette générosité du personnage qui est tout chargé de son récit. Il n'y a pas chez toi cette bonne humeur, ce contentement au début du récit, au contraire, tu as baissé le ton.

En même temps, il y a, dans tout le récit, un certain nombre de nuances qui sont très nettes et qu'il faut sortir. Il y a d'abord cet orgueil du type qui raconte, c'est le type qui répète les choses largement : « car, comme dit l'autre, je les ai le premier avisés », il y a du *plaisir* là-dedans, et puis il y a des circonstances.

[L. J. prend le texte et le lit.]

Dis tout le récit. Tu t'en tireras là-dedans comme tu pourras.

Il y a aussi, dans tout cela, le désir d'*épater*, et *l'amour que tu as pour Charlotte* doit se voir dans le récit. Il y a de *la complaisance* dans la façon dont il raconte, il y a de *l'importance*, mais l'importance qu'il se donne aux yeux de quelqu'un qu'il aime. Il raconte pour se faire valoir; c'est important ce sentiment-là.

JACKY : D'ailleurs ça doit beaucoup aider pour raconter.

L. J. : *Si ce gars-là faisait ce récit à un camarade, il ne le ferait pas comme ça.* Il y a de l'amour, il y a de l'admiration, il y a aussi un émerveillement de ce qui s'est passé : une manière de jeune-chien-qui-court-autour. Il en rajoute, il s'émerveille lui-même pour émerveiller l'autre.

Toute la partie : « Il faut que ce soit quèque gros monsieur... », il ne faut pas que ce soit chuchoté, au contraire, il faut que ce soit sorti et, au fur et à mesure que tu entres dans le récit et que tu sens la chose, il faut que tu augmentes ton récit. Tu épates la fille quand tu racontes ça, tu marches comme le monsieur, tu l'imites.

Pendant que tu fais tout ce récit, il faut que tu jettes un petit coup d'œil vers la coulisse (n'oublie pas ça, c'est important), tu donnes un petit coup d'œil du côté où il est.

Quand on fait un récit comme celui-là qui est un début d'acte, il faut faire connaître le personnage qui va venir, *préparer son entrée*. Regarde du côté de la maison où il est (le personnage en coulisse a une grosse importance), cela aidera la pièce ensuite. Tu lui jettes un coup d'œil. Il va venir. Et c'est du côté où tu as vu le personnage qu'il faut que la fille s'en aille. *Elle a envie de quitter la scène, mais du côté où est le personnage.* C'est là que toi, tu la retiens, tu dis : « Non, écoute un peu ici... » Ce n'est pas toi qu'elle admire d'avoir fait ce récit, elle pense à aller voir l'autre. À ce moment-là, tu la retiens et tu lui parles en lui faisant des reproches. Pierrot n'aurait jamais osé faire ça dans d'autres circonstances.

C'est l'esprit du récit qu'il faut trouver, sans cela c'est ennuyeux.

Plus loin, la scène de Dom Juan avec les deux filles est une scène ravissante. C'est un ballet, le deuxième acte de *Dom Juan*.

JACKY : C'est difficile à jouer.

L. J. : Parce qu'on veut le jouer sur le plan de la séduction.

JACKY : D'ailleurs un personnage comme ça paraît toujours compliqué.

L. J. : Imagine Pierrot joué aujourd'hui avec l'accent de Marseille : cela enlèverait à ce texte le côté opérette qu'il a pris. Le patois de Pierrot était, à l'époque, le parler de Longjumeau, que tout le monde connaissait, mais qui était nouveau au théâtre. Il est tellement entré dans la tradition du théâtre qu'il s'est gardé jusque dans l'opérette et maintenant, c'est celui des *Cloches de Corneville*.

Tout le deuxième acte est extraordinaire. On veut le jouer dans la séduction; ça n'a rien à voir. Imagine-le dans un langage ferme, solide, ça pourrait être aussi bien auvergnat.

JACKY : Ça se passe en Sicile et c'est le patois de l'Ile-de-France, ce qui prouve bien qu'on pourrait mettre n'importe quel patois.

L. J. : Chez Antoine (au temps de ma jeunesse, quand le père Antoine avait monté *Dom Juan*), comme la pièce se passe en Sicile, on voyait l'Etna sur une toile de fond, et cette scène de Pierrot était d'un réalisme magnifique, on aurait dit du Brieux, c'était de vrais paysans. La scène de Dom Juan, Sganarelle et Charlotte, était gratinée aussi. Il y avait une conférence de Laurent Tailhade avant la pièce qui était très belle. Dom Juan séducteur, c'était, à ce moment-là, la grande tradition. Ce qui faisait dire : C'est un séducteur qui ne séduit pas, il ne séduit personne dans la pièce. C'est un mauvais rôle!

Est-ce que tu as vu cette pièce qui s'appelle *Jedermann*, une pièce allemande? Jedermann est un homme qui a commis de mauvaises actions, il est riche, c'est le mauvais riche. Cette pièce se passe au moment où la mort vient le chercher pour un voyage sans retour. Il voudrait se faire accompagner, mais même ses parents se dérobent. Il est seul. Il implore la miséricorde divine et la Foi. C'est la Foi qui sauvera Jedermann. C'est exactement le cas de Dom Juan, avec cette différence que Jedermann est sauvé et que lui ne l'est pas.

Pour jouer Dom Juan, *il faudrait que les acteurs aient l'esprit de la pièce, ils n'ont que l'esprit du rôle*, ils n'ont que l'esprit des rôles. C'est difficile parce qu'ils *se dérobent naturellement à l'esprit de la pièce*.

Une fois que le comédien a été touché par l'esprit du rôle, le sens du rôle, il entre immédiatement *dans l'exécution et il le détourne à son point de vue personnel*, et *Dom Juan* est une pièce qui ne supporte pas la moindre déviation : c'est une série d'avertissements à Dom Juan qui reste immobile et que rien n'atteint.

C'est également une pièce qui part d'un coup comme un télescope et qui arrive tout à coup à cette fin où l'on voit, dans le glissement parfait de la pièce, la punition. C'est une des pièces les plus extraordinaires qui existent, que personne ne connaît et qui n'est jamais jouée. La Comédie-Française l'a jouée quatre fois, je veux dire en a fait quatre reprises, et sais-tu que jusqu'en 1847 le Français l'a jouée dans l'adaptation de Thomas Corneille?

CLASSE DU 23 NOVEMBRE 1940

— Notre-Dinse, Piarrot, tu t'es trouvé là bien à point.

— ...

— ...je les ai le premier avisés, avisés le premier je les ai.

[L. J. siffle.]

JACKY : Je ne sais pas ce qu'il y a.

L. J. : En ce moment-ci, tu ne joues pas la situation.

JACKY : Je le sais.

L. J. : Pourquoi?

JACKY : Parce que je ne rentre pas dans le sentiment du personnage.

L. J. : *Non, parce que tu agites du texte.* Hélène aussi. *Vous agitez du texte pour lui donner du mouvement.* Qu'est-ce que c'est que cette aventure? C'est un type qui a fait naufrage. Il est probable qu'on voit même au loin à cinquante mètres de la côte, une barque la quille en l'air. Les deux personnages rentrent ou sont en scène, comme vous voudrez. S'ils rentrent, ils viennent voir cette aventure, ou bien s'ils sont en scène, ils regardent. Et la première réplique c'est : — Ah dis donc Pierrot, eh bien! — mais dit avec une certaine conviction.

JACKY : J'imaginais un endroit...

L. J. : « Il ne s'en est pas fallu l'épaisseur d'une éplinque... » tu coupes après épingle, ce qui ne veut plus rien dire. Vous vous précipitez là-dedans, vous faites du mouvement inutile et vous ne jouez pas la situation. Le mouvement doit venir après. Dites-le bien clair.

— Notre-Dinse, Piarrot,...

— ...

— C'est donc le coup de vent da matin qui les avait ranvarsés dans la mar?

L. J. : Dis-le avec curiosité. Tu n'as aucune curiosité en disant cela, il faut en avoir. Il faut que cette réplique soit tellement insistante que Pierrot lui dise : « Aga, guien, Charlotte, je m'en vas te conter... »

Tu en connais trente-cinq de scènes comme cela, où le person-

nage supplie l'autre de raconter l'histoire, et où l'autre ne parle pas parce qu'il se réserve la supériorité et la jouissance de raconter.
— Notre-Dinse, Piarrot,...
— Parquienne! il ne s'en est pas fallu l'épaisseur d'une éplinque qu'ils ne se sayant nayés tous deux.

L. J. : N'arrête pas après épingle. *Joue donc la scène d'abord, tu nous feras tes mines et tes gestes après.* Tu caractérises le personnage par des trucs physiques, mais ce n'est pas ce que je te demande. Je vous demande de me jouer la scène. — Ah bien mon vieux, tu t'es trouvé là bien à point... —

Après ça, tu y vas et tu racontes l'histoire, mais ne me fais pas de gestes et de trucs invraisemblables. *Joue la situation, fais le récit,* que ça intéresse le public; si ça n'intéresse même pas Charlotte, ce n'est pas intéressant.
— Notre-Dinse, Piarrot,...
— ...
— ... En batifolant donc, pisque batifoler y a,
[Il s'arrête.]

JACKY : Je ne sais plus ce que je dis.
L. J. : Va t'asseoir, tu reprendras tout à l'heure.

CLASSE DU 7 DÉCEMBRE 1940

— Notre-Dinse, Piarrot, tu t'es trouvé là bien à point.
— ...
— ... Je voyais cela fixiblement,

L. J. : Ça explique trop depuis le début.
JACKY : J'ai essayé d'aller moins vite.
L. J. : Seulement tu détailles la phrase : « Je voyais cela / / fixiblement. »
JACKY : D'ailleurs je me trompe souvent en voulant aller moins vite.
L. J. : Ne coupe jamais les phrases, jamais.
[A Hélène.] On sent très bien, à la façon dont tu lui as dit les deux répliques, que tu n'en as pas une troisième. [Hélène ne comprend pas.] Quelle est ta première réplique?
HÉLÈNE : « Notre-Dinse, Piarrot, tu t'es trouvé là bien à point. »
L. J. : Tu en fais la fin d'une scène; il vient de te raconter son récit et tu conclus : « Notre-Dinse, Piarrot, tu t'es trouvé là bien à point », alors que c'est le début d'un acte. C'est lui qui a le récit. Tu entres en scène, tu as des répliques pour amorcer son récit. Tandis que comme tu lui donnes tes répliques ça ne t'inté-

resse pas, tu n'as vraiment aucune curiosité. Ce n'est pas seulement une question d'inflexion; tu n'as aucune curiosité en toi,
dans le sentiment.

C'est soutenu, c'est une exclamation cette réplique, c'est :

— Il m'en est arrivé une bien bonne.

— Ah! bon, qu'est-ce qu'il t'est arrivé?

— Écoute, je vais te raconter comme ça s'est passé.

Est-ce que tu sens la différence?

HÉLÈNE : Oui, je sens.

L. J. : Cela tient à ce que tu n'es pas dans le coup, tu ne fais
rien pour lui.

HÉLÈNE : Je ne me disais pas : Je ne vais rien faire pour lui.

L. J. : Le résultat est le même. C'est avec ce procédé qu'on joue
le classique, alors ça devient inintéressant, le spectateur s'ennuie.

— Notre-Dinse, Piarrot, tu t'es trouvé là bien à point.

— Parquienne! il ne s'en est pas fallu l'épaisseur d'une
éplinque qu'ils ne se sayant nayés tous deux.

L. J. : Est-ce que vous sentez la différence?

Ton « Parquienne », mets-le bien sur sa réplique.

— Notre-Dinse, Piarrot,...

— ...

— C'est donc le coup de vent da matin qui les avait ranvarsés dans la mar?

L. J. [à Hélène] : Pose bien la question; encore plus précisément : — C'est donc le coup de vent qu'il y a eu cette nuit? —

— Aga, guien, Charlotte,

L. J. [à Jacky] : Prends bien ton temps.

— Aga, guien, Charlotte, je m'en vas te conter tout
fin drait comme cela est venu;

L. J. : C'est un paysan qui parle; les paysans ne font pas de
nuance dans la phrase.

— Aga, guien, Charlotte,

L. J. : Fais un temps. C'est un paysan qui dit : Écoute-moi
bien... et il s'arrête une demi-heure.

— Aga, guien, Charlotte ... Enfin donc, j'étions sur le
bord de la mar,

L. J. : « Enfin donc..., » c'est un début de phrase, c'est une
exclamation.

[Jacky dit toute la réplique.]

L. J. : N'arrête pas; cela ne doit pas s'arrêter; ce récit a cette
vertu. Si tu fais de l'esprit dedans, tout est fichu.

— Aga, guien, Charlotte, ... En batifolant donc, pisque
batifoler y a,

L. J. : Continue, continue; c'est un type qui fait un récit.
N'arrête pas, il n'y a pas de point.
[A Viviane.] Il est gêné, comme toi, parce qu'il veut mettre
des nuances, des intentions. Ce n'est pas possible.

— Aga, guien, Charlotte,...
...que sont deux hommes, ç'ai-je fait, qui nageant droit
ici? ç'ai-je fait.

L. J. : C'est trop spirituel. Tous les trucs spirituels que tu fais
sont cent fois moins drôles que le texte.

Tu veux le jouer, il ne faut pas le jouer, il faut le dire. Tu rapportes une conversation qui a eu lieu avec un autre, tu ne peux
pas le faire en le jouant.

Les acteurs qui font cela se disent : — C'est embêtant, quelle
histoire, ce qu'il faut le jouer pour l'animer — et ils jouent la
scène, alors qu'il faut la dire.

— Notre-Dinse, Piarrot, tu t'es trouvé là bien à point.

L. J. [à Hélène] : Mets-y de l'admiration, de la curiosité.

— Parquienne! il ne s'en est pas fallu...

L. J. : « Parquienne! » Tu as une demi-heure si tu veux; c'est
le début d'un acte, le rideau se lève. Tu peux attendre autant que
tu veux, les spectateurs écoutent, c'est le début de l'action.

— Parquienne!...
— ...
— ...j'ai aperçu de tout loin queuque chose qui grouillait
dans gliau, et qui venait comme envars nous pas
secousse.

L. J. : C'est mauvais, tu as arrêté le phonographe.
JACKY : Je sais pourquoi j'ai arrêté, je n'ai pas respiré.

— ... Enfin donc j'étions sur le bord de la mar ... je voyais
que je ne voyais plus rien.

L. J. : Tu recommences à jouer, alors tu ne vas pas aller loin.
JACKY : Je sens ce que je dois faire.

— Eh! Lucas, ç'ai-je fait, ... Enfin donc, je n'avons pas
putôt eu gagé,...

L. J. : Ne ris pas là-dessus, c'est inutile.

— ... Enfin donc, ... Vlà justement, Charlotte, comme tout
ça s'est fait.

L. J. : Quand tu as fini ce récit tu n'en peux plus, tu dis :

« Vlà justement, Charlotte, comme tout ça s'est fait. » C'est de l'amour, là.

Tu vas travailler ce récit, parce que je t'assure que c'est drôle si tu arrives à le faire. Tu le vois un peu ?

JACKY : Ça me donne la clef.

L. J. : Tu as appris ce morceau, tu l'as joué ; il y a déjà un moment que tu es dessus.

JACKY : Et je l'ai travaillé, vous savez.

L. J. : Ce n'est pas commode d'arriver à trouver vraiment le ton d'une histoire. Je t'assure qu'on travaille un morceau long-temps avant d'y arriver.

JACKY : Je sentais bien que j'y allais à faux dedans, parce que moi-même je perdais le fil de ce que je racontais, et elle [Hélène] ne me suit pas.

L. J. : Et quand on le joue mal, on s'ennuie à le jouer.

Tout l'acte est ravissant ; seulement on se décourage sur une scène comme celle-là, on ne va pas vite.

JACKY : Ce qui m'ennuyait, c'était de ne pas trouver le ton.

L. J. : C'est le fait du récit ; quand un type fait un récit, il ne le joue pas. Le récit est quelque chose de très particulier dans l'exécution. Par exemple, dans le mélodrame, il y en a des quan-tités qui sont vides parce que mal écrits, mais ils intéressent tou-jours le public. Qu'est-ce que ça te dit, Charlotte, à toi, Hélène ?

HÉLÈNE : Nous étions déconcertés parce que nous ne pouvions pas progresser dans le sens où nous le faisions.

L. J. : Je crois qu'il faudrait jouer cette scène avec l'accent marseillais pour enlever le côté opérette qu'il y a dedans. Car il faut faire attention qu'elle ne fasse pas opérette.

LA BONNE MÈRE

SCÈNE 9 [1]

ARLEQUIN, *Jacky*.
Lucette, *Annette*.

CLASSE DU 14 AOÛT 1940

[Ils donnent toute la scène.]

L. J. : Pas mal. Qu'en penses-tu Jacky? Que sens-tu après avoir joué une scène comme celle-là?

JACKY : Ça m'émeut assez...

L. J. : C'est bien ce que ça donne. Et toi, Annette?

ANNETTE : Moi j'aime bien la scène, mais j'ai l'impression d'être moins émue que lui.

L. J. : C'est toujours comme ça que ça se passe! En dehors de cela qu'est-ce que tu penses? Qu'éprouves-tu en jouant cela, Jacky?

JACKY : Je me sens tout à fait timide. J'ai l'impression que ça me recroqueville sur moi-même. C'est pour cela sans doute qu'il faut que je prenne des choses plus fortes, parce que je sens que je suis toujours dans le même cercle et que ça me rapetisse plutôt que ça me développe.

CLAUDIA : Chaque fois qu'il fait quelque chose, il s'arrête, il ne prolonge pas.

L. J. : Claudia te reproche de ne pas aller au bout. Ce n'est pas la même critique, mais c'est la même raison.

CLAUDIA : Chaque fois qu'il arrive à quelque chose, il baisse le ton.

L. J. : Et toi Nadia, que dis-tu?

NADIA : Je ne sais pas.

L. J. : Et toi, Irène?

IRÈNE : Je trouve que c'est un peu uniforme. Ce n'est pas une critique profonde...

L. J. : C'est une conséquence.

1. Voir texte page 279.

Premièrement : tu joues cela comme si c'était du Musset, tu joues Arlequin comme si c'était Fortunio. On ne joue pas Arlequin avec émotion; c'est une erreur de jouer ce personnage comme on joue ceux de Musset. Il faudra que vous le compreniez un jour ou l'autre; pour l'instant, je ne puis que vous donner cette information.

Deuxièmement : tu n'as pas à prendre le personnage à ton compte, tout est dans le texte, dans l'action. Alors que tu fais exactement le contraire; tu prends le personnage à ton compte et tu nous donnes le témoignage de ton émotion personnelle. En somme tu joues du Bataille, tu fais l'acteur exhibitionniste.

Je ne veux pas te dire de choses déplaisantes, mais tu nous donnes sur scène le témoignage de ton émotion; en nous donnant le témoignage de ton émotion, on s'intéresse à toi, pas au personnage; c'est comme cela qu'il perd du vrai comique; contente-toi de dire les répliques, sans les charger de cet émoi qui rétrécit ta diction, qui les fait se terminer sur la pointe des pieds. Elles se terminent toujours par un petit rosissement de ton visage, avec un afflux émotif à l'intérieur de toi, qui te coupe la respiration, ce qui donne la monotonie que te reproche Irène, et tu ne joues pas la scène.

Troisièmement : ce personnage dit des répliques qui sont en elles-mêmes suffisamment expressives pour que le spectateur participe au jeu. Avec toi, le spectateur ne participe pas, il voit simplement que tu es ému. Et Annette et toi, vous exécutez simplement un petit couplet sentimental où on voit Paul et Virginie soupirer, mais ce n'est pas la situation, ce ne sont pas les personnages de Florian. Alors vous jouez entre vous et vous ne jouez pas au public. La pièce se joue au public, mais d'une autre façon que se joue au public une pièce de Molière.

Le sentiment du public qu'a le comédien à cette époque est différent du sentiment du public qu'ont les comédiens à d'autres époques. Le sentiment du public qu'avaient les acteurs du Théâtre-Libre est différent du sentiment que les acteurs romantiques avaient, ou de celui qu'avaient les acteurs de Beaumarchais ou de Marivaux. Le sentiment du public chez l'acteur est différent à différentes époques.

Vous jouez entre vous et vous n'avez pas le sentiment du public. Le sentiment que vous avez est celui qui convient pour une scène de Bataille, cet auteur qui nous donne le spectacle de passions peu faites pour s'exprimer en plein air. Pour ces acteurs-là, le public est un voyeur. Le sentiment du public pour les acteurs de Marivaux ou de Florian n'est pas le même.

[A Annette.] Quand l'actrice vient lire la lettre, si elle la lit pour elle-même, ça ne nous intéresse absolument pas. Viens à l'avant-scène comme on chante un couplet. Vois comme Horace détaille la lettre d'Agnès dans *L'École des Femmes*.

Tu joues Arlequin comme un niais. Mais c'est un type assez mariol : — Pour l'histoire du Capitaine, on peut peut-être s'arranger, je lui écrirai! — Dis cela avec beaucoup de franchise; on ne décèle jamais dans Arlequin quelle est la part de sa naïveté et quelle est la part de sa rouerie. Donne les répliques telles qu'elles sont. C'est un personnage qui parle direct, et en parlant direct il trahit sa psychologie personnelle, alors que tu fais l'inverse, tu prends la réplique et tu veux l'orienter dans de la sensibilité.

Reprenez la scène; je voudrais vous faire toucher du doigt certaines des critiques que je viens de faire, parce que je voudrais que tu t'entendes, que tu te sentes.

Tu es timide d'un bout à l'autre de cette scène. Dans quelle mesure Arlequin n'est-il pas un personnage extrêmement roué, on n'en sait rien, mais il faut qu'on se dise : c'est un malin coquin, et, de temps en temps : il est ravissant, c'est une canaille, c'est une petite gouape; et à d'autres moments il est tout de même extrêmement charmant. C'est une canaillerie ravissante, comme celle de tous les personnages de cette époque, tous les Lancret, tous les Boucher, tous les *Baisers dérobés;* c'est très joli et toujours un peu crapulard. Tout cela n'est pas Daphnis et Chloé; ce sont des gens qui savent très bien ce qu'ils font. Tu ne peux donc pas rester dans ce personnage en y faisant toujours de la tendresse.

— Mais que vois-je? c'est Arlequin...

L. J. [à Jacky] : Avant d'entrer en scène, à quoi as-tu pensé?

JACKY : Il va trouver madame Mathurine, la mère de Lucette...

L. J. : Tu n'as rien pensé. C'est un valet qui, sentant que ses affaires vont assez mal, s'est déguisé en héros pour attendrir le cœur de sa belle. Ce qui est essentiel dans cette entrée, c'est que c'est un valet qui entre en héros, avec la main sur l'épée et je ne sais quoi de prétentieux, et il attend l'effet produit. Il n'y a à penser qu'à cela. Le personnage est connu; tout le monde sait qui il est; on l'a déjà vu dans la pièce, en proie à ses histoires; et brusquement on voit arriver un héros d'armée; ce n'est pas autre chose. Un type qui s'est déguisé en sergent de ville pour épater la bonne du sixième.

Il y a un côté matamore qui se gonfle et un côté Arlequin. C'est ce contraste qu'il faut donner. Tu n'as pas les attitudes successives de ce personnage qui est déguisé dans un costume, qui veut jouer un rôle et qui malgré tout revient à son naturel et en joue un autre. On ne sent pas que tu es habillé en capitan. Ce n'est pas le costume qui est important, c'est le sentiment que tu as du costume. Il y a deux tons dans cette scène : le ton voulu du capitan, et le ton naturel d'Arlequin.

    — Mais que vois-je? c'est Arlequin...

L. J. : Quand il entend cela, tu vois son air de satisfaction! Et elle : — Mais comment? Qu'est-ce qui vous est arrivé cher ami? En superbe militaire! — Sa curiosité est extrêmement intéressée.

    — Je vous demande pardon, mademoiselle,

L. J. : En appuyant un peu sur l'épée avec un certain contentement.

    — ...c'est madame votre mère que je cherchais.

L. J. : Ce départ n'est pas bon. Qu'est-ce que tu fais? Tu te mets en place, tu la considères, tu la regardes; on voit qu'ostensiblement tu restes là à la regarder et à te regarder dans ton costume, pour lui dire : « Je vous demande pardon, Mademoiselle, c'est Madame votre mère que je cherchais. » Et il s'en va avec ce côté mélancolique, désespéré et triomphant, qui montre bien qu'il est venu faire voir son costume. Alors que, comme tu le joues, tu as l'air de faire une vraie méprise. C'est une fausse méprise.

    — Arlequin, arrêtez, répondez-moi...
    — ...
    — ... Pourquoi cet uniforme?

L. J. : Pas d'angoisse. De la curiosité. Si tu mets de l'angoisse au début, qu'est-ce que tu mettras à la fin de la scène!

    — Mais expliquez-vous donc,...
    — ...
    — ...mais quand on engage son cœur,

L. J. : Prends le public à témoin.

    — Mademoiselle, j'ai fait quelquefois des folies...
    — Et que dira votre mère?

L. J. [à Annette] : Tu veux faire remonter la scène sur cette réplique. Non, la scène reste à la hauteur où elle est. Tu restes dans ton étonnement tout le temps.

    — Et que dira votre mère?...
    — ...
    — Oh! je le sais bien que l'on m'a trompé, mais ce n'est pas le capitaine.

L. J. : C'est une réplique typique, qui est entre Marivaux et Labiche. C'est un aparté.

    — Oh! je le sais bien que l'on m'a trompé,...
    ... c'est madame Mathurine, votre mère, à qui je veux remettre ce papier.

L. J. : Il y a un quart d'heure que ce papier est en situation.
Il a son papier en évidence tout le temps. Il gesticule avec son
testament dans la main, allant du testament à son épée. Il en
installe avec l'épée et avec le testament.

— Elle est en affaire...

— ...

— Que je suis malheureuse!

L. J. : C'est exactement le défaut qu'a toute votre scène : c'est
la confession de deux amants. Nous ne pouvons pas nous intéresser passionnément à cette histoire, parce qu'elle n'est pas vraie.
Si tu veux vivre cela : « Que je suis malheureuse! » moi je ne
m'y intéresse pas.

— Que je suis malheureuse!

— ...

— ... Dites-moi seulement ce que c'est que ce papier que
vous voulez donner à ma mère.

L. J. : Elle prolonge la confession. Elle raccroche la scène là-
dessus. Elle s'en fiche de ce papier, mais depuis le temps qu'il
l'agite!

— Oh! ce n'est rien, mademoiselle, ce n'est rien.

L. J. : Il faut que tu excites sa curiosité.

— Comment! je ne peux pas le voir?

— ...que vous le voyiez dans ce moment.

L. J. : Ne fais pas d'émotion. C'est un type qui s'installe, qui
va écouter la lecture de la lettre.

— Je vous en prie.

— ...

— Laissez-moi lire.

[Annette prend le papier et lit :] « MON TESTAMENT. »

L. J. : Pas d'émotion, rien. En même temps que tu le lis,
entends-le.

Tu te rends compte de tout ce que tu peux faire sur cette lettre?
Et quand tu lis ton nom, qu'on voit que c'est toi Lucette. « Signé
ARLEQUIN »; c'est là que tu peux mettre de la tendresse, c'est là
qu'on sent qu'ils s'aiment. Et quand elle dit : « Je le lirai toute
ma vie » là alors, elle est émue.

— Laissez-moi lire...

— ...

— Vos larmes! Quoi! vous pleurez! Et de quoi pleurez-
vous?

L. J. [à Jacky] : Ne fais pas d'émotion. Si tu fais de l'émotion
là-dessus ça ne passe pas. Il sait très bien de quoi elle pleure.
Il l'a fait exprès tout ça.

— Vos larmes ! Quoi ! vous pleurez !...

— ...

— Le repentir, la honte

L. J. : Elle pleure; elle dit cela avec un élan extraordinaire.

— Le repentir, la honte...

— ...

— ... Ma mère arrangera tout cela avec le capitaine,

L. J. : Ne mets pas de malice, la réplique est déjà malicieuse. C'est une crapule Arlequin à ce moment-là; tout ça est simulé.

Ça ne peut pas être perfide; il n'est pas perfide, mais il est comme tous les hommes, un peu menteur, un peu bourreur de crâne, il arrange des petites histoires pour le mieux de son intérêt. Il joue sur la femme. Pas de tendresse là-dedans, parce que tu joues Fortunio si tu joues ton émotion.

Marivaux

LA DOUBLE INCONSTANCE

ACTE I, SCÈNE 4

ARLEQUIN, *Jacky.*
Trivelin, *Michel.*

CLASSE DU 6 AVRIL 1940

— Eh bien! seigneur Arlequin, comment vous trouvez-vous ici?

— ...

— ...je vous donne mon congé, et je m'en retourne.

L. J. : Ne t'emballe pas. Tu donneras le mouvement après. Il y a des choses qu'il ne faut pas laisser passer. Il ne faut pas aller plus loin dans ce travail-là si tu veux progresser.

Qu'est-ce que vous avez à dire sur ce qu'il vient de faire?

CLAUDIA : Je suis toute déroutée.

L. J. : Pourquoi?

CLAUDIA : Ce n'est pas le personnage.

ANNETTE : Il n'est pas assez gai, peut-être.

JACKY : Il n'a pas tellement à être gai dans cette entrée-là.

L. J. : Et toi, Brigitte, qu'en dis-tu?

BRIGITTE : C'est particulier; on ne comprend pas ce qu'il veut faire.

L. J. : Ce n'est pas le personnage, on ne comprend pas ce qu'il veut faire...

VIVIANE : C'est boulé.

L. J. : Et toi, Octave, que dis-tu?

OCTAVE : On ne peut pas savoir, ça commence.

CLAUDIA : Tu ne connais pas la scène?

OCTAVE : Si.

L. J. : Et toi, Léon, ton avis?

LÉON : Je n'ai encore rien vu.

L. J. : Dans une scène, l'entrée est importante. Octave est le Calino de la classe.

CLAUDIA : Il a fait l'entrée d'un jeune premier, alors que c'est un valet.

L. J. [à Jacky] : Tu entends ce qu'ils disent : Tu n'es pas le personnage; tu vas trop vite, on ne voit rien; tu n'as pas le sentiment.

OCTAVE : Il commence! On n'est pas gentil pour lui.

L. J. [à Octave] : *Ce qui est important dans une scène, c'est l'entrée.* Quand tu entres, toi, avec ton air de saule pleureur, je vois tout de suite ce que tu vas faire... [A Jacky.] Je ne te demande pas d'imiter les personnages qui sont peints sur les boîtes de la Marquise de Sévigné. C'est bien Arlequin que tu fais?

JACKY [dérouté] : Je ne sais plus ce que je dois faire...

L. J. : Refais ton entrée de tout à l'heure, pas plus, mais sans dire un mot.

MICHEL : Moi je n'attaque pas?

L. J. : Non, ne dis rien. Toi, Jacky, refais ton entrée sans rien dire, pas plus. *Ce qui est important dans une scène, c'est l'attaque, le commencement de la scène.*

Vous avez tous des *trucs que vous faites au moment où vous n'y êtes pas; ce sont des espèces de caches.* Toi, Viviane, tu as des caches. Au moment où tu fais des choses qui ne correspondent à rien, ni au personnage ni à toi ni à personne, tu remues les jambes. Ce sont des caches. C'est qu'à ce moment-là tu ne sais pas quoi faire *parce que tu n'as pas en toi le sentiment du personnage*, parce que tu es gênée.

Regardez Jacky quand il est vide, il a cette démarche, celle de son entrée. Chaque fois que tu entres, chaque fois que tu te déplaces sur scène, et que tu n'es pas dans le sentiment, tu marches comme tu es entré tout à l'heure, tu es gêné, alors tu emploies un truc passe-partout. Ce sont des caches.

MICHEL : Il me semble que, d'après la situation du décor et de l'endroit... Il ne sait pas où il est. Il ne peut pas entrer tout de go dans un endroit étonnant. Il doit regarder cet endroit, en être étonné.

L. J. : C'est bien ce qu'il dit, c'est très bien. Ce n'est pas l'essentiel pourtant. Il y a quelque chose qui est beaucoup plus simple... Lis la scène; quand tu auras fini de lire la scène, tu verras. Dis-moi ce que c'est que cette scène?

JACKY : Je l'ai lue!

L. J. : Est-ce que c'est une scène d'amour?

JACKY : C'est un type qui...

L. J. : Je ne te demande pas ça. Dis-moi ce que c'est que cette scène?

MICHEL : C'est une discussion.

L. J. : Ce sont deux personnages qui entrent et qui discutent. Essayez d'entrer en discutant. Ce n'est pas la peine de se soucier de la psychologie du personnage, de son âge, de sa taille, etc. C'est une scène de discussion. Entrez donc en discutant.

[Jacky, comme pour prendre son élan, fait une gesticulation en coulisse.]

L. J. : Tu ne peux plus attaquer après ce que tu viens de faire là. Tu ne peux pas jouer une scène après cela. Ce n'est pas possible parce que tu t'es donné, en toi, un certain sentiment, une certaine sensation. Cette scène s'attaque sur une discussion. C'est un échange de répliques, avec une vivacité qui n'est pas de la précipitation; ça vient chez le comédien d'un sentiment *intérieur* qui est amené par *l'intérêt même qu'il prend à ce qu'il dit.*

— Eh bien! seigneur Arlequin, ...
... N'est-il pas vrai que voilà une belle maison?

[Jacky ne donne pas la réplique.]

JACKY : Je ne sais plus ce que je dis.

L. J. : Tu ne sais même pas ta réplique d'entrée! Donne, dès la première réplique, un ton logique qui amène une discussion. Tu vois ce que je veux dire par un ton logique, un ton de raisonnement, cette façon de dire : — Eh bien! vous n'êtes pas heureux ici? — qui sollicite la réponse de l'autre.

— Eh bien! seigneur Arlequin,...
— Que diantre! qu'est-ce que cette maison-là et moi avons affaire ensemble?

L. J. : — Eh bien! seigneur Arlequin n'est-ce pas une belle maison? — Regarde la maison.

— Que diantre! qu'est-ce que cette maison-là et moi avons affaire ensemble?

L. J. : Pas triste, pas triste. Reprends, mais ne mets pas de tristesse là-dedans.

JACKY : J'ai pensé... tout de même... on lui a pris sa Silvia...

L. J. : C'est toujours la même histoire! Il a lu la scène, il n'a pas vu que c'est une discussion!

JACKY : Si je l'ai vu.

L. J. : Eh bien! tu ne le donnes pas. Essaie de donner tout de suite dans la scène ce qu'elle est. Tu mets déjà le sentiment mélancolique de l'amant qui a perdu sa maîtresse.

C'est comme Michel qui veut jouer Alceste à la première réplique.

Fais d'abord l'exercice qui consiste à donner aux répliques le ton, le battement qui leur sont nécessaires. Tu verras que, lorsque tu auras ce mécanisme-là, il donnera de lui-même, de par les répliques, ce sentiment de mélancolie qui est dans le texte. Mais si tu mets la mélancolie en plein, tout de suite, c'est ta mélancolie à toi, ce n'est pas celle qui est dans le texte, qui procède des répliques elles-mêmes.

[Ils achèvent la scène.]

L. J. : Dans la fin de la scène il y avait des choses pas mal. Mais c'était un peu saccadé. Tu vas travailler cela. Va moins vite, parce qu'il y a des répliques qu'on n'entend pas.

JACKY : Je l'ai beaucoup travaillé.

L. J. : Dis-le en articulant, en essayant de bien comprendre les phrases.

JACKY : C'est ce que j'ai voulu faire en le travaillant, mais après l'avoir travaillé techniquement, j'ai voulu tout de suite donner du mouvement.

L. J. : Ce qui est ennuyeux dans ta scène, maintenant, c'est la brusquerie dans l'attitude, qui est aussi dans les répliques, et par moments de la violence. Il faut une certaine légèreté, une certaine ingénuité.

La scène se termine sur une argumentation entre deux personnages, qui est logique. Mais, sur l'attaque d'Arlequin et sa gourmandise, c'est tout de même d'une assez grande légèreté par rapport à la passion qu'il a pour Silvia.

C'est un peu saccadé et c'est un peu violent par endroits. Il faudrait que ce soit un peu plus détendu.

MICHEL : Et moins méchant; il le bouscule un peu trop, ce valet.

L. J. : Ne t'adresse pas tellement à Trivelin. Arlequin est un personnage qui reste un peu en lui-même. C'est un personnage qui parle à un autre; lequel autre essaie de le convaincre qu'il est supérieur à lui du point de vue de l'intelligence. Il le manie. Il suffit qu'on voie le personnage en proie à sa préoccupation. Il ne répond pas, en réalité.

On a dit que c'était une dispute, mais c'est une dispute avec une petite nuance : on voit la passion d'Arlequin, et le personnage qu'il est, un personnage rêveur, gourmand, amoureux, naïf aussi.

JACKY : Oui, ce n'est pas tellement une conversation avec Trivelin.

L. J. : C'est à nous, qu'il parle.

JACKY : Le personnage est très au public.

L. J. : C'est ce que faisaient les Italiens : ils le jouaient au public.

C'est de quelle année, *La Double Inconstance* ?

JACKY : 1723.

L. J. : « Laissez vos chevaux à tant d'honnêtes laboureurs, qui n'en ont point; cela nous fera du pain; vous marcherez, et vous n'aurez pas les gouttes. » Quel est ce ton-là ?

MICHEL : C'est révolutionnaire.

L. J. : C'est Beaumarchais. Tu trouveras dans Beaumarchais des tirades qui sont exactement du souffle et de l'inspiration de Marivaux. La tirade de Figaro au quatrième acte : « O femmes, femmes! » C'est exactement Marivaux, c'est exactement le même rythme et le même ton.

MICHEL : On va travailler beaucoup cette scène... Si on essayait de la jouer uniquement au public. Parce que Trivelin aussi, c'est beaucoup au public.

L. J. : Là, particulièrement, c'est par une astuce, c'est par la bande qu'il s'adresse au public, parce qu'il dit ses répliques à Arlequin...

MICHEL : J'ai l'impression, aussi, que je ne dois pas être près de lui.

L. J. : Tu tournes autour de lui comme autour d'un animal curieux. L'attitude de Trivelin vis-à-vis d'Arlequin, c'est celle de Philinte par rapport à Alceste. C'est une attitude d'attente, d'observation, de provocation; et ce n'est pas à lui qu'Arlequin répond, c'est au public. Ce que vous faites devrait être statique au lieu d'être agité. Le mouvement est dans les répliques.

MICHEL : Je crois que la meilleure des choses, pour travailler ce texte, c'est de le dire cinquante fois par jour; de le dire partout. On doit le trouver comme ça.

L. J. : La répétition est l'art le plus difficile du comédien; ce n'est pas l'exécution qui est difficile, c'est la répétition. *Un texte, une scène, ce sont des formules incantatoires*, des formules magiques qu'on répète. *La tirade est comme une prière qu'on récite.* Quand on a répété un certain nombre de fois : « Je vous salue Marie... » au bout d'un certain temps on est atteint par un sentiment, le sentiment du texte, de ce qu'il contient... C'est ce qu'on appelle la grâce.

Il y a dans un texte dramatique, quand ce sont des héros, des grands personnages, quand ce ne sont pas des personnages de tous les jours, il y a une prière au personnage; dans le fait de la répétition, *les paroles finissent par vous convertir au sentiment.*

CLASSE DU 15 MAI 1940

[Léon remplace Michel dans le rôle de Trivelin.]

— Eh bien! seigneur Arlequin,...
— ...que me voulez-vous? Où allons-nous?

L. J. : Pourquoi dis-tu cela?

JACKY : Je ne peux pas arriver à trouver le début. J'ai cherché...

L. J. : Explique-moi ce que tu as fait pour trouver ce début.

JACKY : Il est étonné de l'endroit où on le conduit et qu'il ne connaît pas. Il demande : Qu'est-ce que cette maison ? Qu'est-ce que Trivelin ? Où Trivelin le conduit-il ? J'ai eu un mal fou à trouver ça.

L. J. : Au moins toi tu t'exprimes clairement.

Veux-tu me dire ce qui se passe dans cette première scène d'Arlequin dans *La Double Inconstance* ?

JACKY : Trivelin amène Arlequin, l'entreprend et petit à petit, il va essayer de le détacher de Silvia parce que le prince est amoureux de Silvia. Mais Arlequin ne se laisse pas faire. Il manque de se laisser prendre par la gourmandise, mais il se reprend à la fin.

L. J. : Tu ne pourrais pas trouver l'état d'esprit du personnage au moment où il entre ?

JACKY : Justement, c'est difficile. Il y a tout de même un côté inquiet : on lui a enlevé sa Silvia ; et il n'a aucune raison de se fâcher vis-à-vis de Trivelin, parce qu'il ne sait pas ce que Trivelin va lui faire.

L. J. : Est-ce que Arlequin est au courant de l'enlèvement de Silvia ?

JACKY : Il sait qu'elle a été enlevée, mais il ne sait pas où elle est.

L. J. : Par conséquent, Arlequin est quelqu'un qui est privé de ce qu'on appelle « l'objet aimé ». [Rires.]

Par conséquent, c'est quelqu'un qui est, au minimum...

JACKY : Désespéré.

L. J. : Il n'est pas content. C'est donc un personnage qui n'est peut-être pas de mauvaise humeur, mais qui n'est pas du tout en train de faire la conversation avec Trivelin, lequel veut le persuader. Donc, il est maussade, il n'a pas envie de faire la conversation.

Ce n'était pas difficile à trouver.

JACKY : J'avais du mal pour l'entrée.

L. J. : Parce que tu n'as pas assez réfléchi. *Quand un personnage vient en scène, c'est pour dire quelque chose.* Il doit en avoir l'humeur. Par conséquent, Arlequin n'entre pas en scène avec ce rire que tu as mis dans ta réplique à Trivelin.

— Que diantre ! (...) Que me voulez-vous ? Où allons-nous ?

L. J. : C'est déjà clair, seulement ce n'est pas dans l'humeur. C'est quelqu'un à qui on dit : — Venez, je vais vous expliquer quelque chose. — Et qui répond : — Laissez-moi, qu'est-ce que vous me voulez ? — Ne voyez-vous pas cette belle maison ? —

C'est une réplique mouvementée, il y a un débat qui existe déjà.

— Que diantre! (...) Que me voulez-vous? Où allons-nous?

L. J. : Trouve le ton du début; ça n'y est pas. Pose-lui la question simplement dans l'étonnement.

> — Que diantre! (...) Qu'est-ce que c'est que vous? Que voulez-vous? Où allons-nous?

L. J. : Ce sont trois choses différentes.

> — Est-ce que nous avons quelque chose à nous dire?

L. J. : Non.

JACKY : Ça me gêne parce que...

L. J. : Parce que tu n'es pas dans l'humeur du personnage, ni dans le mouvement.

> — Oui, sur Silvia.
> — Ah! Silvia!

L. J. : Si tu te mords les lèvres comme ça, nous allons être émus. Recommence cela et chauffe, chauffe, trouve le ton.

> — Ah! Silvia! hélas! je vous demande pardon; voyez ce que c'est, je ne savais pas que j'avais à vous parler.

L. J. : C'est de l'émotion à la noix.
Fais de l'émotion sur Silvia si tu veux, mais cela contraste immédiatement avec la mauvaise humeur du début : « Ah! Silvia! hélas! je vous demande pardon; je ne savais pas que j'avais à vous parler. » Reste dans un ton léger, dans le ton naïf d'Arlequin.

> — Vous l'avez perdue depuis deux jours?
> — ...
> — Vous savez où elle est, mon ami, mon valet, mon maître, mon tout ce qu'il vous plaira?

L. J. : Ne fais pas d'émotion là-dessus. Il le récusait pour valet, tout à l'heure, et maintenant comme Trivelin veut lui parler de Silvia : mon ami.

> — Vous savez où elle est, (...) Dites, l'honnête homme,

L. J. : N'arrête pas. C'est ce que font les gens qui mettent de l'esprit dans Marivaux.

> — Vous savez où elle est, ...
> — ...
> — Mais il me la rendra, comme cela est juste?

L. J. : Pas de tendresse là-dessus.

> — Mais il me la rendra, comme cela est juste?
> — ...
> — ..., et il n'y a point de plaisir à rire tout seul.

L. J. : Logique, logique. Pas de sentiment. Si tu fais de la mélancolie, Marivaux devient affreusement ennuyeux, alors que c'est tellement charmant si tu le dis dans la logique. Si tu le laisses dans la logique, c'est ravissant, c'est spirituel. Mais vous éprouvez le besoin de mettre du sentiment sur la réplique; elle disparaît dans une fadeur qui est désagréable au possible. Reste dans la vivacité.

> — A la vérité, il serait d'abord un peu triste;...
> — ...
> — ..., et dans tout cela, il n'y a que l'astrologue à pendre.

L. J. : Pas triste, c'est ennuyeux. Tu fais de la tristesse. C'est comme l'habit d'Arlequin : toutes sortes de couleurs, mais très vif, très franc. Il n'y a pas cette mélancolie que tu mets dans le personnage. Tu joues ça comme Fortunio. Ce qui est charmant dans la scène, ce n'est pas la tendresse d'Arlequin, c'est un personnage vivant, naïf, clair et vrai qu'on essaie de convaincre de quelque chose dont il ne veut pas être convaincu parce qu'il a un raisonnement simple, un sentiment naturel et qui n'est pas entamé. Si tu veux pendant toute cette scène nous jouer l'amour que tu as pour ta Silvia, c'est embêtant.

C'est de la comédie italienne.

JACKY : C'est très difficile à travailler.

L. J. : Parce que tu veux mettre tes petits sentiments personnels dans la réplique.

JACKY : J'ai essayé justement de le travailler sans sentiment, sans rien y mettre.

L. J. : Eh bien! tu n'y as pas réussi.

C'est un cristal, Marivaux, c'est dur, ça a des arêtes et des côtes, c'est coupant. De cette dureté, quelque chose sort; mais si c'est pour en faire sortir ton sentiment personnel, ce n'est pas intéressant. Tu fais du Musset, en ce moment, et encore! En tout cas, du théâtre sentimental. Il faut que ce soit logique et clair, clair.

> — Eh! morbleu, on ne prétend pas vous faire du mal;...
> — ...
> — ..., qu'on a de l'appétit et de quoi vivre.

L. J. : Essaie de convaincre Trivelin, à ton tour. Tu le raisonnes.

> — Vous ignorez le prix de ce que vous refusez.
> — ...
> — A ce compte je donnerai donc ma maîtresse pour avoir le plaisir de déménager souvent?

L. J. : Réponds-lui cela bien dans la logique. Il faut que ce soit raisonné et convaincant.

Il faut enlever le sentiment personnel que tu mets là-dedans. Reste dans le débat, dans la réplique, alors, c'est ravissant.

[Jacky veut reprendre, et ne sait plus où il en est.]

L. J. : Tu mets dans ton jeu ce que tu mets dans tes répliques; ce n'est pas vrai. Tu n'écoutes pas. Tu ne sais pas le texte, tu ne sais pas ce texte, puisque tu ne sais pas la réplique de l'autre, tu ne sais pas ce qu'il te dit. Savoir un texte comme celui-là est très difficile. Tu ne l'as pas appris dans le sens où il faut l'apprendre, c'est-à-dire dans la logique où il est écrit. Quand on donne une réplique de ce texte, n'importe laquelle, il faut que ça suive. Or, tu ne le sais pas. Ce sont des répliques qui s'ajustent, c'est précis, c'est un jeu de fleurets. Tu ne sais pas le texte, tu ne l'as pas appris comme il faut l'apprendre.

Tu te leurres avec ce sentiment que tu as mis dedans, mais tu ne sais pas les répliques.

— Mais rien ne vous touche;...
— Il ne me faut qu'une chambre;

[Jacky ne sait plus le texte.]

L. J. : Si tu savais bien le texte, si tu le savais dans la logique où il est écrit, tu saurais la réplique.

Tu le sais « au sentiment », « à l'à-peu-près », comme une ritournelle en toi. Alors que c'est un jeu de fleurets. Tu soulignes la réplique par des « oh! oh! », et ces petits trucs perdent la réplique.

Jouez cette scène en *échangeant les répliques*, et ce sera drôle, je vous assure.

Marivaux

LE JEU DE L'AMOUR ET DU HASARD

ACTE II, SCÈNE 9

DORANTE, *Denis.*
Silvia, *Simone.*

CLASSE DU 7 DÉCEMBRE 1940

L. J. : Qu'est-ce que tu travailles en ce moment?

DENIS : J'avais vu Dorante, mais je ne sens pas du tout cela, Dorante du *Jeu de l'Amour.* Je n'ai pas ce qu'il faut, je ne sais pas.

L. J. : Si tu éprouves de la difficulté dessus, j'aime autant que tu le travailles. Tout ce qui te mettra en contact avec un texte, tout ce qui te fera concevoir le métier par le texte est excellent pour toi. Quelle scène de Dorante as-tu vue?

DENIS : La scène avec Lisette.

L. J. : Qu'est-ce qui te gêne?

DENIS : *Je ne le sens pas.*

L. J. : Ce que tu dis est très gentil mais... Explique-moi la scène.

DENIS : Ils sont tous les deux, se cherchent mutuellement, ils s'appellent, lorsque l'un veut partir.

L. J. : Ce n'est pas cela la situation, c'est l'action de la scène. Tu vois bien la différence qu'il y a entre l'action et la situation? Tu me racontes l'anecdote, c'est-à-dire ce qui se passe dans la scène. Mais la situation?

DENIS : Eh bien! Dorante...

L. J. : Dans quelle situation sont les personnages l'un vis-à-vis de l'autre? *La situation d'une scène, c'est le rapport entre les sentiments qu'éprouvent les personnages et les conditions dans lesquelles ils sont placés, c'est-à-dire l'action qu'ils commettent.*

DENIS : Dorante est amoureux de Silvia sous son costume de domestique. Ils sont dans une situation fausse.

L. J. : Réfléchis bien, tu verras que tu trouveras le personnage si tu arrives à bien réfléchir à la situation. C'est un homme qui est amoureux d'une soubrette; or, il est indigné de ce sentiment; il se dit : c'est tout de même navrant d'aimer une soubrette. Il y a cette fierté, cet orgueil en lui, qui contrarient son sentiment.

DENIS : Et Silvia, de son côté, s'amuse un peu.

L. J. : Elle n'est pas encore très sûre de cette affaire et elle s'imagine qu'il est un valet, c'est cela la situation. L'imagination de la situation t'aidera à trouver le personnage. Tu n'imagines pas assez bien la situation dans laquelle sont les personnages, c'est pour cela que tu es gêné.

Et la pièce, tu pourrais me la raconter ?

DENIS : C'est Silvia qui a l'idée de se changer en soubrette, et justement, de son côté, Dorante a eu la même idée.

L. J. : Pourquoi ont-ils eu cette idée ?

DENIS : Dans la première scène, Lisette a une discussion avec Silvia au sujet du mariage et, justement, Silvia veut faire une expérience, de façon à connaître l'homme qu'on lui propose.

L. J. : Qu'est-ce qui se passe ?

DENIS : Orgon et Mario s'amusent de cette situation et il y a une scène entre Lisette et Arlequin...

L. J. : Tu vois comme tout cela est imprécis dans ton esprit.

DENIS : Oui, je le vois très bien.

L. J. : Ce qu'il faut, quand on joue un rôle, c'est bien voir les conditions dans lesquelles est le personnage ; c'est le premier travail à faire, à mon avis. Je ne comprends pas qu'on puisse jouer un personnage ou une pièce sans avoir médité longuement sur les conditions dans lesquelles se trouve le personnage. Il faut voir tout le long de la pièce la façon dont le personnage évolue et le progrès que l'action accomplit. Si tu ne sais pas tout cela, je comprends que tu sois gêné.

DENIS : Je vais y penser.

L. J. : C'est une scène très importante, la scène 9 du deuxième acte. Combien y a-t-il d'actes dans *Le Jeu de l'Amour* ?

DENIS : ...

L. J. : Ça n'a l'air de rien la question que je te pose, mais elle est capitale ; je veux seulement que tu t'aperçoives à quel degré d'ignorance nous sommes quand nous jouons. Il y a trois actes, qui doivent être dans ton esprit assez précis. Si tu es gêné par le personnage, cela tient à ce que tu n'as pas assez imaginé l'action, la situation. Tu ne peux pas travailler, répéter une scène comme cela au petit bonheur, puis passer à autre chose.

Qui est-ce Mario, dans la pièce ?

DENIS : C'est le frère de Silvia.

L. J. : C'est déjà ça !

Je ne te poserai pas d'autres questions, mais il faut t'en poser à toi-même. Si tu n'as pas assez d'imagination, lis au moins les questions que le commentateur a mises à la fin de la pièce ; ça fera remuer la pièce en toi. Tu n'as pas une connaissance suffisante de la pièce, c'est pour cela que tu es gêné. Réfléchis, travaille. Seulement il faudrait que tu travailles avec quelqu'un qui te donne la réplique.

SIMONE : Moi, je voudrais bien.

L. J. : Tu as déjà travaillé Silvia?

SIMONE : J'ai travaillé presque tout le rôle.

L. J. : Qu'est-ce que tu penses de Silvia?

SIMONE : Je trouve que c'est très difficile parce qu'on ne sait jamais à quoi s'en tenir avec elle. Elle joue la comédie et, malgré tout, elle est sincère.

L. J. : C'est difficile, parce que *ce sont des personnages qui se sont mis dans un piège.* C'est ce qui est beau dans Marivaux, parce que ce n'est pas l'auteur qui a inventé une anecdote pour faire jouer les personnages, ce n'est pas comme dans *Les Fourberies de Scapin :* un jeune homme a épousé une jeune fille pendant l'absence de son père, et voilà le point de départ de la pièce. Ce sont les personnages eux-mêmes qui se sont mis dans la situation où ils se trouvent, ils se sont mis eux-mêmes dans des conditions où ils sont obligés d'agir. Le fait que Silvia a eu l'idée de se travestir et que Dorante a eu la même idée, les place tous deux dans *une situation dont ils sont eux-mêmes dupes.* C'est cela qui est difficile à jouer; *le personnage est sa propre dupe.* Il est pris dans un piège et il discerne mal les raisons de sa difficulté. Le piège qu'ils se sont tendu l'un à l'autre se referme sur eux. Ce sont des personnages qui sont dupes d'eux-mêmes.

D'ailleurs, tous les personnages ont ce caractère; ils sont toujours dupes d'eux-mêmes, mais parce que l'auteur leur a donné une passion ou un défaut, passion ou défaut que nous avons tous, à quelque degré. Qu'un vieillard soit amoureux ou pingre, comme Harpagon, il va lui arriver toutes sortes d'aventures. Le personnage est toujours dupe de son sentiment.

Mais dans Marivaux, ce sont les personnages eux-mêmes qui ont provoqué la situation; l'auteur ne les met pas dans une situation. Ce qui est difficile dans Silvia, c'est qu'elle se dupe elle-même; Dorante aussi.

Quand vous jouez un personnage, voyez bien la situation dans laquelle il se trouve.

CLASSE DU 14 DÉCEMBRE 1940

[Simone donne la réplique de Silvia. Ils jouent toute la scène.]

DENIS : Ça ne va pas.

L. J. : Ce n'est pas mal, mon vieux, ce n'est pas mal du tout, je t'assure. Cela me fait plaisir aujourd'hui ce que tu fais là-dedans.

DENIS : Je le joue un peu trop timide.

L. J. : Simone, pour ce personnage que tu vas travailler un jour, il y a une chose qui est importante : *c'est de différencier très nettement la réplique à Dorante et l'aparté;* c'est très difficile parce qu'il faut que le public ait *le spectacle de gens qui sont dupes d'eux-mêmes.* Comme tu le joues, on n'a pas du tout l'impression que tu es dupe de toi. On sent bien que tu aimes ce garçon, que tu as pour lui une véritable passion, alors qu'il faut que *tu t'en étonnes.* Est-ce que tu sens la différence? Il faut que pour nous tu t'en étonnes; il faut que nous nous amusions à ce jeu dont vous êtes dupes vous-mêmes; que cette fille de grande maison aime ce valet, que ce seigneur aime cette suivante; ils s'en étonnent, ils en sont torturés, et les réflexions que tu fais au public sont d'un autre ton. Tu dis à une tierce personne qui assiste à votre entretien : « J'ai besoin à tout moment, d'oublier que je l'écoute. » C'est un aparté, et cela n'y est pas; tu laisses tout dans le même ton, dans la même passion.

SIMONE : Il y a très longtemps que je ne l'ai pas vu jouer.

L. J. : Ce n'est pas une raison; d'ailleurs, on le joue ainsi d'ordinaire, et alors il ne se peut pas que Dorante ne s'aperçoive pas de l'état de trouble dans lequel elle est.

CLAUDIA : Elle est trop dans la passion, et lui pas assez.

L. J. [à Denis] : Ce n'était pas assez convaincu; mais les mots ne veulent jamais rien dire; les mots ne sont jamais justes pour traduire un sentiment, la terminologie change ou n'existe pas, et « convaincu », pour toi, ne veut pas forcément dire la même chose que pour moi. Mais il n'y avait pas assez de gravité dans le ton; on ne sentait pas l'importance de ce débat, pour toi, on ne sentait pas que ta passion était en jeu.

Mais c'était clair de diction. C'était très agréable, et au point de vue vocal vous alliez très bien ensemble. [A Simone.] Tu as un instrument vocal étonnant. Et avec ta voix, ton style vocal, tout ce que tu pourras donner en diction, en articulation et en prononciation (qui sont déjà excellentes chez toi) sera d'une qualité que tu ne peux pas imaginer. Il y a un côté Bartet chez toi. Tu n'as pas la voix très forte, tu n'as pas besoin de l'avoir plus forte.

CLAUDIA : Le souffle était un peu court.

L. J. : Elle a une tendance asthmatique; elle a tendance à un léger essoufflement.

Tu vois ce qu'on te dit dans le rôle?

SIMONE : Oui, il faudrait qu'il soit vraiment bouché pour ne pas voir combien je l'aime.

L. J. : Ce qui est intéressant, c'est l'inquiétude que le personnage témoigne dans la scène. Lui-même a une insistance auprès de cette soubrette qui le gêne, qui l'étonne, dont il est blessé. C'est cela qui est beau à voir.

« Si tu savais, Lisette, l'état où je me trouve... » Et tu réponds : « Oh! il n'est pas si curieux à savoir que le mien, je t'en assure. »

Cet étonnement est extraordinaire. Et vous jouez cela sans tenir compte de la situation. Ce sont des gens qui se disent des choses amoureuses, tout simplement; on voit que c'est un emportement contrarié, mais on ne voit pas pourquoi tu es contrariée. Tu es contrariée du fait que c'est un valet à tes yeux; tu es gênée par cette passion qu'on t'offre, que tu ne peux pas recevoir, parce que c'est celle d'un valet.

La situation de l'homme est semblable à celle de la femme. C'est un quiproquo, une méprise qui est intéressante, et qui permet de montrer au spectateur, bien clairement, tous les rouages de la passion.

Il ne faut pas vivre le rôle. Dans le théâtre de Marivaux, tu ne peux pas vivre le rôle, c'est-à-dire prendre à ton compte le sentiment. Il faut rester dans le personnage, dans la situation. On perd ce théâtre classique parce qu'on ne joue plus la situation; on joue des personnages.

Il faut travailler cela ensemble. Toi [à Simone], tu vas en enlever; toi [à Denis], tu vas en rajouter, et vous allez mettre de l'étonnement.

Les personnages de Marivaux sont toujours dans un piège où ils se sont mis, et naturellement ils s'étonnent de leur situation. Prends n'importe quelle pièce de Marivaux, tu retrouveras cette situation.

DENIS : Nous allons travailler dans ce sens.

L. J. : Il faut que le spectateur soit bien au fait de la situation; or, on ne joue pas la situation. *On joue un personnage dont on parasite les sentiments,* mais on ne joue pas le personnage et on ne joue pas la situation. Tout à fait à la fin de l'acte, Silvia dit : « Ah! je vois clair dans mon cœur. » — C'était donc ça? Ce n'était pas un larbin! — Ce qui n'est pas un mot extraordinaire. La plupart des actrices jouent le : « Ah! je vois clair dans mon cœur » dans un état de passion; elles sont inondées de leur amour. C'est une réplique presque comique; il est inutile de nous faire chavirer dans la tendresse. *On joue Marivaux dans la tendresse,* dans une quasi-volupté physique, or ce n'est pas vrai, ce n'est pas intéressant. C'est du Musset. *On joue Marivaux comme on devrait jouer Musset,* alors que c'est une démonstration où les personnages sont amoureux, émus, mais ils ont des apartés. On pourrait faire un travail sur les apartés dans Marivaux. Marivaux seul a mis au théâtre des réflexions comme on s'en fait. Quand tout à coup on rencontre une personne qui vous ravit, on se fait intérieurement des réflexions : on se dit : Allons-y, elle est charmante, pourquoi donc est-ce que je reste là ? Ce sont ces répliques que Marivaux a mises tout au long, en apartés, qu'il faut faire ressortir, qui sont d'ailleurs comiques et qui en même temps permettent au spectateur de s'intéresser à l'action.

Que Dorante et Silvia se déguisent pour se recevoir, ça ne peut pas durer trois heures, l'anecdote elle-même n'est pas intéressante, mais ce sont les situations qui en font tout l'intérêt. Les apartés dans Marivaux sont capitaux; [à Simone] c'est avec les apartés que tu rends le contraste, que tu intéresses le public à la situation, que tu rends les choses claires, et dans le texte même. Alors que tous tes apartés sont dans le même mouvement, dans la même passion, dans le même timbre de voix.

Vous allez le retravailler. [A Denis.] Fais attention, c'est de ta première réplique que dépend toute la scène. Il vient pour avoir une explication, il a besoin de parler, il a besoin de s'expliquer; si tu n'as pas ce besoin à la première réplique, tu n'as pas le commencement de la scène. Si tu n'es pas dans l'humeur, dans le sentiment qu'il faut pour attaquer cette scène, tu manqueras la scène, comme, quand on cherche une explication avec quelqu'un, et que le premier mot est malheureux, ou que le premier ton de voix n'est pas ce qu'il faut.

Molière

L'ÉCOLE DES FEMMES

ACTE III, SCÈNE 4

HORACE, *Octave.*
Arnolphe, ?

CLASSE DU 6 DÉCEMBRE 1939

— Je reviens de chez vous, et le destin me montre
Qu'il n'a pas résolu que je vous y rencontre.

L. J. : L'entrée n'est pas bonne. Pourquoi?

OCTAVE : Parce que je suis entré « comme ça ».

L. J. : Tu n'as pas le sentiment au début de la scène. Tu ne peux pas attaquer un personnage comme cela. Tu te lances sur la scène comme Arlequin. Quand vous attaquez un personnage, il faut toujours avoir un sentiment très précis.

Qu'est-ce qui vient de lui arriver, à ce moment-là, à Horace?

OCTAVE : Je ne sais pas. Je connais la pièce, mais je ne sais pas. [On rit.]

L. J. : Ce qu'il fait, vous le faites tous. Horace vient exactement, dans cette scène, raconter ce qui vient de lui arriver, et tu ne sais pas ce qui vient de lui arriver?

OCTAVE : C'est vrai. C'est idiot...

L. J. : On ne peut pas rêver un travail où il y ait plus d'illogisme, de stupidité.

Il vient en scène, exactement pour raconter ce qui vient tout juste de lui arriver; je lui demande : qu'est-ce qui s'est passé avant que tu rentres. Il me dit : je connais la pièce, mais je ne sais pas.

Quand tu cherches un personnage, que tu le cherches avec tous les moyens intelligibles et intelligents, tu te demandes d'abord : qu'est-ce que je viens faire dans cette scène?

OCTAVE [interrompant] : Je viens lui raconter ce qui m'est arrivé.

L. J. : Est-ce que tu viens le lui raconter de ton propre mouvement?

OCTAVE : Non. Je le rencontre.

L. J. : Il le rencontre, ah!

OCTAVE : Je viens de chez lui.

L. J. : De chez lui? Agnès loge chez Arnolphe; alors tu reviens de la maison d'Agnès?

OCTAVE : Heu, heu... oui... heu...

L. J. : Tu reviens de la maison de ville que possède Arnolphe. La maison dans laquelle est Agnès est une maison de campagne. C'est dit trois ou quatre fois dans la pièce, et tu ne le sais pas!

La scène commence par « Je reviens de chez vous, » si tu le dis en ne sachant pas ce que ça veut dire, tu ne peux vraiment pas avoir dans la pensée quelque chose que comprenne le spectateur. Si ce n'est pas clair dans ton esprit, cela ne peut pas être clair pour le public.

Donc, tu reviens de chez Arnolphe, et tu le rencontres.

OCTAVE : Et alors je lui raconte ma petite histoire.

L. J. : Non. Tu ne la lui racontes pas tout de suite.

OCTAVE : Non, je lui dis que je lui raconterai ce qui m'est arrivé.

— L. J. : Non. Tu ne connais pas la scène. Que lui dis-tu au début de cette scène?

OCTAVE : « Ma foi, depuis qu'à vous s'est découvert mon cœur, — Il est à mon amour arrivé du malheur. »

L. J. : Donc, tu ne lui racontes pas tout de suite ton histoire; tu lui dis d'abord : j'ai des ennuis. Ah! ah! dit l'autre, et c'est ainsi que la scène s'amorce.

Et pourquoi viens-tu lui raconter tes ennuis?

OCTAVE : Parce que ça le concerne.

L. J. : Comme cela est simple! il suffirait d'y réfléchir pour avoir tout cela dans l'idée!

OCTAVE : Je n'y ai pas réfléchi.

L. J. : Non?

> — Je reviens de chez vous, et le destin me montre
> — ...
> — Ma foi, depuis qu'à vous s'est découvert mon cœur,

L. J. : Tu n'as pas écouté du tout ce qu'Arnolphe t'a dit.

OCTAVE : Non.

L. J. : Commence par l'écouter. C'est important ce qu'il dit. Tu ne répondrais rien s'il ne te disait rien. Il s'intéresse à ton histoire. Et alors?

OCTAVE : Il cherche à me faire parler...

L. J. : Exactement. Par conséquent écoute-le.

> — Ma foi, depuis qu'à vous s'est découvert mon cœur,
> — ...
> — Et vous n'en riez pas assez, à mon avis.

OCTAVE [s'excusant] : Je n'ai pas bien travaillé.

L. J. : Il faut travailler autre chose que cela, parce que ce n'est pas ton emploi.

OCTAVE : J'avais justement pris cela parce que c'est contraire.

L. J. : Qu'est-ce que tu veux qu'on dise sur la scène que tu viens de donner? Tu dis cela, assez mal d'ailleurs, c'est terne, c'est mort, mais surtout, ça manque d'amour. Tu racontes cela comme si c'était arrivé à un autre homme, pas à toi. Ce n'est pas bon.

Qu'est-ce que tu as préparé comme autre personnage?

OCTAVE : Ruy Blas. Vous m'avez dit qu'il fallait que je fasse du trombone... Et pour l'examen [celui de janvier], j'ai la scène finale de Chatterton.

L. J. : Il ne faut pas travailler des choses trop difficiles en t'imaginant que tu peux jouer la comédie. Si je te fais travailler Ruy Blas, c'est pour voir ce que tu feras plus tard là-dedans. Mais la scène finale de Chatterton, ce n'est pas possible! Tu ne peux pas sortir de là.

JACKY : Pour l'examen de janvier, il ne faut pas de scène. On ne demande que des poésies.

L. J. : Qu'est-ce que tu en dis, de Ruy Blas. Tu en sais déjà quelque chose?

OCTAVE [éludant] : J'ai travaillé *Le Dépit amoureux*. C'était la même chose qu'Horace.

L. J. : Ce n'est pas cela qu'il faut que tu travailles. Il y a des choses drolatiques dans ce que tu fais. Ça n'a pas encore assez de puissance de sentiment.

Qu'est-ce que tu pourrais travailler, alors?

OCTAVE : Je pensais travailler Chatterton, mais vous me dites que c'est trop fort. Célio aussi, c'est trop fort?

L. J. : La scène de Célio et d'Octave?

Écoute, tu vas reprendre Chatterton, ta scène de concours, on va voir ce que tu feras dedans. Et puis tu me donneras Ruy Blas, en même temps.

Tout ce que tu fais, c'est petit.

OCTAVE : Je m'en suis aperçu; c'est très mauvais. Je n'ai pas bien travaillé.

L. J. : Je te dis quelque chose : je dis que ce que tu fais est petit. C'est le résultat d'une réflexion que je viens de faire. Tu ne m'écoutes pas. Tu n'essaies pas de comprendre. Tu réponds : je n'ai pas travaillé... Ce que tu fais est petit, ce que tu fais est plat. C'est petit de moyens et c'est plat, parce que tu débites ton texte.

Tu as donné le change dans Chatterton, parce que tu as une certaine sensibilité; tu as dit clairement, mais tu ne l'as pas joué. La raison pour laquelle tout ce que tu fais est petit et plat, c'est que tu manques de conviction. Je ne parle pas de sincérité. Rien que le fait de venir me donner cette scène d'Horace dans les conditions où tu me l'as donnée...

Tu l'as vu jouer.

OCTAVE : Oui, mais en province.

L. J. : Tu n'es même pas capable de me faire une imitation. Même si la représentation que tu as vue était mauvaise, tu as dû en avoir une imagination. Si l'acteur qui jouait était mauvais, tu sentais en toi une conviction, et tu avais envie de faire quelque chose de mieux, non?

Ta scène n'est pas bonne. Il n'y a rien dedans. Tu n'as pas pensé à ce que tu faisais. Tu as pris le texte, et tu l'as débité avec une certaine assurance. Ce n'est pas cela le métier dè comédien. *Le métier de comédien consiste à avoir de l'imagination, et de la conviction.* Or, tout cela ne te concernait pas du tout.

Et puis, si tu avais Victor Hugo à travailler, tu devrais le savoir aujourd'hui. Il faut tâcher de travailler. Tu n'as pas travaillé ta scène. Moi, je ne vais pas te faire don du talent. C'est dans la mesure où tu m'apporteras quelque chose, où tu auras mis beaucoup de travail, que je pourrai t'aider. Mais si tu m'apportes une scène en disant : Moi, voilà ce que je fais, je ne t'enseignerai rien.

Ce n'est véritablement pas bon. Que tu viennes sur la scène, que tu sois ridicule, c'est mauvais et décourageant pour tout le monde. Sur ce que tu as fait, il n'y a *rien* à dire. Tu ne m'as rien apporté. Rien.

Si vous venez avec une scène dans laquelle vous ayez mis quelque chose, même mauvais, on peut reprendre, voir.

Ne pense pas que je vais maintenant te prendre en leçon particulière pour t'expliquer cette scène, t'exhorter.

OCTAVE [interrompant] : La prochaine fois, je vous donnerai Ruy Blas.

L. J. : Je ne te vois pas dans Ruy Blas. Je vois bien ce qu'on peut faire pour te camoufler avec le pseudo-romantisme que tu mets dans Chatterton. Ça t'est plus facile de jouer Chatterton, parce que tu te dis : je suis Chatterton, et tu prends cela à ton compte, et comme tu le prends à ton compte, cela te donne une certaine conviction; ta sincérité te donne une certaine conviction, et ce que tu fais est vraisemblable, acceptable du point de vue métier. Mais tu n'auras pas toujours à jouer des personnages qui te feront plaisir ou avec lesquels tu pourras t'identifier. Quand tu te trouves devant un personnage qui n'est pas de ta nature, il faut que tu commences par l'approcher, par l'aborder avec cette conviction intérieure qui te permettra, ici, d'acquérir le mécanisme que je t'apprendrai.

Claudia, avec sa scène d'Hortense, qui n'était pas excellente, a apporté quelque chose. Elle a travaillé. Le mécanisme que nous avons tâché d'atteindre, lui aura fait faire un certain progrès pour elle-même. Mais si tu n'apportes rien, que veux-tu faire?

Si tu veux m'apporter quelque chose, réfléchis à ce que tu fais; tâche de mettre en toi le sentiment juste de la scène. Cela demande du travail. Il faut y penser. On est obligé d'y penser toute la journée.

Le genre d'élève le plus déplorable est celui qui se dit : On m'a demandé d'apprendre ça pour la prochaine fois. Il l'apprend, le polit un peu la veille, s'amène et me dit : Qu'est-ce que vous en pensez hein? C'est plus profond que cela le métier.

En toute loyauté, combien de temps as-tu passé pour apprendre cette scène?

OCTAVE : Pas beaucoup...

L. J. : Combien de temps y as-tu réfléchi?

OCTAVE : Je n'y ai pas réfléchi.

L. J. : J'aime mieux que tu sois franc!

Tu y as travaillé pendant une heure; disons deux fois une demi-heure. Et si ta scène avait été en quoi que ce soit intéressante, tu m'aurais fraudé, parce que, moi, j'aurais passé une heure à te l'expliquer, c'est-à-dire que j'aurais fait un travail qui aurait peut-être été profitable à tes camarades, mais pas à toi, ni à moi.

Il faut travailler vos scènes chez vous. Si vous me dites ici : Je ne sais pas comment entrer; je pourrai vous renseigner. C'est votre propre travail que je peux aider. Si tu ne le comprends pas, c'est grave.

Toutes les explications que je pourrais te donner sur ta scène d'Horace seraient inutiles. Tu ne sais que le texte.

JACKY : C'est plus important de réfléchir sur le personnage que de chercher des inflexions.

L. J. : C'est le sentiment de la scène qui importe, la situation, c'est-à-dire : qu'est-ce que je dis dans cette scène, et : qu'est-ce que je viens y faire? *La situation, c'est le rapport entre le texte et l'action qu'on joue sur la scène.* Le texte qu'on dit, l'action qui se passe, les personnages avec lesquels on est, c'est ce qu'il faut voir. Après tu te dis : comment vais-je le faire?

La sincérité ne suffit pas, il faut encore imaginer le personnage.

Nadia n'est pas naturellement la Princesse du *Prince travesti;* il faut par conséquent qu'elle *s'imagine* cette princesse. Il y a mille moyens : il y a l'*imagination visuelle, le sentiment intérieur* par lequel on se met soi-même à la place d'un autre personnage.

Il y a deux phases dans le travail : *la phase de personnalisation* (on se met à la place du personnage), puis on entre dans l'*exécution* et il faut se *dépersonnaliser.*

C'est comme cela dans la tragédie où les personnages sont plus élevés que nous et dans la comédie classique, où ils sont loin de nous.

On part de sa sincérité en essayant de trouver le personnage, d'être le personnage, puis celui-ci devient beaucoup plus abstrait.

Avant de te jeter sur un texte, *il faut voir le personnage.* On va toujours trop vite sur le texte. A force de lire un texte, de *le penser sensiblement,* petit à petit, le personnage parle. C'est une façon de faire de la sorcellerie. Tout à coup des phrases s'entendent : *le personnage parle.* Si tu te livres à cet exercice qui consiste à prendre le texte tout de suite et à le dire, tu détruis la magie du texte.

Pour Victor Hugo, il y a d'abord un exercice physique important. Tu penses bien, tu es bien convaincu, que tu ne représentes en rien, physiquement, Ruy Blas. Tu te rends compte que tu n'as même pas la puissance physique pour dire : « Bon appétit, messieurs!... »

Tu n'en es pas convaincu?

OCTAVE : Si, j'en suis convaincu. Je n'y avais jamais pensé.

L. J. : On n'a jamais assez d'*humilité par rapport au personnage;* parce que la première qualité de l'acteur c'est de la présomption. Sans cela on ne serait pas acteur...

On se dit : moi je vais exprimer cela! Une fois qu'on s'est dit cela, il faut bien se regarder dans la glace, bien s'éprouver, bien se contrôler pour « s'apercevoir ». C'est difficile. *Le métier d'acteur consiste à se duper soi-même* et, en même temps, on est obligé de bien se voir. Tu te dupes quand tu te figures que tu es Ruy Blas, d'autant plus si tu aimes le personnage.

Alors ne te dupe pas trop toi-même; tâche de voir les choses comme elles sont. Quand je te demande Ruy Blas, je veux simplement voir tes qualités physiques, comment tu le dis, en même temps je voudrais savoir à quel degré tu as le sentiment romantique en toi.

Fais ce que tu voudras, mais apporte-moi quelque chose.

Molière

L'ÉCOLE DES FEMMES

ACTE IV, SCÈNE 6

HORACE, *Jacky*.
Arnolphe, *Léon*.

CLASSE DU 29 NOVEMBRE 1939

[Jacky entre en scène par le côté; lâche les portants auxquels il
se tenait et bondit, mais assez maladroitement; et tout de suite
il bafouille : « La pla*que* »... pour « la place ». Confus, il recommence : « La place m'est-z-heureuse ce soir... » L. J. rit. Jacky
recommence pour la troisième fois et L. J. l'interrompt.]

L. J. : D'où sort ce personnage?

JACKY : Normalement, de la chambre d'Agnès...

L. J. : Normalement, hum... Quelle est la situation du gentilhomme qui arrive en ce moment sur la scène?

[Jacky raconte qu'Horace a failli être pris par Arnolphe et
qu'il est content d'y avoir échappé.]

L. J. : Ce sont des choses secondaires; quelle est la chose essentielle?

CLAUDIA : Il vient raconter une histoire, raconter ce qui lui
est arrivé.

L. J. : Non.

JACKY : Il est affolé.

[Un moment de silence; tout le monde cherche.]

L. J. : Il sort d'un placard! Il s'ébroue comme quelqu'un qui
vient de courir un danger. Il est sur la place, et il se dit : — Il
s'agit de filer sans me faire voir. — D'un pas assez allègre, d'un
pas léger, il s'enfuit, et... il bute sur Arnolphe. Quelle est sa réaction en voyant Arnolphe?

JACKY : Il veut lui confier ce qui vient de lui arriver?

L. J. : Non. Pas tout de suite. Si c'était quelqu'un d'autre?
Quelqu'un qui eût pu déceler son histoire? Il a eu peur. Mais,
au contraire, c'est un ami. Il éprouve un sentiment de confiance.
Il est heureux et soulagé de rencontrer ce type qui lui a prêté
de l'argent, qui lui est très sympathique. Il lui prend la main

et il lui raconte : Laissez-moi vous en conter une bien bonne!
Si la scène débute comme cela, c'est ravissant.
[Jacky recommence. L. J. l'arrête tout aussitôt.]
 L. J. : De l'importance de l'entrée en scène! [Car Jacky est
entré de la même manière, en lâchant brusquement les portants
auxquels il se balançait.] Tu ne peux pas entrer après cet exercice
d'avachissement sur les portants de la coulisse. Tu ne te prépareras
certainement pas à entrer de cette manière-là. *Si tu n'as pas le
sentiment dans le corps, tu ne l'auras pas dans la bouche non plus.* Il
faut que tu aies exactement le sentiment corporel de ta diction,
ou que ta diction ait le sentiment de ton corps. Tu pourrais entrer
comme tu viens de le faire si tu voulais avoir une allure désinvolte
qui dissimule un sentiment contraire. Ce n'est pas le cas.
 JACKY [entre et s'arrête lui-même] : Non, c'est mauvais.
 L. J. : Pourquoi est-ce mauvais?
 JACKY : Je ne suis pas dans le bon sentiment.
 L. J. : Ce n'est pas cela. Mais tu vois Arnolphe sans l'avoir
aperçu. Entre rapidement, en courant, ou sur la pointe des pieds,
comme tu veux, bute-toi dans lui, mais fais une entrée juste.
 [Ils achèvent la scène.]
 L. J. [à Michel] : Qu'est-ce que tu penses de ça toi?
 MICHEL : Je pense qu'il ne se débonde pas assez.
 L. J. [à Octave] : Et toi? Qu'est-ce que tu en penses?
 OCTAVE : Je ne sais pas. Moi, je ne sais pas, Maître.
 L. J. : Tu ne penses rien du tout? C'est fâcheux. La première
qualité d'un acteur, c'est d'être d'abord un bon spectateur,
qu'il soit d'accord ou pas d'accord. C'est surtout chez les autres
qu'on voit ce qu'on doit faire. Et vous, les filles, qu'est-ce que vous
en pensez?
 BRIGITTE : Il n'est pas assez réjoui, pas assez enthousiasmé.
 CLAUDIA : Il est un peu « petit garçon ».
 L. J. [à Jacky] : Le principal grief qu'on peut faire à ta
scène (on peut en faire beaucoup), c'est que cette histoire ne
te concerne pas.
 JACKY : Je sais. J'ai l'air de raconter quelque chose qui est
arrivé à un autre.
 L. J. : Tu n'as pas la sincérité du personnage. Tu ne sens pas
la situation de la scène. C'est un homme pressé, qui a eu peur
d'être découvert, qui rencontre Arnolphe. Il éprouve un sentiment
de soulagement. Il ne crie pas « Oh! » comme tu le fais.
 Il raconte cela avec une espèce de rapidité qui vient du fait
qu'il est pressé, qu'il vient de passer un mauvais quart d'heure
dans un endroit un peu inhabituel, dans un placard. Et il emploie
des mots qui sont des mots familiers « ...et moi de mon étui »,

de ces mots qui viennent à un homme qui a échappé tout juste
à un danger.

Tu dérailles le récit, alors que ce doit être emporté, volubile.
Tu lui expliques cela rapidement : — Vous comprenez ce qui
m'est arrivé, c'est extraordinaire! — Et tu lui dis, tout à coup :
« Nous n'avons point voulu, de peur du personnage, — Risquer
a nous tenir ensemble davantage : — C'était trop hasarder; mais
je dois, cette nuit, — Dans sa chambre un peu tard m'introduire
sans bruit. » — Vous voyez ce qui m'arrive! — Et tu éclates,
tu lui dis cela comme à ton seul ami, tu l'embrasses presque,
tu lui saisis les mains! C'est là tout le comique de la scène!

CLASSE DU 6 DÉCEMBRE 1939

> — La place m'est heureuse à vous y rencontrer.
> Je viens de l'échapper bien belle, je vous jure.
> Au sortir d'avec vous, sans prévoir l'aventure,

L. J. : Ce n'est pas bon. Tâche de trouver ton entrée.
Tu es en coulisse. Tu es calé bien droit sur tes pieds. Tu dis :
Ça va être à moi d'entrer. Tu imagines que tu sors de la maison
d'Agnès, que tu cours; tu te précipites, tu te vois courir et, à
un moment donné, tu entres en scène, alors tu cours effectivement,
c'est-à-dire que tu prolonges le mouvement que ton imagination
te donne. Essaie de faire cela tout simplement.

> — La place m'est heureuse à vous y rencontrer.

L. J. : Ton pas n'est pas bon. On sent que tu ne t'en vas pas.
JACKY : J'arrive pour arriver à un but, oui.

> — La place m'est heureuse à vous y rencontrer.
> Je viens de l'échapper bien belle, je vous jure.

L. J. : Pas mal.
[Jacky est arrivé derrière Léon et, pour lui parler, l'ayant
dépassé, revient sur ses pas, toujours derrière Léon.]
Quand tu dépasses un acteur, ne revient pas « dans son dos »,
reviens directement devant lui.

Toute la tirade, tu nous la diras à nous, avec des regards sur
ta droite, là d'où tu viens; alors que si tu te trouves à la droite
d'Arnolphe, tes regards vers la droite te feront quitter Arnolphe,
et t'obligeront à revenir à lui. Au début de la tirade, il y a deux
choses différentes :« La place m'est heureuse à vous y rencontrer. »
— Voilà trois fois que je vous rencontre là. — et « Je viens de

l'échapper bien belle, je vous jure. » Ce sont des choses bien différentes.

Attention au « Oh ! » que tu fais lorsque tu aperçois Arnolphe. Au moment où tu le vois, tu as la respiration courte ; tu es essoufflé. Prends-le dans la respiration. Si dès le début de la tirade on a ces indications-là, on est renseigné tout de suite sur la situation des personnages. C'est très clair.

Ce personnage qui entre en courant, qui est étonné, et qui dit, un peu hors d'haleine : «. La place m'est heureuse à vous y rencontrer. » — Ha... dans une espèce de suffocation, et qui dit à Arnolphe : « Je viens de l'échapper bien belle, je vous jure. » Il reprend sa respiration et continue le récit dans un essoufflement.

> — La place m'est heureuse à vous y rencontrer.
> Je viens de l'échapper bien belle, je vous jure.

L. J. : Pas mal. Prends ton temps. Décompose-le. Tu vois Arnolphe devant toi, de dos. Regarde-le, puis descends après.

> — La place m'est heureuse à vous y rencontrer.
> ...
> Adieu. Je vais songer aux choses nécessaires.

L. J. : Tu fais encore des petits bruits de bouche de temps en temps. Il y a un côté un peu guignolesque dans ce que tu fais. Tu n'es pas assez « en situation », pas assez haletant. Dans une scène comme celle-là, où nous ne voyons pas l'action, il faut que, dans le récit, tu nous la peignes si vivement que nous la « voyions ». C'est du théâtre classique.

Si c'était un vaudeville moderne, nous assisterions à la scène ; nous verrions le cocu entrer, bougonner, jeter les habits dans les coins, casser un vase, donner des coups de pied aux chaises. C'est du théâtre classique ; on ne nous en fait qu'un récit ; il faut que ce récit soit très évocateur et très précis. Ce n'est pas assez précis encore. Il y a toujours trop de voix dans ton début. Horace parle un peu dans un murmure et, pendant tout le récit, il est préoccupé de voir s'il ne vient pas quelqu'un : il est tout près de la maison où cela s'est passé et, en même temps, il est *pressé :* il faut qu'il aille s'occuper des « choses nécessaires ». Pense bien cela. Tâche de nous le donner dans la diction la prochaine fois.

Molière

L'ÉCOLE DES FEMMES

ACTE I, SCÈNE 4

HORACE, *Éric.*
Arnolphe, *Léon.*

CLASSE DU 14 DÉCEMBRE 1940

[Ils donnent toute la scène.]
L. J. : Qu'est-ce que tu en penses, toi?
ÉRIC : C'est très mauvais.
L. J. : Pourquoi est-ce mauvais?
ÉRIC : Parce que je n'ai jamais travaillé de personnages pareils.
L. J. : Ce n'est pas mal, c'est un bon travail pour toi.
ÉRIC : Est-ce que vous croyez que je pourrais le jouer un jour? N'est-ce pas du tout opposé à mon personnage?
L. J. : Remarque qu'on t'utilisera autrement; moi j'aime bien que tu apprennes des personnages plus jeunes que toi. On va t'expliquer ta jeunesse.
ÉRIC : Je fais très vieux?
L. J. : Tu ne fais pas vieux, tu fais grave.
ÉRIC : Le matin on est un peu endormi.
L. J. : Il suffirait que tu joues à dix heures du soir pour être jeune? Être jeune, c'est un métier.
ÉRIC : Et puis on n'a jamais répété ensemble.
L. J. : Ne nous donne pas d'excuse; nous voyons très bien tout ce qui te manque. Si tu veux faire ce travail...
ÉRIC : C'est mieux que de prendre Perdican, une tragédie de Victor Hugo ou n'importe quoi?
L. J. : C'est un autre genre. Qu'est-ce qui manque à ton personnage?
ÉRIC : Oh, le style, et tout.
JACKY : Il faudrait qu'il le place au point de vue technique, qu'il n'arrête pas ses phrases.
L. J. : C'est vrai, tu termines tes phrases, elles chutent. Tu fermes ta phrase ou tu la laisses chuter, ça tue le mouvement et tout le temps tes répliques font des montagnes russes.

JACKY : Ça donne quelque chose de lourd.

ÉRIC : Je l'ai senti; cependant en travaillant hier après-midi, j'ai remarqué que j'arrivais à continuer le mouvement.

L. J. : Tu ne t'entends pas.

ÉRIC : Je crois que j'étais particulièrement mauvais.

L. J. : Ça ne tient pas du tout à ce que tu éprouves. Il y a des jours où on se croit très mauvais et où c'est le contraire. La technique d'une scène ne change pas comme ça. Ce qu'il faut voir, c'est la technique du travail.

Évidemment, tu as beaucoup d'autorité pour jouer Horace; mais ce n'est pas gênant; il y a des acteurs de cinquante ans qui ont joué Horace, qui faisaient plus jeunes que toi, parce qu'ils en avaient la technique. C'est cela qu'il faut apprendre. Qu'est-ce que vous lui reprochez encore?

IRÈNE : Il manque d'inconscience.

L. J. : Inconscience n'est pas juste; c'est plutôt inexpérience.

JACKY : Il ne sait pas très bien son texte non plus.

DENIS : Ça manque un petit peu de brillant.

L. J. : C'est encore une qualité secondaire de la jeunesse.

NADIA : Il ne parle pas au public.

L. J. : Dans cette scène, il n'y a pas à parler au public. C'est une scène de situation et c'est en jouant la situation qu'il va jouer le personnage, en y réfléchissant et en s'adaptant lui-même à la situation.

Il y a des acteurs qui ont de l'éclat, de la voix, qui ont cette jeunesse de voix qui fait que la voix reste fluette jusqu'à soixante ans. Il y avait cette volubilité chez Dehelly, dans l'articulation, dans la prononciation de la phrase qui était presque une phrase de chanteur; Dehelly parlait dans un fond de gorge en vermeil; c'était une chose étonnante, un chant de rossignol.

ÉRIC : C'était le véritable Horace; mais est-ce qu'on peut arriver...

L. J. : Il n'y a pas d'acteur qui soit irremplaçable dans un rôle; faisons un peu de modestie. Il n'y a pas d'Horace rêvé. C'est ce qui dessert le classique : quand un acteur a l'air meilleur dans une distribution que les autres, on se fixe sur lui, on le prend pour modèle, on l'imite. Il ne faut pas oublier que la comédie ne se joue pas seul. Ça se joue à deux.

ÉRIC : Je n'ai pas joué les répliques.

L. J. : Tu n'as pas joué les répliques; il faut jouer les répliques.

ÉRIC : C'est le trac qui m'a empêché.

L. J. : Que fait-il sur la place, ce garçon?

ÉRIC : Il vient voir Agnès; il rencontre tout à fait par hasard Arnolphe, qui vient de rentrer de voyage.

L. J. : Je ne t'en demande pas plus; joue-nous cela et tu vas voir.

— Ce n'est point par le bien qu'il faut être ébloui,
— ...
— ... Ah! joie extrême!

L. J. : Tu es satisfait de ce que tu as fait?

ÉRIC : Non, je n'ai pas mordu sur la réplique.

L. J. : Refais-le et montre-nous ce que tu veux faire.

— Ce n'est point par le bien qu'il faut être ébloui,
— ...
— Et depuis quand ici? — Depuis neuf jours.

L. J. : Dans ce que tu viens de faire là, d'abord il n'y a pas d'étonnement; tu t'es arrêté, tu l'as regardé, c'est tout. Tu n'as pas eu de gêne, d'abord. Un amoureux qui vient sous les fenêtres d'une belle pour faire sa cour est gêné par toute personne; c'est un homme qui rentre avec cette nonchalance qu'ont les amoureux et les poètes et qui tout à coup voit un importun; cette façon de regarder fait qu'Arnolphe voit son visage. Comme ce jeune homme a moins de mémoire qu'Arnolphe, qu'il n'a vu Arnolphe qu'étant tout petit, il ne le reconnaît pas, il se détourne, puis le regarde encore, enfin le reconnaît. Ce sont trois regards qui marquent le quiproquo. Arnolphe croit le reconnaître au premier regard que lui jette le jeune homme qui se promène sur la place. Et le jeune homme le regarde aussi; ce premier regard est un regard d'étonnement, qui serait le même pour n'importe qui; il regarderait de même un autre personnage qu'Arnolphe. Horace voit qu'Arnolphe le regarde avec insistance, il le regarde une deuxième fois, puis une troisième, et progressivement il se dit : C'est peut-être le client en question, dont me parle mon père dans sa lettre.

ÉRIC : Il ne le connaît pas encore, il ne l'a jamais vu.

L. J. : C'est-à-dire qu'Arnolphe l'a vu tout petit, et Horace ne se souvient pas de lui.

Il est arrivé. Arnolphe est parti pendant dix jours, c'est-à-dire qu'Horace est arrivé alors qu'Arnolphe était parti depuis deux jours, et depuis il cherche le seigneur Arnolphe pour qui son père lui a remis une lettre. Et c'est pendant ces huit jours qu'il a fait connaissance de cette jeune personne.

— Ce n'est point par le bien qu'il faut être ébloui,
— ...
— Et depuis quand ici?

ÉRIC : J'ai essayé de faire ce que vous avez dit. Je l'ai regardé d'un œil mécontent...

L. J. : La marche que tu as prise pour entrer sur la place : tu vas à un rendez-vous, seulement tu vas à un rendez-vous comme à l'Opéra. Quand un type vient pour rôder sous une fenêtre, il y vient avec plus de circonspection et, quand il voit quelqu'un, sa circonspection augmente, alors que tu continues très brillamment dans le style Opéra. C'est le comte Almaviva, mais ce n'est pas Horace qui a dix-huit ans. Ta jeunesse viendra de ce qu'il y a de pudique, de primitif chez ce jeune homme; c'est encore un collégien. C'est Almaviva que tu joues.

ÉRIC : Je suis déjà trop vieux.

L. J. : Je t'explique quelque chose que tu peux traduire si tu veux le sentir; c'est cela la jeunesse.

ÉRIC : Je peux encore essayer.

L. J. : Comment donc, essaie! essaie! Tu n'as pas fini d'essayer, tu verras!

[Éric entre.]

L. J. : Il n'y a plus de pièce. Comme tu joues le personnage, il n'y a plus de pièce; on est sûr que c'est Horace qui a raison et qu'il va gagner; tu as une autorité formidable.

ÉRIC : Il faut que je marche...

L. J. : Avec plus d'hésitation et de frémissement parce que tu vas voir Agnès.

L'amoureux surpris est comme le cambrioleur, c'est ce que tu ne donnes pas. Ce malheureux Arnolphe qui est là, dès que tu le vois, le public est sûr de son affaire, tu vas en faire deux bouchées tout de suite; tu as plus d'autorité que lui. Tu ne le sens pas?

ÉRIC : Je le sens bien, mais pour le faire il faudrait que je l'essaie plus longtemps.

L. J. : C'est ce que j'ai l'honneur de te dire depuis un quart d'heure. Tu ne vois pas le rôle. Le rôle est dans une succession de sentiments très différents, mais tu as tout mis sur le même plan, tu n'as pas joué la situation.

ÉRIC : Je comprends très bien.

L. J. : Non, tu ne comprends pas, tu comprends ce que je te dis, mais tu ne le sens pas. Que mes paroles soient intelligibles, oui, mais tu ne le sens pas, tu ne sens pas encore toute la scène d'un bout à l'autre. Il faudrait que tu la sentes et qu'on te la décompose pour trouver la jeunesse d'Horace. Il faudrait enlever ce qu'il y a d'un peu trop autoritaire.

Mais il faut que tu commences à jouer la situation. C'est un petit garçon qui rentre sur cette place, qui voit un étranger qui l'observe. Il se dit : Pourquoi est-ce que ce monsieur me regarde? Mais le coup d'œil de l'inconnu est tellement incisif que de nouveau il se retourne vers lui, et il ne va pas vers la fenêtre avec cette assurance que tu as.

Puis il se retourne : C'est peut-être le monsieur que je dois voir de la part de mon père? C'est un grand étonnement de sa part. Et quand Arnolphe lui demande : Depuis quand ici? — Depuis neuf jours. Je fus d'abord chez vous, mais vainement. — Il y a une timidité, une politesse de sa part.

Et le monsieur lui dit : « Oh! comme les enfants croissent en peu d'années! — J'admire de le voir au point où le voilà, — Après que je l'ai vu pas plus grand que cela. » Je ne sais pas si on t'a dit quand tu étais petit : Oh! comme il a grandi, mais quand tu entendras cela tu avais envie de donner une gifle à celui qui te le disait.

Tu as été au collège? Tu n'as jamais eu un correspondant? Tu sais c'est un ami éloigné de la famille qui vient vous faire sortir de temps en temps. C'est le genre de rapport qu'il y a entre Horace et Arnolphe. Son père lui a dit : Mon petit, tu iras voir le Seigneur Arnolphe à cette adresse, tu lui remettras cette lettre et tu m'attendras; j'arriverai dans huit jours et j'ai à te parler d'une affaire importante concernant ton avenir. Horace a reçu la lettre, il a cherché le Seigneur Arnolphe, ne l'a pas trouvé et s'est dit : Moi je m'en moque, puisqu'il n'est pas là, ce Seigneur Arnolphe, tant pis. Et un jour il tombe justement, par hasard, sur le Seigneur Arnolphe; il y a une surprise. Il y a tout de même une modification entre cet état d'entrée, cette promenade que tu viens faire cinq ou six fois par jour et tout à coup le fait que tu vois le Seigneur Arnolphe.

Et la question que lui pose Horace est tellement importante pour la pièce, pour le dénouement : Savez-vous qui est ce citoyen qui a fait fortune aux Amériques et qui doit revenir avec mon père? Et, tout en parlant, il retrouve la lettre : Voilà la lettre, tenez. Cela le préoccupe parce que c'est toute l'histoire : on va le marier à la fille de ce seigneur d'Amérique, il en a le pressentiment.

Arnolphe lit la lettre, et pendant ce temps Horace pense : Il a l'air assez gentil, ce type, et il dit : « Et j'ai présentement besoin de cent pistoles. » Avant, prenant un ton d'homme, il a dit : « Je suis homme à saisir les gens par leurs paroles », et l'autre les lui donne et dit : « Gardez aussi la bourse — Il faut... » Qu'est-ce que ça veut dire « Il faut... »? Il faut que je signe un papier, une reconnaissance, c'est comme ça que ça se fait. Et Arnolphe lui répond : « Laissons ce style. » Et le gosse est content. Un type qui à huit heures du matin lui donne cent écus, une bourse magnifique, sans papier!

« Eh bien! comment encore trouvez-vous cette ville? » — Eh! eh! pour les plaisirs galants, vous savez! — « Les gens faits comme vous font plus que les écus, — Et vous êtes de taille à faire des cocus. » Le môme le regarde; il n'a pas l'habitude avec son père d'avoir des conversations de ce genre; « Chacun a ses plaisirs, qu'il se fait à sa guise; » jamais ton père ne t'aurait dit ça. Arnolphe devient tout de suite égrillard. « Peut-être en avez-vous déjà féru quelqu'une? » Tu crois que ton père t'aurait dit ça?

ÉRIC : Il est très étonné.

L. J. : Et à l'étonnement de cette conversation succède une espèce de chatouillis. Il a besoin de se libérer. Il se dit : Si ce type me parle de ça, je pourrais peut-être lui raconter. Il a besoin de confidence. Brusquement, avec ce je ne sais quoi d'étonné dans le sentiment, d'un peu angoissé même, d'un rien de vanité : « A ne vous rien cacher de la vérité pure, — J'ai d'amour en ces lieux eu certaine aventure, » A ce moment-là, on ne sait pas très bien si c'est de la part d'Horace le désir de trouver un conseil ou le désir de se hausser au ton de la conversation d'Arnolphe.

« Mais, de grâce, qu'au moins ces choses soient secrètes. » Il prend le ton d'une grande personne. « Vous n'ignorez pas qu'en ces occasions — Un secret éventé rompt nos prétentions. » Arnolphe le rassure, il lui cligne de l'œil.

« Je vous avouerai donc avec pleine franchise » Un môme de dix-huit ans qui raconte pour la première fois son amour, il y a un ton, une fierté, une tendresse, il y a de l'aveu. « Mes affaires y sont en fort bonne posture. »

Arnolphe demande : « Et c'est? » Alors là, c'est vraiment très simple. Il réfléchit un instant et dit : « Un jeune objet qui loge en ce logis... — C'est Agnès qu'on l'appelle. »

Le jour où tu diras à un copain le nom de ta bonne amie tu le diras avec une tendresse que tu n'as pas mise là-dedans.

Tu es enhardi par cette familiarité qu'a eue le Seigneur Arnolphe envers toi.

« Enfin l'aimable Agnès a su m'assujettir. » Écoute ce que ça veut dire? On ne parlera jamais mieux le français. Et tu le lui dis avec précision, c'est cela qui est important : c'est à Arnolphe que tu le dis.

« Vous savez mieux que moi, quels que soient nos efforts, — Que l'argent est la clef de tous les grands ressorts, — Et que ce doux métal qui frappe tant de têtes, — En amour, comme en guerre, avance les conquêtes. »

C'est un garçon qui a fait sa rhétorique.

Et tout à coup il est inquiet. Il se dit : Mon correspondant (c'est un notaire ou un avoué, un monsieur avec une barbe), mon correspondant doit avoir une préoccupation : « Vous me semblez chagrin », dit-il. Et aussitôt il reprend son attitude subordonnée. Il a une inquiétude; il a peut-être été trop loin dans la confidence :

— Ce type va peut-être écrire à mon père.

« Cet entretien vous lasse. » — Je vous demande pardon, Monsieur, je vous laisse. — Et il s'en va mi-figue, mi-raisin, n'étant pas très sûr de n'avoir pas vexé ce monsieur, de n'avoir pas commis une indiscrétion qui va être compromettante pour lui. Il s'en va, mais il revient : « Et n'allez pas, de grâce, éventer mon secret. » Il revient encore : « Et surtout à mon père », c'est son inquiétude. On peut écrire un volume sur une scène, si on veut, pour expliquer à la façon de Proust tous les sentiments, toutes les sensations physiques qu'il y a dans ce bout de scène; tu peux la jouer comme je te l'explique, tu peux la jouer dans n'importe quelle variation, dans n'importe quel ton. Moi, je peux te faire la critique de *L'École des Femmes*, de la mise en scène que j'ai faite comme si ce n'était pas de moi.

ÉRIC : Je trouve ça très bien.

L. J. : Pas moi, plus moi. Je sais très bien ce qu'on peut en dire dans dix ou dans quinze ans, ce qu'on pourra dire contre. Le théâtre est un métier où il faut avoir raison, et raison tout de suite. Moi, j'ai sûrement eu raison. Pourquoi ? Parce que j'ai fait trois cents représentations de cette pièce qui était jouée trois fois par an depuis Molière. On peut dire que les jeux de scène, que les mimiques rajoutées entre les actes sont condamnables, bon, mais il y a une chose qui compte : la pièce s'écoute, s'entend et intéresse.

Maintenant sur l'acteur qui joue Arnolphe, je peux te dire tout ce qu'on veut. C'est mauvais ce qu'il fait, mais il a raison parce qu'il fait rire, et par des moyens qui ne sont pas ignobles. Arnolphe ce n'est pas ça, c'est un autre personnage, entendu, mais ce qui est merveilleux, dans le classique, c'est que s'il y a quarante autres types qui jouent encore Arnolphe, ce ne sera encore pas ça, mais s'ils font rire le public ils auront raison, ils auront gagné.

Travaille Horace; ne donne pas de mouvement d'abord, décompose-le. Tu vas essayer de traduire les sentiments qu'il y a là-dedans, je te dirai si tu traduis juste ou pas. Quand tu auras fait ce travail, tu pourras jouer la comédie tout seul.

C'est un vaudeville *L'École des Femmes*. C'est différent de *Dom Garcie de Navarre*, du *Misanthrope*, c'est un vaudeville.

Les Convaincus

Molière

L'ÉCOLE DES FEMMES

ACTE I, SCÈNE 1

ARNOLPHE, *Léon.*
Chrysalde, ?

CLASSE DU 14 SEPTEMBRE 1940 [1]

[Ils donnent presque toute la scène.]
L. J. : Quelqu'un pourrait-il me dire quelque chose là-dessus ?
Est-ce que ça vous intéresse ce qu'ils racontent ?
Ça vous intéresse, vous ? Ça vous impressionne ?
Vous prêtez l'oreille à ce qu'ils font ?
JACKY : Non.
L. J. : Ce n'est pas intéressant. Pourquoi ?
[Personne ne dit rien.]
L. J. : Comme dit l'autre, tant que vous ne me demandez pas
de vous dire ce que je sais, je le sais très bien. Il y a là une occasion
pour vous de méditer un peu sur le théâtre. Pourquoi n'est-ce pas
intéressant ?
JACKY : Au début, il n'est pas dans *l'humeur du personnage.*
L. J. : Tu lui diras qu'il n'est pas dans l'humeur, il ne comprendra
pas. De quoi manque la scène ?
JACKY : Ils ne se parlent pas, ce n'est pas une discussion.
CLAUDIA : Si, ils se parlaient, ils se parlaient même un peu trop.
L. J. : Donc, il n'y avait pas l'humeur, il n'y avait pas le ton...
ANNETTE : On n'avait pas l'impression que le *public* était là.
L. J. : Vous avez joué sans avoir le sentiment de la présence du
public. Quand des comédiens répètent, même devant des banquettes
vides, ils doivent avoir le sentiment que c'est pour le
public, qu'il y a du public. Tes camarades le comprennent très
bien. Vous n'aviez pas le sentiment du public. C'est une chose
qu'il faudrait vous expliquer assez longuement ; *si ça pouvait s'expliquer
ce ne serait pas la peine qu'il y ait des professeurs.* Il y a une façon

1. Note en tête du cours : Supposons le public réuni, c'est ainsi que
le débutant doit penser.

de *parler avec le sentiment de la présence d'un tiers*. Il t'est déjà arrivé de parler à un camarade avec un troisième qui était là, et qui ne disait rien. Et quelquefois c'était pour le troisième que tu parlais, pour celui qui se taisait. Pénètre bien dans le fond de cette idée et de la sensation que tu as eue, médite cela et tu trouveras en toi l'amorce du sentiment de la présence du public. Tu n'étais pas du tout devant une tierce personne, ni par le ton de voix qui demande que la chose soit dite de manière qu'elle soit entendue, ni par ce sentiment qui devrait être en toi, sentiment de la présence d'une tierce personne.

Dans la vie, quand tu es seul et que tu te sens surveillé, tu te dis : On me regarde par la fenêtre, un sentiment intervient en toi qui te modifie dans ce que tu fais. C'est la même chose quand tu joues la comédie; il faut ce sentiment d'une présence tierce[1] que tu n'avais pas tout à l'heure quand tu es entré en scène. Ça s'est traduit tout de suite par l'impression que vous alliez prendre une chaise, vous asseoir l'un en face de l'autre pour vous raconter vos petites histoires. Retiens ce que je te dis là.

Si tu étais sur une scène et obligé de jouer le rôle, tu ne pourrais pas le jouer comme tu l'as joué maintenant. Un comédien défend quelque chose en scène. Si tu faisais de la lutte sur un tapis au milieu d'une place publique, tu aurais le sentiment que, ce qui est important, en dehors de l'exercice, c'est la présence du public, et ce sentiment ferait que tu serais différent de ce que tu serais *si tu étais seul*.

Ce que tu fais sur scène, c'est pour quelqu'un d'autre, ce que tu éprouves sur scène, tu ne l'éprouves pas pour toi, mais pour le public.

Cela fait partie de cette altération que le comédien subit quand il entre en scène, non seulement parce qu'il est *revêtu d'un costume*, non seulement parce qu'il y a de l'autre côté une salle qui remue, mais parce qu'il y a une présence qui te donne des moyens que tu n'as pas, qui te donne aussi le trac, et le sentiment que tu as affaire à quelqu'un à qui tu vas parler.

Quand tu es entré tout à l'heure, tu ne me donnais pas *le sentiment que tu savais qu'on te regardait*. Tu avais ton sentiment pour toi tout seul, c'était un quant-à-soi que tu faisais sur scène, mais tu ne faisais rien pour nous. *Je voudrais que tu sentes corporellement ce que c'est que la présence du public.*

1. Être regardé, surveillé, contrôlé — apprentissage d'un certain contrôle personnel.

Molière

LES FOURBERIES DE SCAPIN

ACTE II, SCÈNE 7

GÉRONTE, *Léon.*
Scapin, *Jacky.*

CLASSE DU 24 AVRIL 1940

[Ils donnent toute la scène. Léon ne sait pas son texte. Il est vulgaire. Un « tic » de lui quand il est vide : il se hausse sur la pointe des pieds, souligne chaque affirmation d'un geste du bras droit en avant, l'index pointé, joue des épaules, fait cette danse qui consiste en une élévation sur la pointe des pieds, pose au sol, élévation à nouveau. Il l'a fait chaque fois qu'il ne savait pas sa scène, qu'il n'y était pas : dans Bazile, dans Sganarelle du *Médecin malgré lui*, dans Pancrace, dans Don Salluste la première fois qu'il l'a donné.]

L. J. : Tu ne sais pas bien ton texte.

LÉON : Je le savais.

L. J. : Mais tu ne le sais pas. Qu'est-ce que vous pensez de cela, vous, les filles ?

[Un silence.]

Vous ne trouvez même pas un qualificatif ?

[A Jacky.] Et toi, qu'en penses-tu ?

JACKY : Je trouve évidemment que ce n'est pas assez travaillé. Ça demande plus de travail au point de vue technique.

L. J. : Eh bien ! Léon, réponds-lui puisque c'est lui qui te parle. Si c'était moi tu me dirais : je n'ai pas eu le temps de travailler, je suis allé chez le dentiste...

JACKY : Comme vous avez dit la dernière fois qu'il fallait travailler beaucoup au point de vue mécanique et technique...

L. J. : Tu vois, il n'a pas besoin d'avoir soixante-cinq ans, d'avoir perdu ses dents pour te dire cela.

Cette scène n'est pas travaillée. Si tu passais une audition dans un théâtre pour te faire engager, crois-tu que tu apporterais une scène comme cela ? Crois-tu que je me lève le matin à cette heure-ci pour entendre une scène pareille ? [Tout cela est dit très

doucement et avec un peu de lassitude par L. J.] Voyons, si tu
devais donner cette scène en audition, l'aurais-tu travaillée davantage ou non?

LÉON : Oui.

L. J. : Pourquoi alors m'apportes-tu cette scène dans cet état?
Que veux-tu que je te dise? Tu as appris cela superficiellement,
tu nous l'as dite aussi superficiellement et tu attends maintenant
que je te dise des choses définitives. Je ne peux rien t'apprendre
là-dessus. Je t'ai déjà dit que *le théâtre, c'est quelque chose de physique.*
Si, à la fin de cette scène, tu n'es pas dans un état de fatigue réelle,
tu n'as rien fait.

Tu l'as vu jouer?

LÉON : Jamais.

L. J. : Tu as des dons pour le théâtre, seulement tu ne travailles
pas. Tu te figures qu'on arrive à jouer la comédie en apprenant
un texte comme ça et en venant le débiter ici. Que veux-tu que je
t'enseigne là-dessus? Va chez un professeur de diction ordinaire,
il t'apprendra l'inflexion, il te posera la voix, mais moi, je ne suis
pas un répétiteur.

Combien de fois l'avez-vous répété?

JACKY : On l'a travaillé une fois; on a répété plusieurs fois de
suite, mais on ne s'est vu qu'une fois.

[A Léon.] Justement hier, je pensais te voir à l'Athénée, comme
on avait dit, je t'ai attendu...

L. J. : Ce n'est pas suffisant. Si j'avais cette scène à donner, je
la répéterais plus d'une fois, je t'assure.

Je ne comprends pas. Ce n'est pas du travail. Tu m'aurais donné
une scène dans laquelle tu te serais trompé complètement, où tu
aurais fait une erreur considérable, ce serait encore intéressant
parce qu'on y verrait la volonté que tu as de faire quelque chose.
Mais tu as entr'aperçu la scène et tu nous l'as donnée sans aucune
conviction.

Toute ta scène avec Jacky, tu ne l'as pas jouée au public, à part
une ou deux répliques que tu as dites tournées vers nous, elle
n'était qu'une petite dispute qui se passe entre vous.

Il n'y avait pas de conviction chez toi. *Tu sais ce que nous appe-
lons la sincérité? Dans le comique c'est absolument nécessaire.* Il faut une
sincérité absolue, totale. Or, ce n'était pas sincère. C'était saupou-
dré de sincérité, mais il n'y avait pas, là-dedans, la sincérité qu'il
faut pour que le personnage apparaisse dans le comique où il
est dépeint.

C'est cela qui est étonnant dans Géronte. Un père à qui on vient
dire : Monsieur, votre fils est en pleine mer, il va être enlevé comme
esclave. Si vous ne donnez pas cinq cents écus il va partir. Et cet
homme répond : Cinq cents écus!

Tant que tu n'auras pas une absolue sincérité, ce ne sera qu'une mauvaise scène de revue. Il n'y a pas de raison que la scène s'arrête ou qu'elle continue.

Tu comprends cette scène? Ce que tu nous as montré prouve que tu la comprends à peu près. Pourquoi ne la joues-tu pas? Pourquoi ne l'as-tu pas travaillée?

LÉON : Je vais la retravailler.

L. J. : C'est moi qui vais travailler, ou c'est toi?

Je veux bien vous donner des explications ou vous faire des démonstrations, mais ce sera pour me faire plaisir. Je ne vois pas la nécessité de faire quelque chose si tu n'apportes rien.

Tu as fait un travail pour justifier ta présence ici et ce que tu m'apportes est simplement offensant pour celui à qui on l'offre. Tu aurais un ami que tu aimerais bien, à l'estime de qui tu tiendrais, tu lui dirais : J'ai travaillé une scène des *Fourberies de Scapin*, je veux te la montrer, tu me donneras ton avis. Je suis sûr que tu ne la lui donnerais pas comme ça, que tu aurais travaillé un peu plus pour l'étonner. Et si c'était ta petite amie, ou un directeur de théâtre qui va t'engager, crois-tu que tu ne lui aurais pas apporté quelque chose d'autre?

LÉON : Il me semble difficile, le personnage.

L. J. : C'est autre chose. Je t'ai posé une question précise. A la Comédie-Française, aurais-tu passé cette scène comme ça pour être engagé dans les petits rôles?

LÉON : Je n'aurais pas passé ça.

L. J. : Qu'aurais-tu passé, alors, en audition? Pour quel emploi crois-tu que tu es fait?

LÉON : On m'a dit que j'étais fait pour jouer les compositions.

L. J. : C'en est une.

LÉON : Je le sens vieux, je ne le ressens pas.

L. J. : Tu me dis cela pour entretenir la conversation ou parce que c'est l'expression de ce que tu penses?

LÉON : Si, je le pense.

L. J. : Alors c'est ennuyeux pour toi, parce que je veux bien passer la parole à n'importe laquelle de tes consœurs, ou au seul confrère présent à la classe ce matin [Michel, Octave sont absents, de même que Gabriel auditeur, mais ce dernier est de l'espèce qu'on voit rarement], ils te diront sur ton emploi des choses que je te dirais moi-même.

Tu es fait pour jouer les grimes, pas pour jouer Hernani. C'est le problème du comédien : on a une âme de Fortunio avec une gueule impossible.

C'est *le désaccord que la nature met entre le physique et le tempérament*, ou entre l'âme et le corps. Tu as peut-être le tempérament de Ruy Blas ou d'Hernani, mais tu ne joueras jamais ni l'un ni l'autre.

Alors il s'agirait de savoir ce que tu veux faire. Ce sont des choses élémentaires auxquelles il faut que tu penses un peu. Si tu ne veux pas jouer Géronte, qu'est-ce que tu joueras?

LÉON : J'en suis là, oui.

L. J. : Tu as déjà joué Harpagon...

LÉON : Géronte n'a pas de caractère, il n'a pas un caractère comme l'Avare.

L. J. : Il est plus facile de dépeindre et de cerner le caractère de Géronte que celui de l'Avare car Géronte est un avare, Harpagon n'en est pas un. Le personnage d'Harpagon est bien plus complexe que celui de Géronte. C'est une scène tellement nette, cette scène de Géronte.

Donne-moi le personnage de Géronte, puis tu joueras Harpagon et nous verrons celui des deux que tu réussiras le mieux.

C'est le personnage le plus facile à jouer, à condition qu'on ne veuille pas faire ce que font tous les comiques qui veulent faire rire. Mais si tu joues la scène comme elle est, tu verras qu'elle est comique.

LÉON : Je sais bien qu'elle est comique, mais je ne sais pas... je ne sens rien, moi...

L. J. : Qu'est-ce que tu ne sens pas? Tu ne sens pas le comique de la scène?

LÉON : Je sais bien que c'est comique, mais je ne sens pas le comique, je ne peux pas l'exprimer, je sens très bien que je ne suis pas drôle.

L. J. : Si tu avais l'état d'esprit qu'il faut, tu dirais : cette scène est comique, je ne vois pas en quoi, mais je vais essayer de voir pourquoi. Tu y attellerais ton esprit, tu méditerais cette scène, tu essaierais de voir. Mais tu déclares *ex cathedra* : cette scène n'est pas comique.

C'est toi qui as tort. Tu as tort d'avoir l'état d'esprit que tu as en ce moment. Tu as tort de ne pas faire effort, tu as tort de ne pas travailler, tu as tort de ne pas savoir ton texte. Je t'assure que je ne suis pas arrivé à mon âge pour voir des choses pareilles, entendre des balivernes comme celles que tu me racontes.

C'est embêtant pour toi parce que je ne sais pas ce que tu feras plus tard si tu as aussi peu d'ardeur au travail, si tu comprends ainsi ta scolarité. Peut-être que le cinéma te fera une carrière magnifique, mais au théâtre... Si tu me payais mes leçons, tu les paierais cher. Mais si tu les payais, tu n'aurais pas été faire ton essai de cinéma l'autre jour. Tu aurais dit : M. Jouvet vous demande de faire cet essai à une autre heure. Tu y es allé tout heureux, en te disant : mon avenir est engagé, je vais peut-être avoir un contrat de cinéma. Et tu as manqué la classe. Je n'aurais jamais fait ça. Je n'ai jamais non plus fait dans ma vie ce que tu as fait ce matin. Je ne te le reproche pas, parce que tu n'en comprends pas la gravité. Mais il faut apporter plus d'ardeur au travail que tu n'en as pour arriver à un résultat.

Tu as retravaillé ton Don Salluste?

LÉON : Oui.

L. J. : Tu l'as retravaillé chez toi.

LÉON : Oui, tout seul chez moi.

L. J. : Eh bien, donne-nous Don Salluste. On va voir si tu as fait des progrès.

[Il donne la scène 5 de l'acte III de *Ruy Blas;* Jacky fait Ruy Blas.]

          — Bonjour...

          ...

Iraient perdre leur temps, ce temps qui si tôt passe...

L. J. : Recommence! Je te fais recommencer parce que ce que tu fais n'offre aucun effort de ta part, physiquement. Il n'y a pas d'effort dans ce que tu fais. Est-ce que tu comprends?

LÉON : ...

L. J. : Il n'y a pas d'effort dans ce que tu fais. [Aux autres.] Est-ce que vous comprenez ce que je veux dire?

CLAUDIA : Oui, mais je comprends qu'il ne comprenne pas.

L. J. : Quand tu entres en scène au troisième acte d'*Ondine* tu es différent sur scène de ce que tu es dans la coulisse. Peut-être que tu te dis...

LÉON : Parce que je m'en ressens.

L. J. : Eh bien! pour employer cette forte expression : donne-nous l'impression de t'en ressentir.

Quand on joue un personnage, on n'est pas ce qu'on est dans la vie. Il y a une tension, il y a une tonicité intérieure. Tu entres là en mettant tes deux pieds l'un devant l'autre. Tu nous dis : Bonjour! Croyez-vous? Est-ce possible? Tu crois que tu peux passer de Léon à Don Salluste sans plus d'effort physique?

C'est ce que tu faisais tout à l'heure avec Géronte. Tu ne sens pas cette transformation nécessaire? *Cette tension intérieure, ce besoin de puissance qu'appelle le personnage? De puissance physique.* Est-ce clair?

Tu rentres et tu vas tout le long de cette scène avec l'accent de Ch'Nord. La « livrais » pour « livrée », le « palé » pour le « palais ». Tu nous racontes ça exactement comme si tu étais derrière ton comptoir en train de vendre des pruneaux.

C'est une question physique; c'est un exercice de diction. Je veux te voir faire un effort.

[Léon recommence.]

L. J. : Qu'est-ce que je t'ai demandé quand tu as travaillé ce morceau? Comme travail essentiel, outre la respiration et l'articulation?

LÉON : De changer de ton.

L. J. : Est-ce qu'il a changé de ton? Pas une fois! Tu ne vas pas me dire que tu as travaillé dans le sens où je t'ai dit de le travailler. Tu te rappelles bien ce que je t'ai indiqué puisque tu me le rapportes! Ce que tu fais maintenant! Tu ouvres le robinet et ça coule! Ça coule tiède, et pas fort! Quand on ouvre le robinet à l'étage du dessous, ça ne coule plus au-dessus. C'est cela ton cas. Je ne comprends pas ton aventure.

J'insiste un peu sur toi ce matin parce que je voudrais que tu comprennes, sans cela nos relations se borneront à une cordiale et franche poignée de main au commencement et à la fin du cours. Ce n'est pas cela que tu veux? Je ne veux pas me mettre en colère; je veux bien faire effort pour que tu comprennes. Si tu ne comprends pas, il faut au moins essayer de tenir compte de ce que je te dis.

Mais en t'écoutant, on voit bien que tu n'as pas fait ce travail de changements de voix que je t'ai demandé, pourtant tu te souviens que je te l'ai dit.

Ici, c'est gratuit. Mais si je te payais pour faire quelque chose et que tu me fasses cela, je te ficherais à la porte. Ici, nos rapports sont affectueux et libres, mais dans le commerce de la vie ordinaire, c'est différent. Je ne sais pas quoi te dire pour te faire comprendre ça. Tu me le rapporteras une autre fois. Tu me le diras, quand tu l'auras travaillé. Mais si tu ne veux pas travailler, c'est sans espoir; je te conseille de rentrer dans l'épicerie.

Tu as un physique particulier. Jusqu'ici, dans tout ce que tu as fait, tu n'as indiqué aucun tempérament.

[Interruption : Cl... vient faire une communication aux élèves hommes à propos du concours et annonce : On bénéficie d'une année supplémentaire. Le ministère vient de l'accorder.]

L. J. [à Léon] : Eh bien! si je t'ai pendant quatre ans comme ça! Je t'étranglerai avant. Toi et Octave! On notera désormais les réponses d'Octave. On peut lui dire ce qu'on voudra sur la pluie, le beau temps, il répond toujours quelque chose et toujours à côté.

CLAUDIA : Il a un instinct extraordinaire.

L. J. : Un instinct ne suffit pas, sans technique. Et il ne comprend pas.

CLAUDIA : Ça peut lui venir sans qu'il comprenne.

L. J. : Non. Ou bien alors il faudrait entrer dans une maison où on puisse continuer à se développer. Un endroit où on nourrisse les comédiens, où on dise : maintenant, il faudrait lui donner un autre rôle beaucoup plus important. Tu appelles le comédien, tu le supplies de le prendre et il continue de se développer. Il

joue la comédie tout seul. C'est le génie. Octave a peut-être du
génie, mais son génie n'ira pas jusqu'au bout s'il continue.

Il y a des choses élémentaires qui relèvent de la discipline.
Quand Octave est venu l'autre jour me dire : Ma mère vient de
faire un petit héritage, nous avons une petite propriété près de
Nice. Je viens vous demander de m'en aller quelques jours pour
voir cette petite propriété. Je lui ai répondu : Va demander à
l'un de tes camarades ce qu'il en pense...! D'autant que les relations que j'ai eues avec lui jusqu'ici sont celles qu'on a avec quelqu'un qu'on essaie de faire manger.

Quand il a donné Hippolyte et que je lui ai demandé : Que
fait Hippolyte dans cette scène? — Il part! — Qu'est-ce que ça
veut dire? — Il dit qu'il va partir. — C'est évidemment du génie,
si le génie a quelque chose d'insensé.

CLAUDIA : N'empêche que j'en ai été époustouflée quand je l'ai
entendu nous donner Ruy Blas. Avec une assurance!

L. J. : Quand il vient nous donner Hippolyte et qu'il ne sait
pas ce qu'il dit, ou la scène de *L'École des Femmes* et qu'il ne sait
pas ce qui s'y passe, que veux-tu que je fasse? Je n'ai qu'à lui
dire : C'est parfait jeune homme, continuez.

Je reprends sur toi, Léon. Tu as un physique particulier; tu
n'as accusé aucun tempérament. Tu es fait exactement pour jouer
des grimes.

Un grime, c'est un personnage d'un certain âge qui est comique
ou qui ne l'est pas, qui est comique d'une façon naturelle parce
que son physique est accidenté ou inhabituel. Cet emploi, tu l'aurais joué, si tu avais eu du *foyer et du mouvement,* dans un répertoire
de vaudeville qui était celui du Palais-Royal et des Variétés.
Tu es fait pour jouer le beau-père dans *Le Chapeau de paille
d'Italie.*

Je n'ai jamais vu *ton mouvement, ton tempérament* non plus. Tu ne
te dépenses pas en scène. Tu as seulement ton physique, ça ne
suffit pas.

Il n'y a plus de grime dans le théâtre actuel. C'est un personnage moitié opéra, moitié comédie-italienne qui a fait les beaux
jours des Variétés et du Vaudeville autrefois.

Mais tu n'as pas de tempérament, pas de mouvement. Si tu
pouvais entendre ce que tu as dit sur Géronte! Tu ne vois pas le
comique de Géronte, ou tu ne le comprends pas! Alors fais un
autre métier. Si tu étais à l'École des Beaux-Arts et qu'un professeur te parle de la Vénus de Milo, tu pourrais lui dire : j'aime
mieux autre chose. Mais au théâtre ce n'est pas pareil.

Rends-toi compte qu'on te fait l'honneur à ton âge de te confier
le rôle de Géronte. S'il y avait une hiérarchie, ici, on t'aurait dit :
Géronte? Non! vous le jouerez plus tard.

Ni Géronte ni Molière n'ont mérité que tu « débloques » sur eux comme ça.

Beau début de journée! [A la blague.] Un sentiment de beauté et de bonheur vous atteint!

CLASSE DU 4 MAI 1940

— O ciel! ô disgrâce imprévue!...

— ...

— ... Ah! le pendard de Turc! M'assassiner de la façon!

L. J. : Y a-t-il quelqu'un qui puisse me faire une observation sur ce qu'ils font en ce moment?

CLAUDIA : Il y en a un qui parle, mais l'autre l'écoute tellement qu'on ne le voit plus.

L. J. [à Léon] : La première réplique, tu l'as donnée au public, mais pas suffisamment; il faut y aller carrément. Sans quoi ça n'a aucun intérêt.

Et tu rentres sur un pas de danse. C'est un vieux « khroumir », il ne marche pas de cette manière délurée; c'est un vieillard.

— O ciel! ô disgrâce imprévue!...

— ...

— Il y a une heure que je suis devant toi. Qu'est-ce que c'est donc qu'il y a?

[Léon met ses mains derrière le dos après chaque réplique.]

L. J. : C'est un homme qui est pris par la curiosité. Il entre. Il entend Scapin qui parle : « Que dit-il là de moi, avec ce visage affligé? » La curiosité lui monte à la gorge. Géronte est un homme qui se fiche de son partenaire : Scapin est un larbin. Si c'est à lui que tu poses les questions, c'est fini, ça ne nous intéresse plus.

— Il y a une heure que je suis devant toi...

— ...

— Monsieur, votre fils...

— Hé bien! mon fils...

— Est tombé dans une disgrâce la plus étrange du monde.

— Et quelle?

L. J. : Ne tombe pas la scène : « Hé bien! mon fils... ».

Au moment où Géronte est en face de Scapin, s'il regarde Scapin, la scène ne présente aucun intérêt. Ce qui est important dans cette scène, c'est la réaction de Géronte.

Tu ne l'as pas compris. Tu ne nous donnes pas ce qui est intéressant dans cette scène : la figure de Géronte qui écoute, qui écoute Scapin; l'étonnement de Géronte lorsque Scapin lui raconte cette histoire de galère. Et tout cela se termine par : cinq cents écus!

— Est tombé dans une disgrâce la plus étrange du monde.
— Et quelle?

L. J. [à Léon] : Ne le regarde pas! [L. J. monte sur scène, place Léon en spectateur, et lui montre comment Géronte écoute l'explication de Scapin et le récit de l'embarquement sur la galère turque.] Ce qui est intéressant, c'est le personnage de Géronte. Scapin, on sait très bien qu'il ment, et il a une façon de raconter ça en s'en fichant parce qu'il sait très bien que l'autre ne le *voit pas*. Mais ce qui est intéressant, c'est Géronte. Tu ne comprends pas ça?

LÉON : Oui.

L. J. : Alors essaie de le faire.

— Monsieur, votre fils...
— Hé bien! mon fils...
— Est tombé dans une disgrâce la plus étrange du monde.
— Et quelle?

L. J. : La froideur la plus totale. Et ce n'est pas la peine de faire des gestes.

— Je l'ai trouvé tantôt tout triste...
— ...
— Ah! le pendard de Turc! m'assassiner de la façon!

L. J. : S'ens bien cela. Le fils va être emmené esclave en Alger et le père dit : M'assassiner, moi!

— Que diable allait-il faire dans cette galère?

L. J. : Ne bouge pas; il est stupide, ce type. Il parle tout simplement et sans ampleur, et sa première réflexion c'est : « Que diable allait-il faire dans cette galère? »

— Que diable allait-il faire dans cette galère?

L. J. : Tout haut, pas à toi. C'est un naïf, un imbécile robuste.

— Va-t'en, Scapin, va-t'en vite dire à ce Turc que je vais envoyer la justice après lui.
— La justice en pleine mer! Vous moquez-vous des gens?
— Que diable allait-il faire dans cette galère?

L. J. : C'est un raisonnement, il faut que tu l'entendes : Alors que diable allait-il faire dans cette galère?

— La justice en pleine mer! Vous moquez-vous des gens?
— ...
— Cinq cents écus! N'a-t-il point de conscience?

L. J. : Cinq cents écus! Le coup de poignard au cœur.

— Cinq cents écus! N'a-t-il point de conscience?

— ...

— Tu trouveras une grosse clef du côté gauche, qui est celle de mon grenier.

— Oui.

L. J. [expliquant le jeu de la clef]. Scapin va pour la prendre, mais chaque fois Géronte la lui retire. Comme les enfants, quand on les envoie aux commissions : Tu iras chez l'épicier, tu achèteras un kilo de sucre, tu auras dix sous (on leur montre les dix sous) mais : Tu demanderas s'il y a ceci et cela. On ne leur donne la pièce qu'à la fin.

[Ils essaient.]

L. J. : C'est facile, c'est un exercice de clown. Quand Scapin va pour prendre la clef, Géronte la lui retire. — Tiens Scapin — et tu retires aussitôt ta main — tu trouveras une grosse clef du côté gauche, qui est celle de mon grenier. — Et là tu la lui donnes.

Mais quand Scapin entend : « Tu iras prendre toutes les hardes qui sont dans cette grande manne, et tu les vendras aux fripiers pour aller racheter mon fils », il lui rend la clef.

— Eh! Monsieur, rêvez-vous?...

— ...

— Que diable allait-il faire / / à [1] cette galère?

L. J. : N'arrête pas.

— Vous avez raison, mais hâtez-vous.

— ...

— Mais dis à ce Turc que c'est un scélérat.

[Élévation sur la pointe des pieds.]

L. J. : Même jeu que pour la clef.

— Oui.

— Un infâme.

— ...

— Ah! c'est la douleur qui me trouble l'esprit.

[Léon pleure là-dessus.]

L. J. : C'est un type qui dit avec une sécheresse absolue : « Ah! c'est la douleur qui me trouble l'esprit. »

Ce n'est pas sincère, ce n'est pas senti, ce n'est pas sincère parce que ce n'est pas senti, parce que tu ne sens pas le comique de la scène. Tu trouves cela comique?

LÉON : Je voudrais le sentir comique; mais, ce que je fais...

L. J. : C'est une scène extraordinaire pour cela. Il faut être convaincu. Géronte est un naïf, un crétin, c'est un naïf comme

1. Texte conforme à celui de l'édition de 1682 où les deux formes : « dans cette galère » et « à cette galère » sont employées.

tous les gens qui ont une grosse dose de passion, comme tous les imaginaires. Il a une forte passion pour l'argent. *C'est un avare beaucoup plus qu'Harpagon, et c'est ce qui fait qu'il a dans tous les autres domaines une naïveté extraordinaire.*

Cette histoire extraordinaire de son fils, de la galère, des cinq cents écus! Il faut une grande conviction de la part de Géronte. Et il trouve une série de trucs insensés : — Écoute Scapin, il faut que tu fasses ici l'office d'un serviteur fidèle... — *Et il discute le coup des cinq cents écus.* Il est haletant. « Tiens », il met la main à la poche. Scapin croit qu'il va lui donner l'argent : « Tiens, voilà la clef de mon armoire (...) Eh! Monsieur, rêvez-vous? » — fichez-moi la paix! — « Mais que diable allait-il faire à cette galère? » — Songez que votre fils part en Alger! —

Pour jouer Géronte, il faut que tu saches que tu as cinq cents écus en or dans ta poche, en entrant. « N'est-ce pas quatre cents écus que tu dis? — Non, cinq cents écus » — ne m'embêtez pas! — « Tiens, Scapin, je ne me souvenais pas que je viens justement de recevoir cette somme en or,... » et il essaie de troubler Scapin : « Va-t'en racheter mon fils. » Et il lui retire l'argent.

C'est une scène extraordinaire, mais il faut la jouer. Je te signale aussi un tic que tu as : toutes tes répliques, tu les fais comme un plantigrade. Tu te hausses sur les pointes. Tu ne peux pas jouer Géronte avec cette élasticité. Tu t'en rends compte?

LÉON : Non.

L. J. : Demande à tes camarades. C'est un tic. Tu le fais tout le temps. Il faut apprendre à marcher. Un type comme Géronte est chaussé de godillots qui font au moins du 45, il marche en posant le talon d'abord, et quand il a posé le talon, il ne va pas sur les pointes!

CLASSE DU 15 MAI 1940

[Léon et Jacky donnent toute la scène. Léon donne plus d'effort que d'habitude dans cette scène; mais continue à appuyer toutes ses répliques d'un geste de la main droite; la réplique donnée, il met ses mains derrière le dos. Pour les dernières répliques : « Dis à ce Turc que c'est un scélérat! (...) Qu'il me tire cinq cents écus contre toute sorte de droit. (...) Que je ne les lui donne ni à la mort ni à la vie. (...) Et que si jamais je l'attrape, je saurai me venger de lui. », élévation sur les pointes.]

L. J. : Qu'est-ce que tu en penses?

LÉON : Ce n'est pas encore ça.

L. J. : Pourquoi n'est-ce pas encore ça?

LÉON : Je ne regarde pas encore assez le public, peut-être.

L. J. : Et quoi encore?

LÉON : ...

L. J. : Que crois-tu qui est bon ou qui n'est pas bon?

LÉON : Je ne sais pas moi; je me sens bien en action, je n'y étais peut-être pas...

L. J. : Je t'ai dit quelque chose; cela semble risible, mais à la fin de cette scène *si tu n'es pas en sueur, tu n'as pas joué la scène.*

LÉON : J'ai chaud!

L. J. : Je dis : être en sueur. Qu'est-ce que tu en penses, Claudia?

CLAUDIA : J'ai l'impression qu'il se contrôle, qu'il fait trop attention à tout et *qu'il n'est pas sincère;* tout le temps on a l'impression qu'il essaie de voir l'impression qu'il fait sur nous, au lieu d'y aller tout d'un coup et on verra après.

L. J. : Je t'ai déjà dit cinq ou six fois : pour le comique, il faut être sincère. Tu ne l'es pas. « Que diable allait-il faire dans cette galère? », ce n'est pas sincère une seconde. Il y a un côté empêché chez cet homme. Tu comprends ce que je veux dire? Il se trouve dans une circonstance où il a la patte prise dans un piège. On ne le sent pas chez toi. Tu places tes répliques au petit bonheur suivant une espèce de logique.

Qu'est-ce qu'il y a encore, Claudia?

CLAUDIA : Il se surveille trop, et pas assez, et il recommence à faire son truc : à la fin de chaque phrase, il met ses mains derrière le dos et il se dresse sur la pointe des pieds.

L. J. : Tu n'es pas dans le personnage si tu fais des trucs comme ça.

CLAUDIA : Et sa voix. Tu n'as pas mal à la gorge quand tu as fini?

LÉON : Si.

L. J. : Et quoi encore?

CLAUDIA : Il n'écoute pas une seconde ce qu'on lui dit.

L. J. : Tu ne sais pas répliquer et tu n'entends pas ce que Jacky te dit.

La scène n'est pas commode, mais tout de même, assez facile à jouer. Tu fais preuve dans cette scène de toutes sortes d'insuffisances.

Tu devrais essayer d'apprendre à respirer, d'apprendre à parler.

Tu es en première année, et ce que tu fais et rien c'est la même chose. Si on ne te le dit pas, tu te figureras que, parce que tu es au Conservatoire, tu es apprenti comédien. Tu ne sais rien du tout. Cette scène est un désastre.

On voit bien que tu peux faire quelque chose dans cet emploi de grime, tu en as la volonté, mais tu ne sais rien faire. Tu as des dons, tu as une disposition pour cet emploi, on voit des traces de quelque chose dans ce que tu fais, mais ce n'est même pas scolaire, ce n'est même pas le fait d'un élève.

C'est tout ce que tu as comme scène pour l'examen?

LÉON : J'avais pensé au *Médecin malgré lui.*

L. J. : C'est encore bien pis.

Nous serions ici dans une classe de grimes, ce serait facile, je veux bien faire la classe sur les grimes pendant six mois, tu apprendrais forcément quelque chose, même en ne faisant rien, mais tu es le seul de cet emploi ici.

Recommence cette scène, on va essayer de voir si on peut faire quelque chose.

Ce que je t'ai indiqué dans Pancrace, te le rappelles-tu? C'est la même chose.

Entre; tu ne vois pas Scapin; tu t'arrêtes parce que tu l'entends crier. C'est un homme qui entre absorbé par ses pensées personnelles. Tout à coup il entend la voix de Scapin, il lève la tête, il écoute, et il se tourne vers nous.

[Léon entre lentement.]

L. J. : Entre carrément.

[Il entre et s'arrête.]

L. J. : Non, entre; regarde le centre de la scène; et passe.

[L. J. monte sur scène et fait l'entrée. Léon entre et on voit tout de suite qu'il va s'arrêter aussitôt.]

L. J. : Non, on voit que tu vas t'arrêter. Entre. Passe lentement d'un bout à l'autre de la scène.

[Léon le fait.]

L. J. : Géronte est en coulisse, il marche depuis un certain temps déjà, et il entre.

[Léon entre et ne s'arrête plus.]

L. J. : Seulement arrête-toi quand Scapin commence à crier. Arrête-toi et : « Que dit-il là de moi, avec ce visage affligé? »

[Léon le fait, mais sa réplique dite, tourne rapidement la tête.]

L. J. : Laisse la réplique sur nous. Ne la coupe pas.

— Qu'y a-t-il, Scapin?

L. J. : Dis la réplique en place, marche après. Si tu marches avant, ta réplique est fichue.

— Qu'y a-t-il, Scapin?

L. J. : Mais n'attends pas! Recommence ton entrée.

— Que dit-il là de moi, avec ce visage affligé?

L. J. : Laisse-nous ton visage. [L. J. monte sur scène et lui montre.] Intéresse-toi à ce qu'il dit. [L. J. dit les répliques dans un ton qui monte.] Comprends-tu l'intérêt croissant de ce début? Allez, reprends ton entrée.

— Que dit-il là de moi, avec ce visage affligé?

[Léon tourne tout de suite la tête vers Scapin.]

L. J. : Mais reste donc sur nous.

　　　　— N'y a-t-il personne...

　　　　— ...

　　　　— Hé bien! mon fils...

L. J. : Ne gesticule pas les bras.

　　　　— Est tombé dans une disgrâce...

　　　　— ...

　　　　— ...le meilleur du monde.

[Léon écoute le récit de l'embarquement sur la galère que lui fait Scapin.]

L. J. : Regarde-nous! regarde-nous! on ne voit plus personne.

　　　　— Qu'y a-t-il de si affligeant à tout cela?

L. J. : Ne gesticule pas; garde tes bras le long de ton corps.

　　　　— Attendez, Monsieur, nous y voici...

　　　　— Comment, diantre! cinq cents écus?

L. J. : N'attends pas une demi-heure. Tu as bien fait de sursauter sur les cinq cents écus, mais il ne faut pas attendre après.

　　　　— Oui, Monsieur...

　　　　— Ah! le pendard de Turc!

L. J. : Dis « Ah! » et respire après. Tu as le « Ah! » pour respirer.

　　　　— Ah! le pendard de Turc!

L. J. : C'est un « Ah » de soulagement.

　　　　— Ah! le pendard de Turc! m'assassiner de la façon!

L. J. : « M'assa-ssi-ner » c'est cela qui est important.

　　　　— Ah! le pendard de Turc!...

　　　　— ...

　　　　— Que diable / / allait-il faire / / dans cette galère?

L. J. : Dis-lui simplement : « Ah! (respire) le pendard de Turc! m'assassiner de la façon! », et : « Que diable allait-il faire dans cette galère? » Et à nous, à nous!

　　　　— Ah! le pendard de Turc!...

　　　　— ...

　　　　— Va-t'en, Scapin, va-t'en dire à ce Turc

L. J. : C'est un type qui réfléchit à ce moment-là.

　　　　— Va-t'en, Scapin,...

　　　　— La justice en pleine mer! Vous moquez-vous des gens?

L. J. : Il y a là une nouvelle chute. Il est démonté par le raisonnement de Scapin. Il ne sait que dire, alors il fait : « Que diable allait-il faire dans cette galère? » Ne t'indigne pas; si tu fais de l'indignation, ce n'est pas intéressant.

— La justice en pleine mer! Vous moquez-vous des gens?
— Que diable allait-il faire dans cette galère?

L. J. : Dis cela très naturellement.

— Une méchante destinée...
— Il faut, Scapin, il faut que tu fasses ici l'action d'un serviteur fidèle.

L. J. : Autre réflexion. Il réfléchit encore.

— Quoi, Monsieur?
— ... que j'aie amassé la somme qu'il demande.

L. J. : Hein Scapin! tu comprends Scapin! C'est un type qui est gentil à ce moment-là. Jusqu'à ce que j'aie amassé la somme... dis-lui ça, à ce Turc... « que j'aie amassé la somme... », un type qui est riche comme Crésus!

— Eh! Monsieur, songez-vous à ce que vous dites? et vous figurez-vous que ce Turc ait si peu de sens,

L. J. [à Jacky] : Mets-le un peu en boîte. Donne-le lui bien comme il faut. Aide-le un peu aussi.

— Eh! Monsieur, songez-vous...
— Que diable allait-il faire dans cette galère?

L. J. : Ne gesticule pas. Ce qui est beau, c'est le raisonnement péremptoire de Scapin. Et Géronte va inventer des choses invraisemblables pour ne pas donner les cinq cents écus. A la fin il les donnera, parce qu'il est un imbécile. — Pensez-vous que ce Turc soit assez bête pour me prendre moi, pauvre misérable, à la place de votre fils? — C'est d'une admirable logique. Et Géronte ne trouve qu'une réponse : « Que diable allait-il faire dans cette galère? »

— Il faut, Scapin, il faut que tu fasses ici l'action d'un serviteur fidèle.
— ...
— Que diable allait-il faire dans cette galère?

L. J. : Mais ne gesticule donc pas; tu fiches ta réplique en l'air.

— Il ne devinait pas...
— ...
— Cinq cents écus.

L. J. : Il le sait combien ça coûte. Il le lui a demandé trois fois. C'est une façon de prolonger la situation pour trouver un remède. « Tu dis qu'il demande... »

— Cinq cents écus! N'a-t-il point de conscience?

L. J. : Ne bouge pas là-dessus.

— Tu dis qu'il demande...

— ...

— Mais que diable allait-il faire à cette galère?

L. J. : Je ne sais pas si tu t'entends, mais ce n'est pas possible. Ni la respiration, ni la voix, ni rien. C'est pourquoi le truc de la pompe : « Waterloo, Waterloo... » c'est la seule solution pour toi.

— Croit-il, le traître,...

— ...

— Mais que diable allait-il faire à cette galère?

L. J. : Géronte réfléchit à ce moment-là. Il essaie de trouver une combine. Mais à part la galère et les cinq cents écus, n'entend rien. Et pendant ce temps, Scapin regarde le public : Je vais les avoir mes cinq cents écus.

— Croit-il, le traître,...

— ...

— Mais que diable allait-il faire à cette galère?

[Élévation sur les pointes.]

L. J. : Tu ne respires pas.

— Mais que diable allait-il faire / / à cette galère?

L. J. : Non, ce n'est pas « Mais que diable allait-il faire / / à cette galère? » Si tu veux nuancer, tu feras ce que font les acteurs du Français : « Mais que diable allait-il *faire* à cette galère? » ou « Mais que diable allait-il faire à cette *galère*? » Ne mets pas de nuance, dis la chose simplement dans le sentiment du texte.

Géronte reste là, stupide, et il pose la question au public : « Mais que diable allait-il faire à cette galère? »

— Mais que diable...

— ...

— Tiens, voilà la clef de mon armoire.

L. J. : Le geste après.

[Léon recommence et fait encore le geste de donner la clef avant de dire : Tiens!]

L. J. : Le « Tiens, voilà la clef » est avant; sur le « Tiens » on se figure qu'il va lui donner de l'argent, non, il lui donne la clef; fais le geste après.

— Tiens, voilà la clef de mon armoire.

L. J. : C'est trop rapide. [A Jacky.] Et toi regarde Géronte tout le temps avec curiosité pour voir cet argent qui va sortir.

[L. J. fait Scapin pour montrer le jeu de la clef, mais Léon lui retire la clef tout le temps, ne la lui donne pas. **L. J.**, comme découragé, regagne sa place.]

— Tiens, voilà la clef de mon armoire.

L. J. : Mais non, voyons, le geste après.

— Tiens, voilà la clef...

— ...

— Eh! Monsieur, rêvez-vous? Je n'aurai pas cent francs de tout ce que vous dites;

L. J. [à Jacky] : Garde la clef et rends-la-lui à la fin de la réplique.

— Eh! Monsieur, rêvez-vous?...

— ...

— Attends, Scapin, je m'en vais quérir cette somme.

L. J. : Il faut qu'on sente que Scapin est attendri, mais l'attendrissement de Scapin, c'est quelque chose de particulier.

— Attends, Scapin, je m'en vais quérir cette somme.

L. J. : Ne t'en va pas. Ne bouge pas. Il n'en a pas envie d'aller quérir cette somme. Il va essayer de trouver un truc pour ne pas aller chercher l'argent.

— Attends, Scapin, je m'en vais quérir cette somme.

L. J. : Mais ne bouge donc pas.

— Attends, Scapin, je m'en vais quérir cette somme.

L. J. : Ne m'embête pas avec tes pleurs et tes grincements de dents.

— Attends, Scapin, je m'en vais quérir cette somme.

L. J. : Il n'en a pas envie, d'aller la quérir. Tu prends ton départ, mais tu ne t'en vas pas.

— Attends, Scapin,...

— ...

— Tiens, Scapin, je ne me souvenais pas que je viens justement de recevoir cette somme en or,

[**L. J.** monte sur scène et joue la fin de la scène avec Jacky.]

L. J. : Réfléchis à cela, tu verras que la scène est comique. Et toi, Jacky, tâche de l'aider un peu. Lorsque tu dis : « Il est vrai; mais quoi! on ne prévoyait pas les choses... », c'est un clin d'œil au public. C'est une scène au public tout le temps.

Ce qui caractérise Scapin : c'est un type qui s'amuse.

Molière

LE MALADE IMAGINAIRE

ACTE III, SCÈNE 5

PURGON, *Yves.*
Argan, ?
Toinette, *Hélène.*

CLASSE DU 11 DÉCEMBRE 1940

[Yves donne toute la scène.]
L. J. : Tu as dit le morceau devant un professeur. Tu ne l'as pas dit devant du public. Tu ne comprends pas ce que je veux dire?
[Yves, muet.]
CLAUDIA : Non, je ne comprends pas non plus.
L. J. : Je reviens à cette petite remarque que je faisais à Hélène tout à l'heure. Rends-toi compte qu'il y a du public dans la salle.
Quand tu joues, tu as en toi une préoccupation, une attitude; on en revient toujours à un état physique; en ce moment tu as dit ta scène devant moi, devant le professeur, tu ne la jouais pas devant le public. C'était frappant tout à l'heure. Pour le travail que je veux te faire faire ici, c'est apprendre à te connaître toi-même qui est important. Cela te fera toucher du doigt quelque chose que tu n'as pas remarqué, que tu vas maintenant constater.
YVES : C'est à peu près impossible de jouer autrement que devant un professeur, devant vous.
L. J. : Non, tu devrais jouer avec un autre état d'esprit. Tu sens bien qu'il y a une différence entre la façon dont tu joues sur la scène, quand tu joues, et la façon dont tu viens de donner ta scène ici. Tu ne te préoccupes pas de nous, tu n'as pas joué avec nous. Nous n'avons pas même vu tes yeux. Tu as dit ta scène en attendant la correction. Il faut que tu sentes ce que je viens de te dire, il faut que tu le comprennes aussi, il faut que tu sentes en toi que tu n'as pas répété, que tu n'as pas joué.
YVES : Je joue trop pour moi?

L. J. : Tu as joué pour moi, tu as joué en te disant tout le long de la scène : il va m'arrêter, je ne suis pas bien, est-ce ce qu'il veut?

YVES [convaincu] : Oui.

L. J. : Voilà ce que je voulais te faire dire. C'est pour que tu te rendes compte, que tu sentes comment tu joues. C'est un métier terrible que le nôtre; un jour, en sortant de scène, tu te dis : aujourd'hui je n'étais pas mal; et il y a quelqu'un dans la loge du copain à côté, qui demande : « Qui joue Un tel? Il joue comme un pied. » Et tu entends cela au travers de la cloison. Un autre jour, tu as la sensation d'avoir été très mauvais; et justement tu n'étais pas mal. C'est pour te dire simplement que dans ce métier, on ne se connaît jamais assez.

Il est très difficile de jouer la comédie, parce qu'il y a le public, dont il faut se préoccuper, et il y a le personnage, et soi-même; on oscille continuellement entre ces trois points. Il faut tout le temps se dire en jouant la comédie : Est-ce que le personnage ferait ça comme je le fais? Est-ce que je représente bien le personnage? En deuxième lieu, il y a le public qui est en face de toi et à qui tu dis tout le long de la scène : Mesdames et Messieurs, voilà la représentation que je vous en fais; est-ce que c'est bien ce qu'il faut? En troisième lieu, il faut que tu te sentes toi. Voilà le triangle dans lequel on vit sur scène. Il faut écouter l'un, rectifier l'autre, et être à soi en même temps. Tu vois ce dédoublement au milieu duquel nous vivons? Si tu vas très loin dans ce dédoublement, tu arriveras, à certains moments de la pièce, à participer à la pièce sur le plan même où était le poète. Si tu la joues dans cette position presque surnaturelle où est placé le comédien, au sein même du public, de son observation personnelle et du souci du personnage, tu verras que le « sans dot » que tous les commentateurs disent comique sans expliquer pourquoi, tu verras que tu le sentiras, tu le joueras bien. Et c'est ainsi que tu le feras sentir aux autres. Mais tu ne le sentiras jamais par les bobards des commentateurs. C'est par ce dédoublement que tu arriveras à la connaissance, à la sensation du sentiment dramatique.

Veux-tu reprendre?

— Qu'est-ce [1]? Je viens d'apprendre là-bas, à la porte, de jolies nouvelles :

L. J. : Tu es entré bien mieux que tout à l'heure; tu as eu dans la voix un ton de sincérité que tu n'avais pas tout à l'heure. J'appelle sincérité une authenticité que tu n'avais pas tout à l'heure.

1. In : *Œuvres de Molière*, édition nouvelle, Amsterdam, Jacques le Jeune, 1684.

Recommence. Traîne bien ton « Qu'est-ce ? » Si c'était au cirque, on l'entendrait de la coulisse jusqu'à ce que le clown arrive au milieu de la piste.

— Qu'est-ce ?

L. J. : Respire.

Tu es entré avec ton « Qu'est-ce ? » Dis-le en coulisse, tout le public regarde de ce côté. Tu traînes ton « Qu'est-ce ? » jusqu'à ce que tu sois en scène : — Qu'est-ce ? Vous m'avez bien vu ? Bien. — Tu respires et tu commences.

— Qu'est-ce ?

L. J. : Trop vite. Pour nous, et pour toi. Tu ne donnes pas assez d'importance à tout cela.

« Qu'est-ce ? » Il entre. « Je viens d'apprendre là-bas, à la porte, de jolies nouvelles. » Recommence; donne de l'importance au début.

Laisse bien Toinette placer ses répliques.

[A Hélène.] Tu ne les donnes pas encore dans la situation.

HÉLÈNE : Je ne peux pas trouver cette ironie.

L. J. : Ce n'est pas de l'ironie. Tu vois entrer cet imbécile, et tu y vas : — Comment donc ! Il a raison. Oh ! mais bien sûr. — Dès que Purgon entre, il faut que tu sentes en toi le public : — Vous allez voir ce que vous allez voir. Vous allez voir l'animal ! — Prends ton sentiment en coulisse toi aussi, pour entrer.

— Qu'est-ce ?...
— ...
— Il a tort.

L. J. : Ne dis pas « Il a tort » en baissant le ton.

— Il a tort.
— ...
— Un crime de lèse-Faculté qui ne se peut assez punir.

L. J. : Tu n'écoutes pas les répliques de Toinette.

Écoutez-vous les uns les autres. Finissez bien vos répliques.

[A Yves.] En tant que personnage, tu n'as pas besoin d'écouter les répliques de Toinette. En tant qu'acteur, il faut que tu les entendes. Réfléchis là-dessus. Tu verras que c'est une difficulté du métier à laquelle tu ne penses pas. *En tant que personnage, tu ne fais pas attention à Toinette; en tant qu'acteur, il faut que tu l'entendes*, parce que cela te donnera du ton, cela te permettra de repartir sur elle.

— Un crime de lèse-Faculté...
— ...
— Mépriser mon clystère !

L. J. : Tu n'as pas écouté Argan. Tu as saisi?

YVES : Non, je suis gêné. Je suis obligé de donner un mouvement plus grand parce qu'alors ça n'aura plus rien du médecin du XVIIe, je vais redevenir Yves.

[On a entendu quelque chose comme « ivre » et on rit sans comprendre ce qu'il veut dire.]

L. J. : Ce que j'essaie de t'expliquer, *c'est le mécanisme d'une scène*. C'est comme un morceau de piano, il s'agit d'apprendre à manier ton instrument, il ne s'agit pas de « jouer la comédie ». Ne t'occupe pas du XVIIe siècle; si tu arrives à dire cela comme c'est écrit, le personnage y sera. Tu penses déjà à la composition. A quoi as-tu pensé pour faire du XVIIe siècle?

YVES : Je le vois avec son chapeau...

L. J. : C'est du sentiment ce n'est pas du métier. Le métier, il faut le voir où il est : dans le texte. N'aie pas d'inquiétude pour le XVIIe siècle, il y est, Molière l'y a mis, alors ne te fais pas de souci, le reste c'est l'affaire du costumier, et de toi dans ta manière de porter le costume.

— Je vous déclare que je romps commerce avec vous...

[Il finit la scène.]

L. J. : Tu vas travailler le médecin de *Monsieur de Pourceaugnac* et regarde Harpagon aussi. Lis attentivement et nous en parlerons ensuite.

Tu ne sais rien, mon petit vieux. Tu joues la comédie parce que tu as des dons, tu as un sens du théâtre, mais au point de vue métier, tu ne sais rien. J'ai l'air d'être beaucoup pour le métier, mais qu'on le veuille ou non, on est obligé un jour ou l'autre de faire de la science en faisant du théâtre. Tu n'as pas idée de l'ignorance dans laquelle tu es au point de vue théâtre. Comme tu as des dons d'autre part, ce que j'essaierai de t'apprendre, ici, pendant trois ans, c'est le métier proprement dit. Écoute bien ce qu'on dit aux autres, tâche de réfléchir, et si tu ne comprends pas, tu viendras me poser des questions. Tu menaces, comme beaucoup, de te lancer dans la piscine et de nager comme tu peux en faisant de la brasse, il faut apprendre les nages de style.

Tu ne sais pas apprendre ton texte, tu as appris cette scène, tu l'as dite dans le mouvement, c'est-à-dire, comme un comédien de l'Odéon à qui on dit : *Le Malade imaginaire*, c'est dans trois jours. Bon, je sais ma tirade, dit-il. Il engueule le souffleur deux ou trois fois avant de commencer, et sort de scène en hurlant « Votre folie, votre folie. ». Et tu te dis : Ce n'est pas une bonne scène. Mais il y a des acteurs qui répètent une quatrième fois « Votre folie » en coulisse, et l'applaudissement vient. Et tu te dis : C'est une scène épatante à jouer. Purgon, voilà comment ça se joue d'habitude : on arrive, on hurle, on s'en va.

Si tu réfléchis sur ton cas, et si tu te dis : Le comique de Molière ? Au fond ce n'est pas comique pour un sou cette histoire de lavement, c'est imbécile, tu répéteras comme d'autres : Molière est comique, mais tu ne l'auras jamais senti, parce que tu auras mal appris ton texte, parce que tu auras appris ton texte dans un mouvement. Alors que si tu apprends la scène, si tu la lis en détail dans le ton, tu le sentiras.

Tu as donné le témoignage que tu ne sais pas où se placent tes répliques, tu n'as pas appris ta scène. Si tu savais vraiment bien Purgon, tu dirais à un moment donné à Hélène : Non, ce n'est pas cela que tu dis. Tu saurais parfaitement les répliques des autres. Tu ne peux pas apprendre une scène comme celle-ci si tu ne sais pas les répliques d'Argan et de Toinette. Tu t'es arrêté court au milieu d'une scène, tu ne savais pas où tu en étais. Tu ne l'as pas apprise dans le sens où tu aurais dû l'apprendre.

YVES : Je ne suis pas drôle là-dedans.

L. J. : Ne donne pas d'excuse. Si, tu seras drôle là-dedans si tu joues la scène. C'est une scène comique que tu retrouves vingt fois, cent fois dans le théâtre : Le type qui vient parler avec une importance exagérée d'une chose qui est minime, non seulement minime mais ridicule. Il s'agit d'un clystère. Le comique n'est pas un cri que tu pousses. Je te fais ces réflexions pour t'amener, toi-même, à découvrir, par toi, ce qui est, en quelque sorte, une contamination séculaire; mais il faut que tu le trouves pour toi. *Purgon est un personnage convaincu.* Ça part du splendide imbécile, qui porte en lui une conviction extraordinaire. Il faut que tu comprennes que cette scène, c'est un homme qui entre dans un salon où il y a un malade, ou un prétendu malade, qui bouscule les fauteuils et qui dit : Quoi! j'apprends que vous n'avez pas pris mon clystère ? Ce n'est pas du texte creux. Le comique est à base de cette sincérité, de la sincérité imbécile de Purgon. Quand Harpagon dit « Sans dot » ça part de cette sincérité, de cette conviction, qui est mal à propos quand elle ne va pas avec la situation. Si tu fais partir ton texte en réfléchissant au sens des phrases, au sens théâtral, tu comprendras que les répliques de Toinette et d'Argan ont de l'importance, alors que tu as fait du texte de Purgon une tirade. Ce que font tous les comédiens, d'ailleurs.

C'est un travail de manège que nous faisons ici, mais c'est toi qui dois réfléchir; c'est ton instrument que tu dois posséder. Si tu mets de la persévérance à travailler cette scène, tu dois la jouer très bien et tu dois découvrir, à propos de cette scène, la connaissance même de ton comique, de tes dons comiques.

Le comique est à l'intérieur du comédien. Bien sûr, il y a le type qui a une infirmité, qui est bossu ou qui a une sale gueule, on dit : c'est un comique. Mais le comique, c'est autre chose. C'est dans le texte que tu dois le découvrir, et le découvrir avec ta sensibilité.

Molière

LES FÂCHEUX

ACTE III, SCÈNE 2
CARITIDÈS, *Paul.*
Éraste, ?

CLASSE DU 17 AOÛT 1940 [1]

[Ils donnent toute la scène.]
L. J. : Qu'est-ce que tu en penses ?
PAUL : C'est très mauvais.
L. J. : Naturellement tu le dis par modestie ; mais qu'est-ce que tu sens quand tu joues cela ?
PAUL : Pour l'instant je suis très mal à l'aise, parce que *c'est la première fois que je le donne.*
L. J. : Vous me répondez tous la même chose : c'est la première fois que je le donne, *c'est très mauvais, je n'ai pas pu le repasser, etc.* Je te demande ce que tu sens quand tu joues cela.
PAUL : Je sens que je ne *suis pas assez « fâcheux ».*
L. J. : Ce n'est pas cela non plus.
PAUL : Je ne suis *pas le « personnage ».*
L. J. : Qu'est-ce que tu sens en jouant ça ?
PAUL : Que j'ai l'air d'un vieux gâteux, mais qui n'est pas du tout Caritidès.
L. J. : Cela ne veut rien dire. Dis-moi ce que tu sens. Quand tu joues le personnage, tu as une sensation ou un sentiment. C'est avec cela que le comédien vit ; c'est dans ce dédoublement qu'il a, quand il joue, le sentiment de ce qu'il fait. Même dans la vie, quand tu manges ou quand tu bois, tu as le sentiment de ce que tu fais. C'est ce qu'il faut que tu essaies d'élucider : ce que tu sens.

J'essaie d'attirer ton attention sur quelque chose qui est très important, que tu dois comprendre ; ce n'est pas pour que tu me répondes au petit bonheur, c'est pour t'éclairer toi-même sur certains côtés de l'interprétation. Qu'est-ce que tu sens quand tu joues Caritidès ?

1. Note en tête du cours : Du dédoublement ou contrôle.

PAUL : Je ne peux pas vous dire, je ne suis pas à l'aise.

L. J. : Personne n'est à l'aise en jouant la comédie, ceux qui sont à l'aise sont des crétins.

PAUL : Je sens que je suis ridicule.

L. J. : Mais tu *joues* le ridicule en même temps que tu le sens!

PAUL : Je le joue ridicule parce que je sens le personnage...

L. J. : Je te pose la question : qu'est-ce que tu sens? Pendant qu'on joue une scène on a un certain sentiment. L'autre jour, j'ai interrogé Jacky après sa scène de Florian. Il m'a dit : je me sens ému en jouant ça, je participe au personnage. C'est la question que je te pose : qu'est-ce que tu sens?

PAUL : Je ne peux pas dire que j'épouve une sensation particulière.

L. J. : Par conséquent, tu ne sens rien. *Tu n'es pas encore au stade où, quand il joue, le comédien a conscience de ce qu'il fait.* C'est ce qu'il faut que tu apprennes.

Tu es un cas particulier. A cause de la singularité de ton physique [il est grand, 1 m. 86, mince, tout en jambes, poussé trop vite], à cause de ton sens du comique ou plutôt de la caricature, tu feras toujours le même personnage.

Si je veux te faire des compliments, je te dirai que ta diction est excellente, que tu phrases très bien. Arrêtons là les compliments, car je dois te signaler, comme tu es un cas particulier, comme tu as un certain sens de la caricature que tu portes en toi, qu'il faut que tu *essaies de jouer des personnages.* Sans cela tu utiliseras seulement ton physique, et comme tu donnes dans la caricature, tu pourras jouer dans les cabarets montmartrois, c'est tout; car ce n'est pas un personnage que tu viens de me faire. Si tu veux jouer un personnage, il faut avoir le sens de ce que tu exécutes. Entre Caritidès et le Purgon que tu m'as donné une fois, tu n'as pas fait de progrès sensible, sinon en diction. Tu ne joues pas le personnage. Tu n'as pas de critique à te faire?

Le professeur n'est qu'un miroir qui te fait réfléchir à ce que tu fais. Mais pour t'apercevoir dans le miroir, il faut que tu jettes un coup d'œil, il faut que tu essaies de te rendre compte de ce que tu fais.

PAUL : Justement je ne me rends pas compte du tout. Je l'ai donné une fois avant-hier avec beaucoup d'éclat, je tâchais de le faire fâcheux, comme je l'avais compris. Mais comme il a *une volubilité très grande et qu'il parle très haut,* c'est surtout en cela qu'il est *fâcheux,* que l'autre ne peut pas s'en débarrasser. Mais M. M. m'a dit que c'était un *vieux aigri.*

L. J. : Il est triste; il faut le faire drôle; en même temps c'est un raseur ce personnage; quand tu as dit quatre vers, on pense : il y en a assez, ça va durer comme ça jusqu'au bout. Il n'y a *pas de mouvement, il n'y a pas de péripéties dans la scène, parce que tu ne vois pas le personnage.*

Là aussi, il faut en revenir à la situation : c'est-à-dire à la condition dans laquelle se trouve placé le personnage et à ce qu'il dit. Ne cherche pas une conception à priori du personnage, cherche le personnage par rapport à la situation. Il n'y a pas de mouvement dans ton histoire.

Il y a encore une faute grave au point de vue de l'exécution. Laquelle?

NADIA : Je trouve qu'il n'a pas assez de plaisir à le dire, c'est triste.

C'est un homme qui regarde ce qu'il dit, qui se mire dans ce qu'il dit.

PAUL : Je n'ai pas l'impression d'avoir rabâché mon placet pendant des années.

L. J. : Pourquoi l'avoir rabâché pendant des années? Tu devrais le jouer avec cette aisance dans le propos, cette sincérité.

PAUL : Parce que Caritidès est très sûr de lui?

L. J. : Bien sûr! c'est un convaincu.

PAUL : Je croyais qu'il était timide.

L. J. : Tu lui donnes exactement ta personnalité, ta sensibilité, alors que ce n'est pas vrai. Caritidès n'est pas un timide, c'est un homme qui est sûr de son fait.

PAUL : Il est très à l'aise quand il vient voir Éraste?

L. J. : Ce qui te prédispose mal à jouer la scène, c'est la façon dont tu joues. Tu as pris ton partenaire par le cou, tu ne l'as pas lâché tout du long. Cette façon de jouer étrangle la scène, tout ce que tu dis à Éraste n'a vraiment pas d'intérêt pour nous. Pourquoi crois-tu qu'est fait le personnage?

PAUL : Pour montrer au public ses défauts, son caractère...

L. J. : Tu entres, tu te jettes sur ton partenaire et tu ne le quittes plus; on assiste à une opération d'endosmose à laquelle on ne s'intéresse plus. Nous attendons que, telle une sangsue, tu tombes lorsque tu l'auras sucé. C'est une opération interne et pas du tout externe. Caritidès est une pieuvre, plutôt qu'une sangsue. Il lâche l'autre et le reprend. Pour donner l'impression que tu te colles à lui, il faut le lâcher puis le reprendre.

PAUL : Il faut l'aborder avec une grande satisfaction de soi et sincérité.

L. J. : *Si tu veux donner l'impression que tu ne lâches pas le personnage, c'est justement en le lâchant plusieurs fois, puis en le reprenant que tu y parviendras.*

Est-ce que tu comprends quelque chose à ce que je te raconte?

PAUL : Oui, Maître.

L. J. : Tu le crois.

PAUL [riant] : C'est la même chose.

L. J. : C'est la même chose que ce que tu fais dans Purgon. Il ne faut pas continuer ce genre de truc; il faut tâcher de jouer des personnages. Étant donné que les personnages sont beaucoup plus divers que tu ne l'imagines, étant donné que tu as tendance, comme tous les comédiens, *à unifier tout à ton tempérament ou à ton humeur, étant donné que par ton physique tu accordes à chacun une ressemblance qui aggrave encore ton cas*, tu dois plus que personne essayer de *différencier ce que tu fais.* Sans cela, évidemment, tu joueras le même personnage tout le temps, ce qui est le cas de beaucoup de comédiens.

Ton Caritidès n'est pas bon.

PAUL : Oui, pour Caritidès, c'est comme pour Purgon; c'est un personnage que je n'avais pas travaillé, que je ne sentais pas.

L. J. : Tu ne sentais pas Purgon?

PAUL : Non.

L. J. : Ce n'est pourtant pas difficile.

PAUL : Ce sont des personnages que je n'aime pas.

L. J. : Il s'agit de remettre Purgon dans la sensation où il se trouve; ce type est dans un état de fureur absolue. *Il faut essayer de trouver la sensation même dans laquelle se trouve le personnage*, son état physique quand il entre et dit : Qu'est-ce?

PAUL : Ce que je ne comprends pas, c'est que des personnages comme ça, je ne les aime pas, je n'ai pas plaisir à les travailler, alors que quelque chose comme le Vice-Roi du *Carrosse*, j'ai la sensation du personnage, j'ai envie de dire mon texte.

L. J. : Il faut que tu réfléchisses un peu; tu ne peux pas te mettre comme cela à la place du personnage; ce serait trop simple. Tu ne peux pas déjà jouer des personnages. Qu'est-ce que tu as travaillé d'autre?

PAUL : J'ai travaillé le Premier Médecin de *Pourceaugnac*, le Vice-Roi et Géronte des *Fourberies*.

L. J. : Tu es assez satisfait de Géronte?

PAUL : Non, je ne suis pas satisfait, parce que c'est dur comme personnage. Je n'y arrive pas; c'est difficile à jouer, parce qu'il y a beaucoup de choses à faire dedans.

L. J. : Qu'est-ce qui te gêne pour jouer Géronte?

PAUL : C'est que c'est un *vieux de soixante ans et moi je suis jeune.*

L. J. : Réponds à ce que je te demande. Qu'est-ce qui te gêne pour jouer Géronte?

PAUL : Justement ça, *la différence d'âge entre Géronte et moi.*

L. J. : Ce n'est pas une difficulté. Il aurait dix-huit ans, ce serait la même chose. Ce personnage est fait de naïveté et d'avarice. Géronte à dix-huit ans devait avoir autant de naïveté qu'à soixante-cinq, il devait dire la même chose : « Que diable allait-il faire dans cette galère? » Et le fait d'imiter un vieillard ne doit pas être un très gros problème, sans cela tu n'es pas un comédien. Imiter un vieillard ce n'est rien. Ce qu'il faut, c'est jouer le personnage. Le fait de la vieillesse de Géronte ne peut pas être un empêchement. Alors réfléchis, cherche à savoir pourquoi tu ne peux pas jouer Géronte.

Il s'agirait de son frère, au lieu de son fils, ce serait la même chose.

PAUL : *Je ne me rends jamais compte de ce que je fais quand je joue une scène.*

L. J. : C'est ce que j'ai l'honneur de te faire dire depuis une demi-heure. C'est cela justement que je voudrais que tu comprennes. *Ce qui est important, c'est de savoir ce qu'on fait.*

PAUL : Quand c'est un camarade qui passe une scène, je vois très bien ce qu'il fait, si c'est bien ou si c'est mal, mais pour moi...

L. J. : Toujours la même chose, la paille dans l'œil du voisin et la poutre dans le sien. C'est à cela qu'il faut réfléchir et ne pas se laisser perdre dans des bobards. *Les bobards*, c'est ce qui tue notre profession, bobards écrits, bobards pensés, bobards de conversation. Il faut remettre les choses plus près de la vérité.

Molière

LE MARIAGE FORCÉ

SCÈNE 4[1]

PANCRACE, *Léon.*
Sganarelle, *Jacky.*

CLASSE DU 21 FÉVRIER 1940

[Ils donnent toute la scène.]
L. J. [à Jacky] : Tu as donné ta réplique comme un cochon, mon petit.
JACKY : Je ne l'ai pas répété du tout avec lui.
L. J. : Ce sont des choses qu'on a vu jouer!
Tu ne l'aides pas du tout quand tu donnes la réplique. Tu es un comédien ou tu n'en es pas un; si tu es un comédien, il faut donner le mouvement de la réplique. Tu ne lui donnes pas du tout la réplique. S'il y avait des notes pour les répliques, je te donnerais zéro! On irait chercher n'importe qui dans la rue, que ce ne serait pas plus mauvais.
[A Léon.] Qu'est-ce que tu en penses?
LÉON : Je ne sais pas.
L. J. : D'abord, je te le dis avant que tu me le dises, tu es enrhumé.
LÉON : Non, je ne suis pas enrhumé.
L. J. : Alors c'est que je suis gâteux! parce que je trouve que tu es enrhumé. Bon, disons que tu es enroué, c'est ce que vous appelez d'habitude être enrhumé.
LÉON : Oh! oui, je suis enroué.
L. J. : Et tu es plus enroué à la fin de ton morceau qu'au début. C'est ce qui est important, c'est ce qui est grave.
La première constatation que tu dois faire, c'est que ta voix est mal placée.
Dès le début, on voit que tu n'iras pas au bout. Il faut que tu fasses des exercices pour placer ta voix dans le masque.
Tu te fatigues dans le morceau et tu manques de souffle. Je

1. Voir texte page 284.

ne te fais pas ces critiques-là pour t'en faire reproche, mais pour
que tu comprennes qu'il y a des choses que tu ne sais pas et qu'il
faudrait que tu apprennes.

Je voudrais que tu sentes que tu es enroué, que tu n'es plus
maître de tes moyens, que tu n'as pas assez de souffle; on sent
qu'à un moment donné, tu es épuisé.
[L. J. haletant.] « De quelle langue voulez-vous parler? » On
sent que tu es à bout de forces.

On ne peut pas, quand on fait ce métier-là, *donner au public le sentiment de l'effort.* Que nous l'ayons nous, oui; mais il ne faut pas
que le public s'aperçoive de l'effort. Tu peux être exténué, ruisse-
lant de sueur quand tu sors en coulisse, tu ne dois pas donner
l'impression que tu te fatigues [1].

LÉON : Je croyais que, dans cette scène-là, il fallait...

L. J. : Mais tu donnais une impression d'impuissance; on voyait
que tu étais à la limite de ton effort.

Quand tu fais tous tes retours à la coulisse, au début, on voit
que tu es à court de souffle, alors, qu'au contraire, Pancrace n'est
pas à court de souffle. C'est un homme qui est dans un état d'exaspération extraordinaire. Ça n'y était pas, parce que tu n'as pas
le métier pour jouer cette scène. C'est un morceau de troisième
année, tu ne peux pas le jouer en première année.

Je veux bien vous laisser travailler des scènes comme celle-là
si vous pouvez, à la faveur de ces scènes, vous apercevoir qu'il y
a un métier. Si ça ne te fait pas prendre contact avec toi-même,
ce n'est pas une scène utile pour toi.

LÉON : C'est trop fort pour moi?

L. J. : C'est trop fort pour le moment.

Toute la scène est brouillée; il n'y a pas de dessin dans ce que
tu fais; les mouvements successifs de la scène ne sont pas visibles.

Il n'y a pas de dessin : c'est comme un tableau où les couleurs
seraient mises n'importe comment.

Dans une mélodie, il y a une ligne musicale, il y a des phrases,
il y a un mouvement; il y a des traits comme on dit en musique.

Dans un morceau comme celui-là, il y a des mouvements. C'est
confus; cela ne s'entend pas parce que la voix est mal placée;
cela ne se lit pas; lire, je veux dire comprendre uniquement par
la mimique, le geste, le ton de la voix. Si tu entendais cela dans
une langue étrangère, tu comprendrais cependant très bien le personnage, par ses gestes, sa mimique, sa démarche, son ton, sa voix.

C'est embrouillé. Tu as tout à apprendre : apprendre à respirer, à attaquer, à faire des crescendos.

Quand tu fais tous tes mouvements vers la coulisse, je défie

---

1. L'épuisement comme les autres sentiments doit se jouer.

n'importe quel comédien, si puissant soit-il, de s'en tirer à la manière dont tu le fais.

Tu ne te donnes pas de temps. Tu vas à la coulisse, tu gueules, tu retournes près de Sganarelle pour aller de nouveau vers la coulisse, tu attaques tout de suite dans le plein de ta voix, et tu marches sur ton texte; tu ne te ménages pas de poses.

Est-ce que tu comprends?

LÉON : Oui, oui.

L. J. : Si tu ne comprends pas, dis-le-moi.

Tu ne fais pas de poses.

Il y a un petit truquage à faire : les répliques de Sganarelle sont très courtes; tu n'as pas le temps de repartir. Alors, tu fais quelques pas comme quelqu'un qui va repartir, et tu attaques *après*. Ainsi tu auras le temps de te remettre.

Ce sera mieux aussi pour le public, parce que si tu cries tout le temps, c'est monotone.

Tu fais quelques pas, cela crée des repos. C'est cela qui donne le dessin de la scène.

Autre chose qu'on ne voit pas du tout dans ce que tu as fait, c'est l'étonnement sur la rencontre de Sganarelle. Tu ne sais pas pourquoi tu as tout à coup Sganarelle en face de toi, tu ne sais pas ce qu'il veut, il faut que tu sois étonné, que tu le regardes de bas en haut. C'est ça qui allonge la scène et te permet de la réattaquer.

Ce qui manque à ta scène : c'est cette expression particulière qu'a Pancrace qui est *absolument intangible*. C'est un personnage qui est dans sa colère. Il baigne dans sa colère et rien ne peut l'atteindre. Il dit à Sganarelle : « Que voulez-vous? » on sent qu'il est préoccupé par autre chose. Tout ce qui pourrait le distraire de sa colère (les questions de Sganarelle) ne le distrait pas : la colère est plus forte que tout. Ce philosophe qui est la sagesse même, qui est un sage, un homme pondéré, un homme qui sait peser les choses, apparaît, tout au contraire, comme quelqu'un qui est empêtré dans une querelle de femme de ménage. Cet homme de sens donne le témoignage, l'exemple d'une passion extrêmement vulgaire, et avec tout cela, le goût du galimatias, l'orgueil de la science, l'orgueil de son savoir, font de lui un imbécile.

Il y a toutes sortes de choses là-dedans que tu n'as pas mises, que tu ne vois pas, que tu as peut-être vues mais que tu ne rends pas. Pour faire tout cela, il faudrait du métier.

Le métier que tu as à acquérir en première année, c'est voir un texte, en mesurer la longueur comme un sportif mesure le saut qu'il va faire pour prendre son élan, pour franchir l'espace qu'il se propose de franchir; toi de même tu dois mesurer le souffle que tu dois avoir, et articuler de manière à ce qu'on t'entende; avoir, sur l'émission de ce que tu dis, un sentiment qui soit juste, c'est-à-dire *t'entendre*, comprendre ce que tu fais.

Si en descendant de scène, tu pouvais m'expliquer ce que tu as fait, me dire : à un moment donné, j'ai senti que, j'ai entendu que... ce serait très intéressant. C'est ce qu'il y a de plus difficile pour le comédien : se voir, s'entendre.

Travailler cette scène peut être utile pour toi, seulement tu vas avoir du mal. Est-ce que cela t'amuse ?

LÉON : J'aime beaucoup... Ça me fera peut-être du bien, au point de vue travail, une chose difficile...

L. J. : C'est toi que ça regarde. Si tu sens que tu en as besoin.

LÉON : A quelle chose est-ce que je peux m'attaquer ?

L. J. : On voit bien ce que tu feras au théâtre. Tu ne vas pas jouer Clitandre, ni Dom Juan. Tu vas entrer dans les personnages de grime et de manteau. Mais il faut que tu aies un grand courage, parce que tu vas te fatiguer pour travailler ces rôles.

Si tu veux travailler Pancrace, moi je veux bien.

[Léon acquiesce.]

L. J. : Eh bien, allons-y, je vais te l'expliquer, au moins en partie.

Qu'est-ce qu'il faut pour commencer ce morceau ?

LÉON : Avoir la voix dans le masque.

NADIA : Il faut qu'il ait l'humeur du personnage.

L. J. : Il faut que tu sois dans l'humeur, dans le ton du personnage.

Qu'est-ce que le personnage ?

LÉON : C'est un savant.

L. J. : Avant que le personnage entre en scène, comment est-il ?

LÉON : ...

L. J. : Il est en train de se bagarrer avec un type qu'il traite comme du poisson pourri en coulisse...

LÉON : ...pour défendre son idée.

L. J. : C'est un homme au plus fort de la colère, au paroxysme de la colère. Et il s'en va, probablement parce qu'il ne peut plus en supporter d'avantage. Il faut que l'acteur qui joue cela soit gonflé à bloc.

Tu vois par conséquent dans quel état de puissance tu dois être, étant donné tout ce que tu as encore à faire. Nous ne voyons pas la dispute avec l'autre personnage, mais on peut imaginer que c'est une scène effroyable, une scène dans laquelle Pancrace a hurlé; ils en sont presque venus aux mains.

Alors, il entre en scène dans un état de furie extraordinaire. Il y a trois parties dans cette scène, quelles sont-elles ?

LÉON : La première partie, quand il discute en coulisse; la

deuxième avec Sganarelle : « Voulez-vous me parler italien ? »;
la troisième partie, il repique dans la colère.

L. J. : Très bien. Il faut voir la scène comme cela dans les différents morceaux, voir les articulations de la scène, c'est-à-dire les moments où le mouvement change parce que le sentiment change dans le personnage.

Nous allons voir la première partie. Nous allons voir un homme arriver en scène dans un état d'exaspération indicible, avec ce qu'il y a dans toutes les passions qui s'apaisent, un accès.

Que ce soit une crise de l'estomac ou du foie, c'est la même chose : un grand accès d'abord, puis une série de soubresauts.

Au moment où l'accès de colère va finir, Pancrace a une série de soubresauts, jusqu'à ce qu'il se calme parce qu'il n'en peut plus ; tu dois donner l'impression que tu n'en peux plus.

Alors, vas-y.

— Allez, vous êtes un impertinent,

[J. L. l'arrête.]

MICHEL : Il n'est pas entré en scène.

L. J. : Tu n'es pas entré en scène.

Il faut que les premiers mots que tu dis soient d'une sonorité telle que tout le monde les entendent, que ce soit clair. On a entendu : A-è.

Et il faut entrer en scène.

— Allez, vous êtes un impertinent, mon ami,

L. J. : Tu n'es pas entré en scène.

— Allez, vous êtes un impertinent, mon ami,

L. J. : Tu as deux façons d'entrer en scène : soit en parlant, soit en ne parlant pas. Tu entres face à Sganarelle et tu vas sur lui qui se dit : — C'est à moi qu'il en veut. — C'est une entrée franche.

Il y a une troisième entrée, en te tournant vers la coulisse, mais tu ne peux pas la faire, c'est trop fort pour toi.

— Allez, vous êtes un impertinent, mon ami, un homme bannissable de la République des lettres.

L. J. : Tu vas te placer à côté de Sganarelle et tu ne l'as pas vu !

LÉON : Il faut que je le voie ?

L. J. : C'est-à-dire que tu le regardes sans le voir, si tu veux, mais avec une impression étonnée : Qu'est-ce qu'il me veut, celui-là ?

[Léon recommence, marche sur Sganarelle, le heurte presque.]

L. J. : Non, c'est à la fin que tu butes sur lui.

Mais tu parles devant toi, comme si tu disais ça à Sganarelle.

— Allez, vous êtes un impertinent, mon ami,...

— ...

— Oui, je te soutiendrai par vives raisons

L. J. : « Oui » très long. Prends ton temps sur le « oui », étale ton « oui ». Tu te reposes sur le « oui ».

— Oui, je te soutiendrai par vives raisons
que tu es un ignorant, ignorantissime,

[Léon marche sur Sganarelle.]

L. J. : « Ignorantissime », c'est à nous. Tu vas trop près de lui.

— ...tu es un ignorant, ignorantissime,

L. J. : Dis ton texte en étant étonné de voir Sganarelle.

— ...tu es un ignorant, ignorantissime, ignorantifiant et ignorantifié, par tous les cas et modes imaginables.

L. J. : Fais une mimique vers Sganarelle, parce que tu le vois, alors tu as tout ton temps ; ta mimique te laisse le temps de respirer.

— ...tu es un ignorant,...

— ...

— Tu veux te mêler de raisonner, et tu ne sais pas seulement les éléments de la raison.

L. J. : Tu vas trop vite. « Tu veux te *mêler* », long.

— Tu veux te mêler de raisonner,

L. J. : Non, dis bien : « *mêler* », « Tu veux te *mêler* de raisonner, ».

— Tu veux te mêler de raisonner,

L. J. : Tu sais, le type dans la rue qui a une discussion avec un sergent de ville, et qui prend les gens à témoin, n'importe qui. « Tu veux te *mêler* de raisonner, ».

— Tu veux te mêler de raisonner,

L. J. : C'est trop vite. Ce qui est drôle, c'est que tu engueules le type qui est en coulisse, et que tu continues en t'en prenant à celui qui est là (Sganarelle), complètement inoffensif.

— Tu veux te mêler de raisonner,

L. J. : Essaie de le comprendre, de le sentir, avant de le faire.

— Tu veux te mêler de raisonner,

L. J. : Non, c'est trop vite. Le sentiment n'est pas juste. Tu peux faire ce que tu veux, ce qu'il faut c'est que tu te donnes un temps.

Si tu veux meubler cela par des temps successifs, tu arriveras au bout, autrement tu n'y arriveras pas.

[L. J. joue ce morceau de la scène. Il indique à Jacky (Sganarelle) de prendre Pancrace par le bras quand il l'apostrophe : « Seigneur... » Pancrace repousse Sganarelle d'un geste de la main, retourne vers la coulisse et dit la réplique : « C'est une proposition... »]

— La colère l'empêche de me voir. Seigneur...
— C'est une proposition condamnable

L. J. : Ne parle pas d'abord. Si tu parles en marchant, tu n'auras pas le temps de respirer.

Place-toi d'abord. Tu parles encore sur le bout de tes pas.

— La colère l'empêche de me voir. Seigneur...
— C'est une proposition condamnable dans toutes les terres de la philosophie.

L. J. : C'est toujours la même histoire. Si tu es tendu tout le temps, tu ne pourras pas continuer; à un moment donné tu n'en pourras plus.

Tu dois te décontracter pendant les quelques pas que tu fais de Sganarelle à la coulisse. Tu dois donner l'impression de la colère, mais ne te contracte qu'en arrivant à la coulisse.

[Léon le fait : va de Sganarelle à la coulisse.]

L. J. : Mais il faut de la rapidité. C'est quelqu'un qui parle très vite, qui est... surexcité.

— La colère l'empêche de me voir...
— ...
— Serviteur.

L. J. : Là, il faut que tu le voies vraiment pour la première fois. C'est un type qui n'a pas fini de se vider. Tu le regardes, puis : « Serviteur ».

— Serviteur.
— ...
— Oui, je défendrai cette proposition,

L. J. : Retourne vers lui.

— Puis-je ?...
— ...
— Seigneur Aristote, peut-on savoir ce qui vous met si fort en colère.

L. J. [à Jacky] : Tu n'entends pas ce que tu fais? C'est très gentil et très distingué, mais ça ne participe pas du tout à la scène.

« Peut-on savoir ce qui vous met si fort en colère», — je vous en prie dites-le-moi ! que j'y participe ! —

— Seigneur Aristote,...
— Un sujet le plus juste du monde.

L. J. : Là tu commences la confidence.

Tu es là sur le trottoir avec le sergent de ville... et tout à coup tu as une détente et tu prends conscience de sa présence. C'est ça qui te donne du repos. En même temps, c'est psychologiquement vrai, car un homme ne soutient pas une colère pareille d'un bout à l'autre. Quand un homme a fini de pousser son accès, il s'arrête, souffle, puis il repart.

— Seigneur Aristote,...
— ...
— Un ignorant m'a voulu soutenir une proposition erronée, une proposition

L. J. : C'est un homme qui est déjà fatigué. — Une proposition épouvantable, exécrable, vous ne pouvez pas savoir ! c'est insensé... —

Ne fais pas de geste. Il n'en peut plus.

— Un ignorant m'a voulu soutenir...
— ...
— Ah ! Seigneur Sganarelle, tout est renversé aujourd'hui,

L. J. : C'est un type qui pleure ; il a un vrai désespoir. « ...les magistrats... devraient rougir de honte » — Ah ! ah ! c'est affreux.— Il est moralement assis par terre. — N'est-ce pas épouvantable ? — Et tu lui expliques ce que c'est. Tu es exténué, à bout.

— Ah ! Seigneur Sganarelle,...
— ...
— ...que d'endurer qu'on dise publiquement la forme d'un chapeau ?

L. J. : C'est là que, en partant très bas dans la logique, dans l'indignation, tu vas commencer à remonter la scène. « N'est-ce pas une chose horrible, ».

— N'est-ce pas une chose horrible,...
— ...
— ...d'autant qu'il y a cette différence entre la forme et la figure,

L. J. : « D'autant qu'il y a cette différence... » très confidentiel. Comme si c'était quelque chose de secret.

« D'autant qu'il y a cette différence...» avec une passion sadique.

— Je soutiens qu'il faut dire...
...il faut dire la figure d'un chapeau et non pas la forme.

L. J. : Là il faut que ça te reprenne. Ça te reprend d'un coup. Tu cours à la coulisse et tu recommences.

— Oui, ignorant que vous êtes,

L. J. : Ton pas n'est pas celui de quelqu'un qui va en insulter un autre. Tu as une marche contractée.

— Oui, ignorant que vous êtes,...

— ...

— Soit. Que voulez-vous me dire?

L. J. : C'est autre chose. C'est le type qui est dans un état de désespoir absolu. — Eh bien! allez-y, je vais vous donner ma consultation. — Mais ça ne l'intéresse pas; il est tout à cette colère qu'il vient d'avoir.

C'est encore un moment où la scène change.

— Soit. Que voulez-vous me dire?

— ...

— Parbleu! de la langue que j'ai dans la bouche;

L. J. : Très gentil ça; c'est pour le mettre en train.

— Je vous dis : de quel idiome, de quel langage?

L. J. : Tu regardes Sganarelle avec une très grande indulgence; tu as un immense regard de pitié pour cet imbécile et tu dis : « de quel idiome, de quel langage? »

— Je vous dis : ...

— ...

— Non, non, français.

L. J. : De temps en temps, Pancrace a encore un coup d'œil vers la coulisse; il énumère sans intérêt les langues qui lui sont habituelles; puis quand il arrive aux langues extraordinaires, il s'anime.

C'est classique. Ce sont des trucs de cirque.

Il faut qu'il y ait : cette décroissance pour l'intérêt que tu as vers la coulisse et, tout à coup, un intérêt pour ces langues extraordinaires, et tu repars de nouveau dans le « débloquage ».

[A Jacky.] Tu es une « bille », toi, tu sais!

Ce n'est pas difficile à jouer, ces « non ». C'est une scène de sourd. Le type qui demande quelque chose et à qui on propose exactement ce qu'il ne veut pas.

« Non, non, français » — vous ne comprenez pas à la fin! — Fais un crescendo là-dedans, fais quelque chose!

— Je vous dis : ...

— ...

— Non, non, français.

[La voix de Jacky tombe encore après « français ».]

L. J. : Tu ne peux pas imaginer cela? Mais si tu n'as pas d'imagination tu ne feras jamais un comédien!

Tu entres dans un bureau de tabac : Donnez-moi un paquet de caporal! Et tu as affaire à une femme qui est sourde et qui répond : Des Gitanes?

— Non.

— Ah! vous désirez des Camel?

— Non.

— Des Craven?

— Non.

— Des Lucky?

— Non, non, non, à la fin, des ca-po-ral!

Si tu ne peux pas jouer la tragédie, ni la comédie, ni le drame, ni les jeunes premiers; si tu ne peux jouer que des petits personnages comme Pierrot...

Tu es là pour donner des répliques, même si ce ne sont pas les tiennes. Tu l'as vu jouer, déjà?

JACKY : Non, je ne l'ai pas vu.

L. J. : Tu as peut-être aussi bien fait, mais enfin...

C'est le métier du comédien d'imaginer les choses. Toutes les scènes qu'on vous fait jouer ici, vous pouvez déjà les avoir vu jouer. Tu as raconté toi-même avec tes camarades des histoires où deux sourds discutent ensemble sans jamais se comprendre!...

— Je vous dis : ...

— ...

— Non, non, français.

L. J. : Tu peux les faire de mille façons, tes « non », mais montre-nous cette impatience du personnage. C'est charmant ces « non » successifs que fait Sganarelle.

Jouer cela comme tu le fais, c'est dans le style habituel du répertoire, où le type qui fait Sganarelle dit : C'est une scène pour Pancrace, moi je m'en moque; je lui donne la réplique comme je peux.

Si tu disais cette scène-là dans la vie, tu crierais : français, français, français, français, vous ne comprenez pas!

[Jacky reprend trois fois de suite, mais baisse toujours sur « français ».]

L. J. : Ce n'est pas difficile! Si tu ne peux pas faire ça, tu ne peux pas jouer la comédie.

J'insiste sur cette question-là... C'est une gradation...

— Non, non, français.

— ...

— Passez donc de l'autre côté;

L. J. : Tu viens de nous dire ça comme les acteurs qui jouent Molière, avec le sentiment que c'est une chose drôle. C'est la dernière chose pour un comique. Quand on veut assassiner quelque chose au point de vue comique, il n'y a qu'à le présenter avec l'intention d'être comique. Tu peux être sûr que ce ne sera jamais comique.

La chose est drôle, pourquoi? Parce que cet homme dit très simplement, très naturellement, une chose grotesque. On ne dit pas avec esprit une chose grotesque.

Dis-le avec conviction. C'est cela le comique : la conviction. Si tu dis cela avec conviction, avec sérieux, avec sincérité, cela sera drôle. Tandis que si tu dis : Comme c'est drôle, Molière! Vous allez entendre la fameuse réplique que vous connaissez si bien, dont on vous a abrutis pendant votre jeunesse, et qui est drôle! mais drôle! eh bien, ce ne sera pas drôle!

Comme cela, il y a le « Sans dot » ou « Que diable allait-il faire dans cette galère ». Tout Molière est joué comme ça.

— Passez donc de l'autre côté;

L. J. : Plus sincère. Comme les gens ont des habitudes ou des manies : non, pas dans cette poche-là, les allumettes; le porte-monnaie à droite, les allumettes à gauche.

Sganarelle est agenouillé au confessionnal; Pancrace lui donne l'absolution; c'est la consultation qui commence. C'est très sérieux; donne-lui l'impression que ça va commencer.

Le comique de la scène est qu'il y a quelque chose qui commence et qui est répété de nouveau.

— Passez donc de l'autre côté;...
— ...
— Si la logique est un art ou une science?

L. J. : Non, ne regarde pas Sganarelle. Pancrace entre dans l'infini de sa pensée, et ne s'occupe pas du tout de Sganarelle. Pancrace est tout en lui parce qu'il a été trop hors de lui.

« Vous voulez peut-être savoir si la substance et l'accident sont termes synonymes... » — c'est ça que vous voulez savoir? — Ne le regarde pas; c'est un type qui a la tête dans ses mains.

« Si la logique est un art... » — c'est ça que vous voulez savoir.
— L'enthousiasme le reprend.

— Ce n'est pas cela. Je...

L. J. [à Jacky] : Je t'en supplie, ne dis pas : « Ce n'est pas cela je. » Il faut dire : « Ce n'est pas cela. Je... » Tu repars sur le « Je... »

[A Léon.] Tu as compris quelque chose? C'est difficile à faire.

Enfin, travaille-le si tu veux, seulement, je ne sais pas si tu t'en sortiras.

Il faut bien y réfléchir. Il ne s'agit pas de refaire les indications que je t'ai données, cela ne servirait à rien. Il faut que tu le sentes. Si tu le sens bien, si tu as bien senti le comique de la scène, ou bien le sentiment, ça va tout seul. C'EST LE SENTIMENT QU'IL FAUT QUE TU DÉVELOPPES EN TOI.

Beaumarchais

LE BARBIER DE SÉVILLE

ACTE II, SCÈNE 8

BAZILE, *Léon.*
Bartholo, *Octave.*

CLASSE DU 29 NOVEMBRE 1939

L. J. : Un Bartholo ? Qui fait Bartholo ? Allez, Octave, donne-lui la réplique dans Bartholo.
OCTAVE : Je ne peux pas, Maître.
L. J. : Comment tu ne peux pas ?
OCTAVE : Je ne sais pas donner les répliques.
L. J. : C'est fâcheux... parce qu'alors il vaudrait peut-être mieux choisir un autre métier.
[Tout le monde rit.]
OCTAVE : C'est parce que j'ai peur.
L. J. : Ça fait partie du métier. Écoute, je vais te donner un conseil, te dire un axiome définitif : quand on ne sait pas faire quelque chose, on l'apprend. Je ne te demande pas d'apprendre à monter à bicyclette ou à cheval si tu ne sais pas ; je m'en moque. Mais au théâtre, quand on ne sait pas faire quelque chose, il faut l'apprendre tout de suite. Par exemple, si tu ne savais pas te maquiller, ou t'habiller, ou si tu ne pouvais jouer que les jours pairs, etc. Si tu ne pouvais pas jouer avec une fille qui ne te plaise pas...
CLAUDIA : Oh ! ça, ça compte !
L. J. : Non, il faut faire abstraction de l'antipathie ou de la sympathie. Le personnage à qui on donne la réplique est toujours un être abstrait. Si vous en faites quelqu'un pour qui vous avez de la sympathie ou de l'antipathie, vous vous mettez dans une situation inférieure. Il y a des partenaires qui sont gênants, oui, cela est grave ; je ne parle pas de sympathie ou d'antipathie ; je parle de mauvais comédiens. Le partenaire à qui on donne un certain ton, il parle au-dessous ; on lui donne un certain mouvement, il en prend un autre ; au bout d'un moment, on a envie de le tuer. Il faut faire abstraction de lui. Il y a des acteurs avec

lesquels on n'arrive jamais à s'accorder; il faut faire comme s'ils n'existaient pas; on joue la scène tout seul.

CLAUDIA : J'ai l'impression que ça peut être désagréable pour le spectateur.

L. J. : Le spectateur ne s'en aperçoit pas. Sarah Bernhardt jouait toute seule. Elle était entourée de gens lamentables. Il y avait de ces types sur la scène! Dès que Sarah parlait, ils n'existaient plus. D'ailleurs, quand elle arrivait, les autres reculaient dans le fond. Elle leur répondait face au public. Cela n'avait pas d'importance. Je n'indique pas cela comme exemple à suivre, mais pour donner idée de l'imagination qu'il faut avoir. Pour une femme comme Sarah Bernhardt, le partenaire ne comptait pas; elle s'en moquait. On lui aurait mis un mannequin à moineaux que ça n'aurait pas eu d'importance; le mannequin serait devenu vivant. On voyait, en elle, quelqu'un qui parlait vraiment à un autre. C'est une question de foyer intérieur. Seule, sur la scène, elle créait un personnage à ses côtés. Dans le disque de Phèdre, quand on l'écoute en fermant les yeux, on imagine peu à peu Hippolyte devant elle. Cela tient au rayonnement personnel de l'acteur, à l'imagination. On parle à quelqu'un alors qu'il n'y a personne; on finit par croire qu'il y a vraiment quelqu'un. De temps en temps, lorsqu'elle s'infléchissait jusqu'à parler à un figurant, toute l'illusion s'en allait, parce que le partenaire était vraiment « inexistant ». On attendait qu'elle reparte dans cet isolement où elle rayonnait, dans la violence, dans l'exclusivité du sentiment qui était en elle.

[Ils donnent toute la scène.]

L. J. : Tu vas reprendre cela. Il y a dans cette scène un manque de conviction de ta part. Tu comprends ce que je veux dire?

LÉON : ...

L. J. : Réponds-moi, voyons. Tu comprends? Ce n'est pas assez convaincu, ce que tu fais.

LÉON [timidement et avec hésitation] : C'est trop artificiel, trop...

L. J. : Ça manque de sincérité, de *sincérité du personnage*. Je ne parle pas de ta sincérité à toi; tu n'es pas obligé de partager les idées de Bazile; mais la sincérité du personnage n'y est pas.

Étant donné que tu n'es pas assez convaincu, il n'y a pas dans le personnage ce qui le rend supportable, c'est-à-dire une certaine naïveté. Bazile est tout de même un personnage un peu naïf, quand il arrive soudain à s'expliquer sur la calomnie. Il la découvre tout à coup. Il y a chez lui un déchaînement, une admiration absolue pour la calomnie. C'est cela qui est « beau » dans le personnage, cet homme qui admire la calomnie à ce point-là. Le personnage est là : dans cette admiration pour la calomnie. Il dit cette admiration avec passion.

Bazile est quelqu'un qui a un goût anormal. Je dis anormal, car il est évident que tout le monde a un dégoût particulier pour la calomnie, la médisance, etc. Mais lui, avec une franchise extraordinaire, avec un sentiment d'admiration extravagante, il en parle. C'est la base du personnage : une grande naïveté. Sa passion, c'est l'art de la calomnie. Il trouve cela extraordinaire! Il a découvert tout à coup la vertu de la calomnie, et il en parle avec une avidité, avec une pureté même, étonnantes.

Cela supprime tout ce dont on se sert d'habitude pour jouer le personnage : le côté cagot, sacristain; l'œil torve, et les mains comme tu les tiens. [L. J. imite le geste des mains qui se frottent mollement l'une l'autre.] C'est vraiment un peu trop sommaire! Il ne faut pas prendre les spectateurs pour plus bêtes qu'ils ne sont. Ça va bien à l'Opéra-Comique, où il y a une tradition pour le personnage.

Dans Bazile, ce qui est étonnant, c'est la pureté de cet imbécile, car c'est un imbécile, mais il est resté « pur » dans son admiration. Si tu fais cela, tu atteindras à une expression de sincérité du personnage. Les acteurs qui jouent cela d'habitude veulent nous expliquer ce que c'est que la calomnie. Ils nous font une démonstration. C'est très bête. Il faut que ce type soit d'une grande naïveté; c'est un ingénu. D'ailleurs ce n'est pas un personnage très intéressant pour l'action; il n'y est pas mêlé; s'il avait été un vrai personnage de l'action, il aurait causé des dommages dans l'histoire; ce serait un personnage qui donnerait au spectateur une sorte de frayeur. Pas du tout; c'est simplement une peinture anecdotique que Beaumarchais a mise là; c'est un « hors-d'œuvre » dans l'histoire. Il faut le jouer comme il est, avec les sentiments par lesquels il est propulsé, à force de naïveté, d'imbécillité.

Dans la comédie, le personnage imbécile est un convaincu, convaincu par des sentiments assez médiocres. Vois le notaire qui porte sa serviette sous son bras avec un air absorbé, un air profond; rien ne compte plus pour lui que cette conviction absolue de son importance. Au bout de quinze ou vingt ans de notariat compris de cette façon, on voit passer un homme omnipotent, le visage fermé; l'air qu'il a est basé sur une conviction excessive. Dans les personnages comiques, il y a de la conviction, c'est-à-dire de la sincérité (du personnage, pas de l'acteur). C'est cela qu'il faut que tu trouves.

— Ah! Don Bazile, vous veniez donner à Rosine...
— C'est ce qui presse le moins.

L. J. : L'imbécile est toujours chargé d'un immense secret... et ce secret n'est *rien*. Cette histoire n'a pas d'importance dans la pièce, mais Bazile fait l'important. Il faut que, dès le début, il ait un air mystérieux. Bazile a une chose énorme à dire. Si tu donnes à cela beaucoup, beaucoup d'importance, on se rendra compte tout de suite que c'est un crétin. On ne doit pas voir un acteur intelligent qui va nous montrer ce que c'est que l'hypocrisie.

    — Ah! Don Bazile, vous veniez donner à Rosine...

    — ...

    — La calomnie, Monsieur? (...) Qui diable y résisterait?

L. J. : « La calomnie, Monsieur? » C'est sa passion. C'est toute sa vie. Il en a plein la bouche : « Croyez qu'il n'y a pas de plate méchanceté, pas d'horreurs, pas de conte absurde, qu'on ne fasse adopter... » Il dit cela avec suavité, avec amour.

« D'abord un bruit léger,... ». Léger, tu entends? Tu dis des mots, tu ne sens pas la couleur qu'ils ont, « léger ». Détaille-moi cela. Tu n'admires pas assez.

« Il germe, il rampe... » Germer, ramper, c'est au sol. Ne regarde pas en l'air!

« Comme hirondelle. » Il faut que ce soit vraiment des images que tu *trouves*, non pas un texte que tu dis. Tu vois ce type à qui sa passion donne une telle poésie qu'elle lui fait comparer la calomnie à une hirondelle! Rends-toi compte de cela, de l'admiration qu'il a pour cette calomnie. Les indications musicales en italien sont à part; c'est une façon particulière de s'exprimer qu'a Bazile. Il emploie continuellement dans la conversation les termes dont il se sert pour son enseignement. Ne les mets pas dans le texte. « Vous voyez la calomnie se dresser, siffler, s'enfler,... » Mais vois-la! vois-la devant toi! Tu ne vois pas les choses.

[Léon achève la scène et vient vers L. J.]

L. J. : Il faut que tu sois un peu en sueur à la fin d'une scène comme celle-là. *Un rôle est une manifestation physique.* Si tu n'es pas en sueur, tu n'as certainement pas atteint la sincérité du personnage; ce n'est pas assez puissant, pas assez convaincant.

Tu vas travailler cela et surtout, tâcher de le prendre à ton compte. Tu n'es pas dans le personnage en ce moment parce que tu manques de conviction, parce que tu dis une tirade.

Bazile est un personnage étonnant; seulement c'est difficile, et malheureusement la tradition veut qu'il suffise qu'un acteur ait de la voix ou un physique spécial pour jouer ce rôle; alors il le prend et il joue de l'accordéon.

CLASSE DU 9 DÉCEMBRE 1939

[Léon et Jacky, qui remplace Octave dans Bartholo, donnent toute la scène.]

L. J. : C'est mieux que la dernière fois. Mais qu'en penses-tu?

LÉON : Ce n'est pas encore assez... ce n'est pas assez...

L. J. : Tu n'es pas encore assez dans le personnage? Mais pourquoi?

LÉON : Ce n'est pas encore assez vivant, pas assez...

L. J. : Vivant n'est pas le mot.

LÉON : Heu... c'est trop du texte... trop récité...

L. J. : C'est trop du texte, oui; pas encore assimilé. Tu jouerais très bien ce personnage, tu dirais très bien ce morceau (ta voix est plus grave, aujourd'hui), si tu avais plus le sentiment du personnage... Il n'y a pas assez de naïveté dans le personnage, ce n'est pas assez naïf.

LÉON : Oui, c'est cela.

L. J. : C'est un sot, Bazile, un niais. Il faudrait donner cela.

LÉON : Oui, on n'a pas l'impression que c'est un imbécile, quand j'arrive...

L. J. : Il n'y a pas de naïveté dans le personnage, pas de sottise; il n'y a pas non plus de cupidité.

LÉON : Ce n'est peut-être pas assez comique aussi?...

L. J. : Il ne faut pas chercher le comique. Il sort de la vérité d'un personnage. Ceux qui veulent jouer « comique » sont en général sinistres.

Veux-tu essayer de reprendre le morceau?

Tu presses un peu. Dès que tu attaques : « La calomnie, Monsieur? (...) J'ai vu les plus honnêtes gens... » on sent que tu es pressé par le morceau que tu as devant toi, ce qu'on appelle un « tunnel »; tu vois le tunnel arriver et tu te précipites.

« La calomnie, Monsieur? » Il en parle avec gourmandise, avec suavité. Il voudrait vendre un vin de Bordeaux qu'il ne dirait pas les choses avec plus de suavité, avec plus d'enthousiasme. C'est à ce sentiment qu'il faut que tu réfléchisses bien. Si tu penses bien le sentiment, tu l'auras en toi-même. Chez l'acteur, tout cela est question d'imagination.

Veux-tu essayer de le redire, ou veux-tu le retravailler?

LÉON : Je vais le reprendre.

— Ah! Don Bazile, vous veniez donner à Rosine sa leçon de musique?

— C'est ce qui presse le moins.

L. J. : Tu n'as pas écouté Bartholo. Quand le personnage entre en scène, il a quelque chose à dire. On ne sent pas que tu as quelque chose à dire. On ne sait pas ce que tu vas faire. Il n'y a rien en toi qui nous annonce la scène qui va se passer. Nous ne sentirons que tu as quelque chose à dire que si, toi, tu éprouves ce sentiment.

— Ah! Don Bazile...
— C'est ce qui presse le moins.

L. J. : [à Jacky] : Dis bien le « Ah! ». On n'annonce pas un personnage par : a don Bazile.
[A Léon.] Tu vas recommencer ton entrée. Tu la fais d'un seul coup. Et puis, écoute Bartholo puisqu'il te parle dès que tu arrives. Écoute-le et arrête-toi. Puis, tu t'avances vers lui en lui disant : « C'est ce qui presse le moins. »

— Ah! Don Bazile

[Léon entre.]
L. J. [monte sur la scène pour lui montrer l'entrée] : Tu entres, tu refermes la porte de manière qu'on te voie bien de profil, de côté, de face, etc.

— Ah! Don Bazile

[Léon entre.]
L. J. : Si tu ne fais pas ces trois pas avec un sentiment plein, intérieurement, nous ne sentirons rien, nous, d'ici. Si tu entres en ayant quelque chose à dire, le public t'écoutera.

La plupart des comiques sont des convaincus. Bazile est plein de conviction.

Un convaincu est un homme plein de sincérité. C'est l'homme que Fantasio voit passer : « Je voudrais être ce monsieur qui passe... » Un superbe imbécile. Fantasio le décrit : Les basques de son habit jouent à contretemps avec les breloques de sa bedaine... C'est un homme rempli d'une conviction qu'il est impossible de pénétrer. On sent qu'il est inutile d'entrer en conversation ou en intimité avec lui. Il est enfermé en lui, dans sa conviction. Bazile est aussi un homme qu'on peut « faire marcher » parce qu'il croit tout de suite ce qu'on lui raconte. Le convaincu est toujours un important.

— Ah! Don Bazile

[Léon entre.]
L. J. : J'insiste parce que c'est très important, mais tu ouvres déjà la bouche, avant que Bartholo ait fini sa réplique.

— Ah! Don Bazile...
— C'est ce qui presse le moins.

L. J. : Prends ton temps. Bartholo te pose une question. Par conséquent écoute-le d'abord. Tu as tout le temps de répondre. Tu ne sens pas cela ? Ne sois pas pressé. Tu arrives bien confortablement, tu entres, tu attends ; ça peut durer une demi-heure, et tu réponds en prenant tout ton temps.

— Ah ! Don Bazile...

— ...

— Non, pour vous. Le Comte Almaviva est dans cette Ville.

L. J. [d'une voix murmurée et pleine de mystère] : « Le Comte Almaviva est dans cette Ville. » Tu viens pour lui dire cela. Depuis ton entrée en scène, tu viens pour lui dire : « Le Comte Almaviva est dans cette Ville. »

— Non, pour vous...

— ...

— Il loge à la grand'place et sort tous les jours déguisé.

L. J. : Détaille bien cela : C'est tout le secret que tu as à dire.

— Il loge à la grand'place...

— ...

— Si c'était un particulier, on viendrait à bout de l'écarter.

L. J. : Ce sont deux superbes imbéciles tous les deux. Il faut qu'on les sente naïfs, inoffensifs dans leur complot, pour que la pièce soit heureuse et qu'elle finisse bien. On a affaire à deux gros imbéciles.

— Oui, en s'embusquant le soir...
— *Bone-Deus!* Se compromettre !

L. J. : Tu n'as pas assez peur. Tu es effarouché, Bazile est un couard. Tu ne sens pas assez tout cela. Avec emphase : *Se compromettre!*

— *Bone-Deus!* Se compromettre !...
— Singulier moyen de se défaire d'un homme !

L. J. : Avec l'air de dire : Vous êtes un pauvre imbécile, mon ami ! Mais l'autre : « La calomnie ! » Détache bien cela : « La calomnie ! » Sens-le bien. Tu ne sens pas assez ton personnage.

— La calomnie, Monsieur ?

L. J. : Respire bien. Tu ne respires pas. Respirer c'est prendre du temps pour passer à un autre sentiment.

— La calomnie, Monsieur ? (...) D'abord un bruit léger,

L. J. : C'est une recette de cuisine : d'abord vous prenez un quart de beurre, puis une pincée de farine, un brin de thym... C'est de cet ordre.
[Ils achèvent la scène.]

L. J. : On va laisser cela pour l'instant. Qu'as-tu travaillé d'autre?

LÉON : Vous m'aviez dit Smerdiakov.

L. J. : Tu l'as maintenant?

LÉON : Non, je vous le donnerai la prochaine fois.

L. J. : Tu vas laisser Bazile; parce que tu te fatiguerais sur ce morceau avec lequel tu ne feras pas de progrès tout de suite.

[A tous.] Quand vous « lâchez » un morceau que vous avez travaillé, il ne faut pas l'abandonner. Il faut y penser. [A Léon.] Tu as fait des progrès sur la dernière fois. Cela n'a pas encore la subtilité ni la finesse que ça doit avoir. Pense bien à ce personnage. Pense à ces messieurs qu'on voit dans la vie, des administrateurs ou des gérants de grands hôtels : on sent qu'ils sont intangibles, que rien ne les transformera. Ils sont convaincus. Ils ont de l'assurance. Il y a chez eux d'autant plus de conviction qu'il n'y a rien « derrière ». Ce ne sont pas des imbéciles, ce sont des convaincus. Des gens qui n'ont pas d'idées générales, qui vivent avec un tout petit bagage. Leur conviction est bien ancrée en eux, elle résiste à la lime ou aux acides. Rien n'agit sur eux. C'est de là que vient le comique. *Le comique s'obtient par une sincérité excessive.*

Si tu joues Géronte, des *Fourberies de Scapin,* tu n'obtiendras l'effet comique de la réplique : « Que diable allait-il faire dans cette galère? », que par *une parfaite sincérité,* pas par des grimaces. *La scène repose sur cette sincérité imbécile de Géronte.* Il ne voit qu'une chose : il faut donner cinq cents écus. Scapin essaie de lui raconter n'importe quoi, mais Géronte : « Que diable allait-il faire dans cette galère? » C'est cela le comique; *c'est cette sincérité mal placée, stupide, qui rend un personnage comique par d'autres côtés.*

C'est la même chose dans Bazile. Il faut faire ressortir la naïveté du personnage et sa cupidité, lorsqu'il dit : j'étais sorti pour vos affaires. Il donne à tout ce qu'il dit et à tout ce qu'il fait une importance considérable. Quand tu parles de la calomnie : Ah! Monsieur, la Calomnie! Le vin de Bordeaux, le canard aux navets... c'est la même chose. Et tu lui expliques cela comme une recette de cuisine, avec autant de gourmandise et autant de détails.

LÉON : C'est cela que je ne ressens pas.

L. J. : Tu ne comprends pas?

LÉON : Si je comprends, mais je ne le ressens pas en le jouant.

L. J. : Il faut y penser avant. Si tu y penses bien avant, tu verras que tout à coup tu sentiras le ton de Bazile, tu l'entendras. Il faut imaginer en toi le ton de Bazile. *Le personnage à jouer est une évocation,* surtout quand ce personnage est une composition. La sollicitude et l'amitié que tu auras pour le personnage en l'évoquant finiront par faire qu'il se révélera à toi. Si tu penses bien à Bazile, tu arriveras à le trouver.

Après cela, il y a une part technique qui consiste à savoir comment faire les oppositions, comment il faut dire, comment il faut respirer. On corrigera certains détails de diction ou de gesticulation, ou de mouvements proprement dits. Tu dois y arriver.

Pense à Bazile, sans le retravailler et la prochaine fois, apporte-nous Smerdiakov.

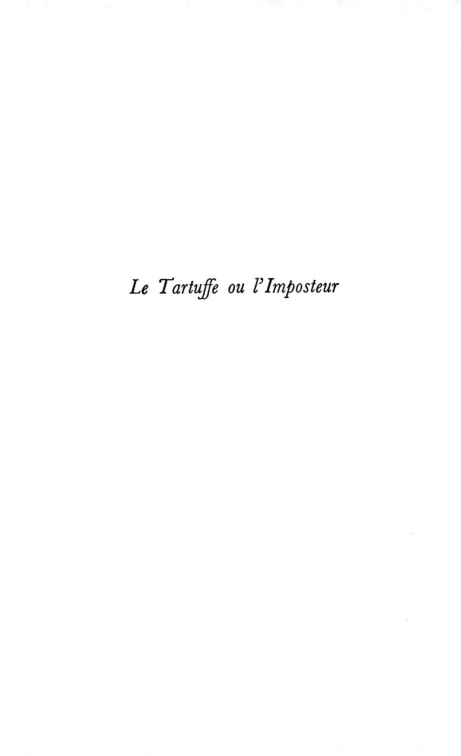

Le Tartuffe ou l'Imposteur

Molière

LE TARTUFFE

ACTE I, SCÈNE 5

CLÉANTE, *Léon.*
Orgon, ?

CLASSE DU 16 NOVEMBRE 1940

— A votre nez, mon frère, elle se rit de vous;
— ...
— Voilà de vos pareils le discours ordinaire.

L. J. : Pendant tout le XVIIᵉ siècle, il y avait un prolongement d'inquisition qui faisait que les gens se méfiaient de passer pour libertins. Cette phrase était faite exprès pour intéresser le public de ce point de vue. Et Cléante devait commencer sa tirade sur le public.

— Voilà de vos pareils le discours ordinaire.

L. J. : Tu as pris trop bas.

— Voilà de vos pareils le discours ordinaire.
...
Je sais comme je parle et le Ciel voit mon cœur.

L. J. : Tout cela est lié et dans la même logique indignée. Ce qui est difficile dans ce morceau, c'est que l'inflexion soit juste, mais pour qu'elle soit juste, il faut que le sentiment soit juste.

— Parbleu! vous êtes fou, mon frère, que je croi.
— ...
— Je sais comme je parle et le Ciel voit mon cœur.

L. J. : Lie tout cela. Il faut que ce soit lié.

— Je sais comme je parle et le Ciel voit mon cœur.
...
Entre l'hypocrisie et la dévotion?

L. J. : Pense bien les mots que tu dis : l'hypocrisie, la dévotion. Ne traîne pas dessus, mais pense-les bien au moment où tu les dis.

— Hé quoi! vous ne ferez nulle distinction
...
Et la fausse monnaie à l'égal de la bonne?

L. J. : Attention, c'est un des passages les plus difficiles de la tirade.

[Reprend.]

L. J. : Tu vois comme ça monte bien ainsi.

Fais attention tu prononces des « ge » comme les Fridolins : tu dis « langache », « visache ». Les Belges font cela aussi.

[Reprend.]

L. J. : C'est faux, c'est faux, admirablement faux! Tu ne l'entends pas? Recommence.

[Reprend.]

L. J. : Tu raisonnes en ce moment-ci.

Ça pèse cent kilos parce que l'indignation ne va pas jusqu'au bout. C'est ce qu'on appelle un « raisonneur » dans le style Comédie-Française : un type qui prend le contre-pied de ce que disent les héros de Molière, qui sont des imaginaires, des gens aveuglés par leur passion. C'est faux. Il faut que tu donnes à cela son esprit, sa chaleur. Il faut que ce soit chaud, que ce soit amusé, que ça aille jusqu'au bout. Tu le lui dis très gentiment et tu termines : « Que cela vous soit dit en passant, mon beau-frère. » Si tu le raisonnes, ce n'est pas possible.

> — Les hommes, la plupart, sont étrangement faits!
> Dans la juste nature on ne les voit jamais;

L. J. : C'est triste. C'est dans l'humeur du personnage qu'il faut le dire, sinon c'est embêtant comme un prédicateur. Si ce n'est pas un type qui a de l'esprit, un ton léger, quelque chose de frondeur, de voltairien déjà, c'est embêtant.

Comme il faut de la diction pour ces rôles, ils sont distribués en général aux acteurs qui ont une belle voix. Mais il faut trouver un ton; ce ton est celui de l'homme d'esprit. Comme Chrysalde, dans *L'École des Femmes*, dit : Être cocu! Bah!, Cléante dit : Vous me faites rire avec vos histoires de Tartuffe et de bondieuseries. Il faut que cela reste dans l'humeur. Il s'indigne sans passion, mais il ne raisonne pas. Ce n'est pas un raisonnement. Si c'est un raisonnement c'est fichu, cela devient ce personnage de raisonneur dans *Denise*, ce type qui vient moraliser, dire ce qu'il faut dire du point de vue de la morale bourgeoise. Cléante est un des personnages les plus spirituels de la pièce.

Un raisonneur n'est justement pas quelqu'un qui raisonne, c'est quelqu'un qui dit ce qu'il a à dire dans une certaine humeur.

Pour jouer Cléante, il faut un acteur qui ait d'abord une diction extraordinaire; à cause de cela on a oublié, ce qui compte aussi, la situation, l'humeur du personnage. On a demandé des acteurs qui disent bien. Ils disent très bien, mais comme ils n'ont pas l'humeur et ne jouent pas la situation, ils raisonnent le texte, alors ça devient embêtant. Tous les commentateurs ont fait de ces personnages les moralistes de Molière. Alors que ce sont des personnages charmants, très gais, très spirituels. On fait faire un exercice de diction sur ces textes, parce qu'il y a une série d'inflexions qu'il est difficile de monter, avec le ton indigné de l'interrogation qu'il est difficile de soutenir, et il faut le soutenir pour que l'interrogation soit juste. On donne ça comme exercice de diction, mais ce n'est pas seulement de la diction, ça ne se joue pas seulement avec de la diction. Tu arriveras à l'inflexion juste avec l'humeur. Prends ça comme exercice de diction, mais tâche surtout d'obtenir ta diction par le sentiment.

C'est un exercice que tu peux faire dans une certaine gaieté, dans une certaine ébriété spirituelle.

Cléante est au milieu d'une maison peuplée de fous. Les gosses sont fous parce qu'ils sont amoureux, Tartuffe est un salopard, Orgon n'est pas dans son bon sens, avec sa passion pour Tartuffe, Mme Pernelle de même; il n'y a que Dorine qui soit saine, et Cléante qui, au milieu de tous ces gens, regarde, et dit des choses de bon sens; mais ce n'est pas un sinistre bonhomme qui raisonne, c'est un type plein d'esprit.

CLASSE DU 30 NOVEMBRE 1940

— A votre nez, mon frère, elle se rit de vous;

L. J. : Tu as roté avant de commencer? Qu'est-ce que tu as fait? heu... heu...

— A votre nez, mon frère, elle se rit de vous;

L. J. : Trop bas comme ton. C'est une conversation animée qui a eu lieu.

— A votre nez, mon frère, elle se rit de vous;

— ...
— Je ne le connais pas, puisque vous le voulez;

L. J. : Tu baisses, tu baisses. Reprends. Et fais attention que l'*e* muet de misère doit compter.

— A votre nez, mon frère, elle se rit de vous;

...
Et se peut-il qu'un homme ait un charme aujourd'hui
A vous faire oublier toutes choses pour lui?

L. J. : Le « aujourd'hui » est évidemment un peu mal placé. Il faut un léger décalage sur « aujourd'hui ». Tu n'entends pas?

  — Et se peut-il qu'un homme ait un charme aujourd'hui
  ...
  Vous en veniez au point...

L. J. : On sent très bien quand tu dis : « Vous en veniez au point... » que tu attends que l'autre donne sa réplique, parce que tu as peur qu'il ne la donne pas. Cette peur se sent. C'est continuel dans les interruptions en scène; n'aie pas peur de cela.

  — Et se peut-il qu'un homme ait un charme aujourd'hui

L. J. : Il ne faut pas arrêter. Pour dire ce passage, il faut que tu accentues un tout petit peu sur charme, alors ça te permettra de baisser légèrement la voix sur « aujourd'hui » et de repartir ensuite.

  — Et se peut-il qu'un homme ait un charme aujourd'hui
  — ...
  — Parbleu! vous êtes fou, mon frère, que je croi.

L. J. : Donne le « Parbleu! » d'abord : « Parbleu! » et va jusqu'au bout, c'est le « je crois » qui compte.

  — Parbleu! vous êtes fou, mon frère, que je croi.
  — ...
  — Que cela vous soit dit en passant, mon beau-frère.

L. J. : Ce n'est pas mal; ton inflexion est juste et c'est assez difficile. Tu as de la difficulté parce que tu n'as pas respiré à temps.
  Quand tu arrives au « Hé quoi! vous ne ferez nulle distinction — Entre l'hypocrisie et la dévotion? », c'est le « Hé quoi! », le premier ton que tu donnes sur « Hé quoi! », qui te donne ensuite la gradation, le crescendo nécessaire.

  — Hé quoi! vous ne ferez nulle distinction
  Entre l'hypocrisie et la dévotion?
  ...
  Que cela vous soit dit en passant, mon beau-frère.

L. J. : Ce n'est pas encore parfait au point de vue musical, si je puis dire; commence sur un ton un peu plus posé, dans ce qu'on appelle le médium, la sincérité.

  — Hé quoi! vous ne ferez nulle distinction

L. J. : Tu es déjà plein de reproche! Sois un peu plus léger.
  — Hé quoi!

L. J. : C'est le « Hé quoi! », qui est important. Chaque fois que vous avez au commencement d'une phrase une interjection, vous ne lui donnez jamais assez d'importance.

  — Hé quoi! vous ne ferez nulle distinction
  ...
  Et la fausse monnaie à l'égal de la bonne?

L. J. : C'est faux.

Il faut que tu le dises très lentement; tu presses un petit peu dans cette interrogation qui est classique et qui est un exercice remarquable. Respire et dis lentement.

— Hé quoi! vous ne ferez nulle distinction

L. J. : Tu t'excites déjà sur la première phrase.

— Hé quoi! vous ne ferez nulle distinction
Entre l'hypocrisie et la dévotion?

L. J. : Trop vite déjà; explique-lui bien.

— Hé quoi! vous ne ferez nulle distinction
— ...
— Je ne suis point, mon frère, un docteur révéré,

L. J. : Tu baisses le ton, alors, la conversation tombe. Il faut que cela reste clair, que cela reste dans le débat.

— Je ne suis point, mon frère, un docteur révéré,
...
Qui soient plus à priser que les parfaits dévots,

L. J. : Tu vas trop vite; tu donneras le mouvement après. Pense bien; on sent que tu ne penses pas; tu dis tout d'un bout à l'autre du bout des lèvres, comme si tu ne le pensais pas. [Léon finit la scène.]

L. J. : Tu as travaillé en tout cas, mais il ne faut pas t'en contenter; il faut continuer. Ce qui manque tout à fait ce sont des *mouvements d'indignation,* ou des *mouvements de sincérité.* Dans un morceau comme celui-ci qui est un morceau d'éloquence, il faut qu'il y ait des *mouvements divers.*

Au début : « A votre nez, mon frère, elle se rit de vous; » il y a d'abord un amusement, puis petit à petit un raisonnement s'introduit, un raisonnement avec des mouvements divers, c'est ce qu'on ne sent pas encore dans ton morceau. Il faut que tu arrives à le trouver. Pour le moment c'est une argumentation qui vous assomme un peu.

Et dans un morceau comme celui-ci, il y a des mots archaïques; il faut d'abord trouver le sens de ces mots. Tu trouveras suffisamment de brochures qui te donneront d'une façon intelligente le sens des mots, mais il faut que tu penses par toi-même le sens de ces mots.

« A-t-on jamais parlé d'un semblable caprice? » Le mot caprice est déjà un mot archaïque, il ne signifie pas absolument la même chose qu'aujourd'hui. Il faut que tu le penses dans le sens où il est écrit.

Penser un mot dans son sens, pour un comédien, ce n'est pas le penser comme un commentateur, c'est avoir le sentiment que doit donner le mot. Sens-le bien, non pas grammaticalement; ce qui t'importe à toi, c'est l'humeur. D'autre part, fais bien attention de donner dans le morceau des mouvements divers et de prendre des repos; ce n'est pas seulement pour reposer l'auditeur, mais aussi celui qui dit; si tu ne fais pas des mouvements successifs dans le morceau, tu te fatigues et tu fatigues l'auditeur. *Le spectateur éprouve toujours ce qu'éprouve l'acteur.* Tout cela c'est un échange de sensations physiques. Si tu assistais à un spectacle en langue étrangère, sans comprendre les mots, tu éprouverais néanmoins, physiquement, ce qu'éprouve l'acteur. N'oublie pas cela, c'est très important. Pense à cela au point de vue des mouvements qu'il y a dans le morceau. Il y a des passages de raisonnement : c'est le ton du xviiᵉ, c'est le ton de la raison pure, du raisonnement à l'époque du *Discours de la Méthode*. On raisonne, on parle. Et tous les textes de cette époque ont une part de raisonnement. Mais il y a aussi de l'indignation, de la véhémence, et aussi de la commisération. A un moment donné, Cléante parle à Orgon avec un ton de pitié, comme à un imbécile, et il y a aussi le ton qu'il prend pour donner ses exemples : « Ces gens qui, par une âme à l'intérêt soumise, — Font de dévotion métier et marchandise, (...) Ces gens, dis-je, qu'on voit d'une ardeur non commune — Par le chemin du Ciel courir à leur fortune,... » Il faut que tu trouves ces mouvements différents.

A part cela tu as travaillé. Retravaille ce texte en pensant aux mouvements successifs, aux re-départs et en imaginant bien le personnage que tu représentes.

Quand quelqu'un te fait une semonce, t'admoneste, te morigène, il ne le fait pas d'un ton uni, il change de ton, trouve d'autres arguments. Il faut faire là-dedans une série de plans.

C'est un morceau très long, très difficile, que tu peux travailler aussi longtemps que tu voudras.

Il y a un procédé pour le jouer : celui du mauvais acteur qui est un bon diseur. Tous les raisonneurs de Molière sont des personnages extrêmement difficiles à jouer parce qu'il faut être un acteur extraordinaire pour dire ces textes. Il faut d'abord « dire » pour que ce soit clair. Ensuite il faut les jouer. Je n'ai jamais vu personne qui les ait joués. J'en ai vu qui disaient. Il y a un ton. Prends Chrysalde de *L'École des Femmes*, Béralde du *Malade imaginaire*, ce sont des personnages qui, même à leur époque, ne devaient pas être joués, mais devaient être dits. Étant donné le côté conférence que comportaient ces textes pour le public, les acteurs les disaient et c'est tout. Ils ne pouvaient pas les jouer.

Il y a une autre raison pour laquelle on ne peut pas les jouer; c'est que le partenaire se dit : maintenant c'est son tunnel, moi je m'en fiche. Il y a des types qui s'en tirent, comme L. B. qui

est passé ici à l'examen d'entrée, ils s'installent sur la scène :
A moi, ça m'est égal, j'irai jusqu'au bout. Et ils y vont d'une
belle voix grave. Ça tient par la sécurité qu'a l'acteur. On suit
le morceau à cause de cette sécurité, à cause de cette fausse
autorité, mais l'acteur ne joue pas.

Je crois que ces rôles de raisonneurs sont vraiment les plus difficiles à jouer. Pense à Chrysalde qui arrive au quatrième acte de
L'École des Femmes : « Eh bien! souperons-nous avant la promenade? » et il y a quatre-vingt-dix vers à la suite. Il faut arriver
à une diction d'abord; ce sont de grands morceaux d'éloquence
et d'une éloquence qui contient des idées, parfois pas très amu-
santes à entendre. Il faut le dire, et pour le faire entrer dans le
jeu de la pièce, il y faut de la couleur, de l'esprit, de l'humeur.

On ne sacrifie jamais un grand acteur pour jouer ça. Tu penses
bien qu'autrefois M. Le Bargy ne se serait pas sacrifié pour jouer
Cléante, alors on donne le rôle à un sociétaire, même pas, à un
pensionnaire qui a une belle voix. Ce sont les emplois les plus
difficiles à tenir. Quand un acteur a de la tenue, pas de tripes,
pas de foyer, une belle voix, on dit : c'est un raisonneur! Ces
raisonneurs nous savons ce que c'est, ce sont des raseurs, alors
que les raisonneurs sont des personnages extraordinaires à jouer.

Dans *Tartuffe*, si Orgon était un père charmant au lieu d'être
un ventripotent qui joue la naïveté avec son ventre (on peut au
théâtre exprimer la naïveté autrement que par ce procédé) Cléante
n'ennuierait personne. Il faut penser que Cléante est le frère d'Elmire, qu'Elmire est une jeune femme; et on prend pour jouer
Cléante un acteur de soixante ou soixante-cinq ans! Ce qui est
difficile, dans *Tartuffe*, c'est de donner l'impression de la parenté
entre les personnages de cette famille. Puisque Mariane est si
jeune, il ne faut pas qu'Orgon, son père, soit un patriarche, et
ainsi de suite. Ou alors il n'y aurait pas d'acteur vivant pour
jouer Mme Pernelle.

Molière

LE TARTUFFE

ACTE II, SCÈNE 3

DORINE, *Hélène.*
Mariane, *Nadia.*

CLASSE DU 29 NOVEMBRE 1939

[Hélène n'a jamais travaillé la scène, et ne la sait pas. Nadia, qui lit le texte de Mariane, se trompe souvent, hésite, ne parvient pas à lire correctement.]
[Elles donnent toute la scène.]
L. J. [à Nadia] : Toi, je ne te dis rien, mais ne recommence pas ce « truc »-là. Tu n'as jamais vu cette scène-là. Ça ne t'intéresse pas. Tu as lu *Tartuffe?* [Elle l'a lu.] Oui, tu l'as lu comme ça... Tu ne le sais pas assez. Il y a des pièces qu'il faut savoir. Il faut tout de même connaître *Tartuffe.*
[A Hélène, qui a eu des hésitations de mémoire très souvent, au début.] C'est appris trop vite. On ne comprend pas ce que tu dis. Le fait qu'on ne comprenne pas prouve que le sentiment n'est pas entré en toi. Si tu avais vraiment le sentiment des propos que tu tiens, on les entendrait clairement. Ce n'est pas chez toi un défaut de diction : tu as la voix claire, tu articules bien, mais, étant donné que tu n'as pas le sentiment de ce que tu dis, tu le bredouilles; enfin, cela donne l'impression d'être bredouillé.
HÉLÈNE : Je n'ai pas pu le travailler à haute voix.
L. J. [violemment] : C'est une chose que tu ne *peux* pas faire, qu'on ne peut pas faire. Même quelqu'un qui a beaucoup de métier, et qui apprend sans énoncer, sans prononcer, s'expose à des surprises. Forcément, puisque tu ne fais pas fonctionner ton instrument. Il faut le faire fonctionner. Une scène comme celle-là doit être répétée avec la réplique.
Le sentiment de la scène n'y est pas, la situation n'y est pas. Quel est le sentiment du personnage? Explique-moi ce que c'est.
HÉLÈNE : Dorine ne peut pas comprendre que Mariane se laisse mener par son père. Et si ça lui était arrivé, elle n'aurait pas agi **comme Mariane...**

L. J. : Et comme autre sentiment ?

HÉLÈNE : Elle se moque de Mariane.

L. J. : Oui, mais quoi encore ?

MICHEL : Il y a une grande liberté, de la part d'une servante envers sa maîtresse...

L. J. : Mariane est une fille jeune. Dans cette maison où pèse une autorité que les gens supportent et dont ils souffrent, naît une intimité entre elle et Dorine.

MICHEL : Dorine se rapproche de Lisette et de tous ces personnages-là.

L. J. : Lisette est une soubrette ; Dorine est une suivante. Je t'expliquerai cela une autre fois, ce n'est pas la question aujourd'hui. Je demande quel est le sentiment du personnage. *Le caractère de Dorine est indiqué, dès le début,* quand Mme Pernelle lui dit : « Vous êtes, mamie, une fille suivante — Un peu trop forte en gueule et fort impertinente ; — Vous vous mêlez surtout de dire votre avis. »

C'est cela le personnage, un de ces êtres qui parlent haut, qui parlent fort ; c'est quelqu'un qui a le propos libre. Cette indication est donnée dès le début.

Il y a autre chose dans la scène que tu dois avoir dans l'esprit pour la jouer juste...

NADIA : Dorine veut absolument que Mariane épouse Valère.

L. J. : Ce n'est pas cela non plus.

CLAUDIA : Une grande bonhomie...

NADIA : *Elle n'aime pas Tartuffe ?*

L. J. : C'est cela. *Ce qui la met si fort en colère, c'est sa détestation de Tartuffe.* L'idée qu'on veut lui donner la fille de la maison en mariage la met hors d'elle. Elle se moque de Mariane, *mais sa moquerie va surtout à Tartuffe.* C'est très net dans le passage où elle fait son portrait. [Paraphrasant sur le ton de et patati et patata...] C'est un type épatant, M. Tartuffe, vous allez voir ! « Il a l'oreille rouge et le teint bien fleuri. » Vous irez voir les marionnettes, c'est un monsieur très bien, et patati...

Toute la dérision de Tartuffe qu'il y a là-dedans !

Le début de la scène est une chose très précise : « Avez-vous donc perdu, dites-moi, la parole, — Et faut-il qu'en ceci je fasse votre rôle ? » — Hein ? vous n'êtes pas un peu tapée ? — « Souffrir qu'on vous propose un projet insensé,... »

Cela ne s'attaque pas avec la rapidité que tu y as mise. [L. J. redit le début de la scène.] Il y a une *mauvaise humeur, une indignation de bon sens, tout cela est clair.* Et quand elle dit : — Qu'il l'épouse, lui ! Mais qu'il l'épouse donc, Orgon, son Tartuffe ! — Il y a quelque chose d'énorme dans cela. Et ensuite : « Mais raisonnons. » — discutons, examinons la chose — « Valère

a fait pour vous des pas. » Tu comprends comme c'est clair ? — Donc vous l'aimez. Bon, alors pas de bafouillage. — « Et tous deux brûlez également — De vous voir mariés ensemble ? — Assurément », dit la gourde. — Eh bien alors, si vous l'aimez, s'il vous aime ! —
« J'enrage, — Lorsque j'entends tenir ces sortes de langage. » C'est au public. Et elle argumente : épousez M. Tartuffe, il est beau, il est noble dans son pays, il est riche... « N'est-ce rien qu'on propose ? » Expression un peu archaïque, mais ça s'entend. Et c'est le commencement de la « mise en boîte » de Tartuffe. C'est une scène de plaisanterie. Mariane : « Ha ! cesse, je te prie, un semblable discours, (...) — Non, il faut qu'une fille obéisse à son père,». (Tu la connais cette réplique ? Dans *L'Avare*, quand Valère et Élise sont ensemble ?) — Vous verrez Madame la Baillive, Madame l'Élue... — Elle s'amuse à lui décrire la petite ville. C'est une scène de comique; il y a toujours une grande animation au fond de tout cela, il faut que ça se sente.
« Il faut, pour vous punir... » — Vous êtes trop bête, à la fin. — Et c'est alors qu'elle la regarde et que lui revient cette grande tendresse qu'elle a pour Mariane. Et tout à coup arrive Valère : « ... Mais voici Valère, votre amant. » Et tout recommence dans l'incompréhension et le malentendu. La scène n'est pas difficile à jouer, mais il faut *la jouer avec cœur, avec humeur;* c'est une fille qui éclate de voir toutes ces imbécillités, toutes ces simagrées. C'est la même chose que dans la scène avec Orgon (acte I, scène 4) :
— M. Tartuffe va bien ? — Oui, très bien. — Comment est-il ? — Madame a été malade, hier soir. — Mais M. Tartuffe, etc.
Il ne faut pas que Dorine soit trop spirituelle. Le tort des servantes de Molière, ou plutôt des actrices qui les jouent, c'est qu'elles rajoutent de l'esprit. Elles lèvent le petit doigt, elles clignent de l'œil au parterre. Il y a ce côté très bête dans les soubrettes; alors que ce sont au contraire des *personnages pleins de cœur, pleins de bon sens, et très sains;* qui parlent comme parlent les gens de Molière, qu'on disait à cette époque « près de la nature ». Ils ont une bonté et un bon sens qui viennent du cœur. Il ne faut pas faire d'esprit, c'est agaçant. Il faut dire cela avec tout son bon cœur, tout son bon sens.
MICHEL : *Est-ce qu'il y a une tradition pour le personnage de Tartuffe, je veux dire dans son aspect physique?* Parce que j'ai vu au Français une gravure du Tartuffe, qui date de cent cinquante ans; c'est un personnage maigre...
L. J. : Il n'y a pas de tradition au théâtre! Il y a une « tradition » corrompue comme dans tout.
Tartuffe, dans la troupe de Molière, a été joué par Du Croisy

qui était un jeune premier. Maintenant, *Tartuffe* est devenue une pièce anticléricale, d'un anticléricalisme qui existait sous le ministère Combes, peu avant la séparation de l'Église et de l'État. Il y avait à cette époque des journaux spécialisés dans l'anticléricalisme, qui donnaient tous les matins des portraits de curés, de personnages ventripotents, joufflus, ignobles de graisse, répugnants. C'est à ce moment-là que Tartuffe est devenu un personnage ignoble. Il l'est resté depuis. Les derniers acteurs qui l'ont joué sont Silvain, qui était très ventripotent, très gras, très répugnant; Coquelin qui jouait cela très « cochon », avec des jeux de scène que je vous raconterai plus tard... Il est un peu trop tôt maintenant.

CLAUDIA : On est trop jeunes?

L. J. : Il y a eu Gémier, puis Paul Mounet. Eux jouaient Tartuffe dans cette supposition que c'était un ancien galérien qui s'était évadé, un homme qui avait écumé la mer sur les galères du roi, qui avait encore la marque du fer à l'épaule, et qui était revenu à Paris faire fortune, une manière de gangster pour l'époque.

Alors que ça n'est pas ça du tout. C'est un aigrefin qui s'est dit : Il y a des gens qui vivent de métiers qui ne sont pas des métiers, qui vivent des femmes, qui vivent de flagorneries en flattant des gens qui ont de l'argent, et qui aiment s'entendre dire : comme cela vous va bien, comme vous êtes spirituel, etc. Comme ceux qui font des quêtes dans les rues, qui se déploient auprès de leurs contemporains pour soulager les petits Chinois, la sainte-enfance et les soldats blessés, et on apprend un jour qu'ils en vivent.

Tartuffe est un aigrefin, un écornifleur (comme dit Jules Renard) qui s'est dit : Vraiment cet homme Orgon est trop bon; il veut être vertueux, il veut le bien; quand un homme a une manie à ce degré-là, on peut certainement l'avoir. *L'aveuglement d'un homme qui a une manie*, celle des timbres-poste ou des autographes, est tel que, lorsqu'on flatte adroitement sa manie, à un moment donné, il ne résiste plus; on lui fait tout croire. *C'est tout le théâtre de Molière : des gens aveuglés par la passion. Dans l'aveuglement de leur passion, leur bon sens s'en va.*

[L. J. parle de ce membre de l'Institut à qui un aigrefin fit acheter des autographes de Jésus-Christ et une lettre de Jeanne d'Arc; aveuglé par sa manie, ce monsieur pensait : Hum! Jeanne d'Arc ne savait pas écrire... Mais, si pourtant les historiens s'étaient trompés? et il achetait l'autographe, soigneusement fabriqué de fraîche date.]

Tartuffe a aperçu Orgon dans une église. Orgon a vu Tartuffe dans une telle misère, dans une telle modestie, qu'il a été touché. Il a amené Tartuffe chez lui. Celui-ci a commencé par bien manger. Puis Orgon, continuant son apostolat, s'est dit : Il n'y a qu'une solution pour cet homme-là, il n'y a qu'une solution pour ma fille, c'est qu'ils s'épousent; parce qu'alors ils seront près du ciel; moi aussi; nous serons dans une atmosphère de sainteté. De même Argan veut que sa fille épouse un médecin *pour être dans l'atmosphère de sa passion.*

Tartuffe, qui n'est pas bête, et à qui on a déjà fait don d'une cassette avec des papiers un peu compromettants, voit le parti qu'il peut tirer de la situation : Mariane, oui... mais la deuxième femme qu'Orgon vient d'épouser me paraît beaucoup mieux; son mari est vieux, il n'est sans doute pas tout à fait satisfaisant, etc. alors, moi, je pourrais bien profiter de la circonstance. Elmire doit lui plaire beaucoup plus que Mariane; il s'embarque dans l'aventure et cette imprudence va le faire découvrir.

Au milieu de tout cela, il y a des gens d'un bon sens absolu, comme Dorine, Cléante, Damis, qui voient depuis longtemps que M. Tartuffe n'est rien du tout.

Depuis Molière, Tartuffe est entré dans la « religion », ou plutôt dans la politique et on lui a fait prendre parti. Les critiques, les hommes politiques se sont dit : C'est vraiment le génie de Molière d'avoir prévu l'anticléricalisme! Si vous étudiez *Tartuffe* depuis Molière jusqu'à nos jours, vous verrez, dans ce qu'on dit de la pièce à chaque époque, qu'elle est devenue le reflet antireligieux d'une époque. On voit dans Tartuffe : Basile, le mauvais frère, le curé qui commet des sacrilèges perpétuels, etc. Et cela subsiste encore.

Actuellement on le joue en paillard. Si c'est ainsi qu'on me montre Tartuffe, moi je m'en vais; je me dis : On me prend vraiment pour un imbécile.

Quand une erreur s'est imposée à ce point, comment faire? Les gens appellent « Tartuffe » un hypocrite, un homme qui se frotte les mains avec onction, un sacristain, un bedeau d'église... Que faire contre une tradition pareille?

MICHEL : Aller carrément à l'encontre.

L. J. : Oui. Mais alors il faut réussir. Le jour où on rejouera *Tartuffe,* il faudra trouver *un garçon charmant, inquiétant, très intelligent;* et qu'on sente, pendant la scène d'Elmire et de Tartuffe, ce qu'elle a de scandaleux. Il n'y a aucune déclaration d'amour, dans aucun théâtre, qui soit aussi suave, aussi charmante que celle de Tartuffe à Elmire. On doit sentir depuis le début de la pièce que c'est un *individu dangereux mais n'avoir pas de haine pour lui.* Or, dans toutes les représentations de *Tartuffe,* dès le commencement, on le couvre de haine. Non. *Il est charmant, inquiétant.* Il y a le rendez-vous avec Elmire. C'est un rendez-vous qui doit créer un sentiment de malaise, de danger. Elmire est une jeune femme. Pas du tout, comme on nous la montre, une vieille tragédienne qui ne peut plus rien faire dans la tragédie. Elmire est une femme charmante [se tournant vers les jeunes filles de la classe], à peine plus âgée que vous.

On a donc cette scène scandaleuse où on voit Tartuffe essayant de traquer Elmire, de l'affoler sensuellement. Ça va jusqu'à la seconde scène où Orgon est sous la table. Il n'y a pas de scène plus osée dans tout le théâtre, que celle-ci, où le mari est sous la table, n'en croyant ni ses yeux ni ses oreilles, et où Tartuffe entreprend une action de plus en plus serrée. Cela a, sexuellement, quelque chose de très osé. Je ne m'étendrai pas sur ce point de vue, il est important.

C'est une scène scandaleuse : l'idée de ce mari qui entend tout, de cette femme un peu affolée, un peu traquée, qui tousse désespérément. Sa pudeur est concernée; c'est une scène tragique.

On joue cela avec une telle bêtise, une telle stupidité, un tel manque de danger, que c'en est écœurant, et ce n'est qu'écœurement.

MICHEL : Et à la fin, quand Tartuffe est dévoilé : — La maison est à moi. — C'est là qu'on voit qu'il est fort.

L. J. [avec emphase] : « C'est à vous d'en sortir, vous qui parlez en maître; — La maison m'appartient, je le ferai connaître. » C'est du Victor Hugo. C'est vraiment très bête. Alors que *Tartuffe dit cela sur un ton de netteté et de tranquillité parfait.* C'est une pierre qui tombe dans l'eau. Alors que s'il se met à déclamer « Bon appétit, messieurs! », cela perd tout son sens.

Au milieu de tout cela, il y a Dorine, c'est un être charmant. *Ce n'est pas du tout une de ces grosses femmes mafflues, fortes en croupe et en hanches, qui mènent leur jeune maîtresse rondement.*

HÉLÈNE : Oui, les servantes de Molière sont toujours très grosses, c'est pour cela que je ne pensais pas que j'en jouerais...

L. J. : Il n'y a pas très longtemps que cette conception est introduite dans le théâtre. *Jusqu'à Rachel, Dorine était jeune.*

[L. J. interroge Hélène sur Rachel et sur Mademoiselle George. Elle est incapable de dire approximativement à quelle époque elles vivaient. Il lui recommande d'apprendre un peu sur les acteurs d'autrefois.]

Rachel avait eu de gros succès en tragédie; un an après ses débuts au Français, elle a joué Dorine.

[A tous.] Elmire est aussi un personnage auquel il faudra que vous pensiez. Seulement il faut trouver un Tartuffe.

CLASSE DU 2 DÉCEMBRE 1939

[Claudia remplace Nadia dans le rôle de Mariane. Hélène entre et dit les trois premiers vers. L. J. l'arrête.]

L. J. : Recommence ton entrée comme tu l'as faite, mais sans dire un mot.

[Elle recommence.]

L. J. : Non, ce n'est pas la même entrée, fais l'entrée que tu as faite tout à l'heure.

[Elle recommence.]

L. J. : Ce qu'il y a *de plus important dans une scène, c'est l'attaque.* Tu es entrée tout à l'heure en traînant les pieds. Les mots que tu as dits n'avaient aucun rapport avec la façon dont tu as marché. Ta marche n'était pas dans l'inflexion. Ce n'était pas « synchrone » comme on dit au cinéma [1].

Sens-tu pourquoi ce n'était pas juste tout à l'heure ?

HÉLÈNE : Parce que je ne sentais pas ? [En disant cela, on a tout à fait l'impression qu'elle n'est pas du tout convaincue de cette réponse, mais qu'elle la fait parce qu'elle lui paraît convenable.]

L. J. : Non. Parce que tu accentuais sur « insensé » : « Souffrir qu'on vous propose un projet *insensé...* » Il faut enchaîner les deux premiers vers. Il y a plus d'indignation si tu dis les deux vers d'un trait que si tu les coupes.

[Lisant.] « Souffrir qu'on vous propose un projet insensé, — Sans que du moindre mot vous l'ayez repoussé ! » Tu sens qu'il y a une différence ? Il y a aussi une gradation vocale que tu ne donnes pas. C'est un crescendo. Tu n'entres pas dans cette pièce pour « engueuler » Mariane tout de suite à *haute voix.* Orgon vient de sortir, tu t'approches de Mariane, tu la frappes au bras, et tu l'apostrophes avec véhémence certes, mais à voix assez basse pour commencer : — Est-ce que vous êtes folle, dites ? — Tu as du mouvement, mais tu en mets un peu trop. Si tu donnes tout ce mouvement dès le début, tu ne pourras pas aller au bout de la scène sans ralentir ; et au contraire, il faudrait l'accélérer. Recommence. Parle à Mariane, attend qu'elle te réponde, et va en progressant.

— Avez-vous donc perdu, dites-moi, la parole,
— ...
— Et dans l'occasion mollit comme vous faites.

1. Sentiment du ton.

L. J. : Ne coupe pas le vers. Et donne à « mollit » son sens :
— Vous êtes une chiffe. —

    — Je ne compatis point à qui dit des sornettes,

    — ...
    — Quelle raison aurais-je à combattre vos vœux?

L. J. : C'est là que la scène change : — Épousez donc M. Tartuffe, il est très bien, etc. —

    — Non, non, je ne veux rien. Je vois que vous voulez,

    ...
    N'est pas un homme, non, qui se mouche du pié,

L. J. : Ce « non » qui est au milieu du vers, est très comique. Il faut bien le dire.

    — Certes, Monsieur Tartuffe, à bien prendre la chose,

    ...
    Il est noble chez lui,

L. J. : Cela aussi, c'est dérisoire.

    — ...bien fait de sa personne;

    ...
    Vous vivrez trop contente avec un tel mari.

L. J. : Soutiens ton inflexion là.

    — Mon Dieu!...

    — ...
    — Vous irez par le coche en sa petite ville,

L. J. : Il faut que tu t'amuses.
Cette description de la petite ville s'accompagne volontiers de gestes comiques. Tu lui décris la province. Mimer est nécessaire dans un texte comme celui-ci parce que c'est déjà un peu loin de nous. *Dorine s'amuse beaucoup.*
[L. J. indique les gestes.]

    — Votre sort est fort beau : de quoi vous plaignez-vous?

    ...
    Qui d'un siège pliant vous feront honorer.

L. J. : Déplie le siège.

    — Là, dans le carnaval,

L. J. : Fais un geste de masque.

    — Là, dans le carnaval, vous pourrez espérer
    Le bal

L. J. : Esquisse un pas de danse.

    — Le bal et la grand'bande, à savoir, deux musettes,

L. J. : Deux musettes, deux violons! Pensez donc! Voyez-vous ça. Mets de l'emphase.

— Et parfois Fagotin et ses marionnettes,

L. J. : Crescendo dans la dérision.

— Si pourtant votre époux...

L. J. : Ralentis bien la phrase là. C'est difficile à faire les passages « suspendus »; ralentis; qu'on comprenne bien : — Si pourtant votre époux juge acceptable un pareil divertissement. —

— ... Ah! tu me fais mourir.

— Je suis votre servante.

L. J. : N'accentue pas sur *votre*, fais une révérence.

— Je suis votre servante.

— ...

— Hé bien! puisque mon sort ne saurait t'émouvoir,

L. J. [à Hélène] : Ne va pas à elle. En allant vers elle, tu empêches qu'on comprenne ce qu'elle dit.

— Hé bien! puisque mon sort ne saurait t'émouvoir,

— Hé! là, là, revenez;

L. J. : Il y a de la tendresse pour Mariane, maintenant, chez Dorine.

[Elles achèvent la scène.]

L. J. : Tu vois ce qu'il faut faire?

HÉLÈNE : Un peu...

L. J. : C'est un peu trop vite. Tu as naturellement du mouvement, de la vivacité; fais attention; si tu fais du mouvement tout de suite en travaillant la scène, une fois lancée, tu « passes pardessus ».

Le sentiment n'est pas clair. Tes yeux rient toujours. C'est très joli, mais quand tu as de l'indignation, il ne faut pas que tes yeux rient (au début de la scène). N'essaie pas de rendre tes yeux tragiques, mais si c'est ainsi, c'est que le sentiment, en toi, n'est pas assez fort. Si le sentiment du personnage était plus fort, ton visage n'aurait pas de ces petites distractions. Les yeux, le visage, la démarche, tout cela doit être d'accord, lorsque le sentiment est juste.

CLASSE DU 9 DÉCEMBRE 1939

[La scène achevée, Hélène vient vers L. J.]

HÉLÈNE : Ça me semble bizarre.

L. J. : Moi aussi, ça me semble bizarre cette histoire.

HÉLÈNE : Pourtant il me semble que je ne l'ai jamais si bien senti qu'aujourd'hui. Il me semble que je devais être bizarre.

L. J. : Il y avait des choses comiques dans ce que tu faisais. Qu'est-ce que vous en pensez, vous ?

MICHEL : Il me semble qu'elle n'a pas tenu assez compte de ce que vous lui avez dit la dernière fois.

BRIGITTE : Elle est trop en colère ; elle ne s'amuse pas assez.

L. J. : C'est cela. Il n'y a pas de bonne humeur dans ta scène. [A Michel.] Je ne vous demande pas de vous placer par rapport aux critiques précédentes, ce n'est pas le plus important. Apprenez à être spectateurs, des spectateurs avertis, des spectateurs de profession. Un acteur est d'abord un bon spectateur. Quand vous voyez jouer les autres, tout naturellement, vous dites : je ferais mieux que cela. Vous comprenez ? Vous ne croyez pas ce que je vous dis ? C'est un sentiment qu'on a toujours par rapport aux exécutions des autres, à moins que, tout à coup, ce ne soit vraiment, pleinement satisfaisant. Sans quoi, comme spectateur, on apporte toujours des restrictions. Brigitte a dit ce qu'il y avait de plus juste : il n'y a pas de bonne humeur. Tu as une tendance à être en colère. Tu as un côté « râleur ». Ce n'est pas bon, au théâtre.

HÉLÈNE : Je me suis laissé emporter par ce premier mouvement.

L. J. : Il faut que tu trouves en toi une bonne humeur, une détente. On voit, dans le bas de ton visage, un côté « râleur », un peu hargneux. Tu as un peu de hargne parfois quand tu joues. Il faut y faire attention, parce que tu auras le visage de tes sentiments. *Au bout d'un certain temps, le visage exprime ce qu'on pense, la façon dont on vit.*

Si tu es bonne fille, si tu as de la bonne humeur, tu auras le visage de cette gentillesse-là. Tu as de la gaieté, mais ce n'est pas de la bonne humeur.

HÉLÈNE : Je ne suis pas ce qu'on appelle bonne fille.

L. J. : Il faut tâcher d'être bonne fille. Si tu t'apprends à être bonne fille, tous les jours, même avec le contrôleur de l'autobus, tu finiras par avoir de la bonne humeur, et au bout d'un certain temps, on a le visage de ses sentiments. Et après lorsqu'on a obtenu cette ressemblance avec ce qu'on est, il ne vous arrive rien qui ne vous ressemble. Il y a des femmes ravissantes qu'on revoit au bout d'un certain temps, et on dit : il y a deux ans, elle était plus jolie. C'est une femme qui a eu des malheurs. D'autres ont eu un peu de succès, une automobile avec chauffeur ; elles sont devenues plus jolies. Quand on s'apprend à être bonne fille pendant cinq ou six ans, on est d'une façon définitive équipé, armé pour la vie dans un certain sens.

Dans ta scène de Dorine, il y a de la monotonie parce que tu as tout le temps la même attitude : je râle. Alors que c'est un personnage très agréable parce qu'on sent que, dans la comédie, elle aura un rôle qui va sauver la situation. C'est une question d'attitude vis-à-vis du rôle. Tu ne changes pas tes inflexions, elles sont tout le temps les mêmes, parce que tu as une attitude qui est toujours dans la hargne. C'est ce qu'il faut enlever, il faut te donner de la bonne humeur. Au théâtre, une amoureuse, une femme de bonne humeur, ou bien une ingénue parfaite, c'est une fortune. C'est cela, un emploi. Une coquette, une vraie coquette, une femme qui, lorsqu'elle entre en scène, a un côté de cheval empanaché, c'est ravissant. Toi, tu dois être une femme de bonne humeur.

Tu places mal ta bonhomie, car, au fond, le côté « rouspéteur » que tu as est une façon de placer ta bonne humeur; seulement tu la places mal. Tu as de la vivacité, mais cette vivacité tu la mets dans une sorte de « rouspétance ». Mets-la dans de la bonne humeur. Il faut que tu arrives à jouer Dorine détendue, avec des nuances. Comprends-tu comment tu peux varier tes inflexions?

[L. J. prend le texte et lit la scène, et conclut :] Tu n'aimes pas assez Mariane. On ne voit que le raisonnement que tu tiens. Il y a, dans Dorine, une malice que tu ne mets pas. C'est sec parce qu'on ne voit pas ton affection pour Mariane.

Qu'aimerais-tu encore travailler?

Connais-tu les autres scènes de Dorine?

HÉLÈNE : Non.

L. J. : Tu pourrais travailler le premier acte de *Tartuffe*.

HÉLÈNE : J'ai appris aussi la Prière d'Esther.

L. J. : Alors prépare-nous aussi la Prière d'Esther.

Molière

LE TARTUFFE

ACTE I, SCÈNE 1

DORINE, *Hélène.*
Mme Pernelle, *Claudia.*
Damis, *Michel.*
Mariane, *Irène.*
Cléante, *Jacky.*

CLASSE DU 20 DÉCEMBRE 1939

[Hélène ne sait pas bien son texte. Comme les autres lisent assez mal (ils n'ont pas répété ensemble), la scène donne l'impression d'être un débat assez embrouillé entre eux. La scène achevée, tous s'arrêtent, les bras ballants, assez embarrassés, ne sachant trop que penser.]

L. J. : Eh bien! moi, après cela, je vous demande votre avis. Je ne sais pas ce que vous en pensez. Moi, je n'en pense rien.

CLAUDIA : C'est moi qui passe... [Elle avait le plus long texte.]

L. J. : Je ne sais pas ce que vous nous avez montré.

CLAUDIA : On n'a jamais répété.

L. J. : La question n'est pas là. Vous êtes de futurs comédiens. Quand on répète un texte pour la première fois, on peut au moins le faire entendre, surtout s'il s'agit, comme ici, d'un texte que vous devez connaître. Je n'en ai rien entendu, quoique je connaisse bien la scène. [A Hélène.] En supposant qu'on accorde une amnistie à tes camarades, j'aurais dû au moins t'entendre, toi. Or, je n'ai pas compris un mot de ce que tu as dit. Pour deux raisons : premièrement, tu parles beaucoup trop vite; deuxièmement, tu t'es continuellement adressée à Mme Pernelle, en nous tournant le dos tout le temps. Quand on voyait ton visage, de profil, on voyait surtout que tu riais; ton visage était tout éclairé, tout émerveillé par les malices que tu devais dire. Mais je n'ai rien entendu. Je me demandais pourquoi vous étiez sur cette scène.

Cette première scène de *Tartuffe* est une exposition; il s'agit, dès le début, que tout soit clair. Tu donnais cette scène pour Dorine; *Dorine, dans la circonstance, se tient à l'écart;* elle ne répond pas directement à Mme Pernelle; on ne *répond* pas ainsi à l'aïeule. *Elle répond à Cléante;* c'est à lui qu'elle dit sa première réplique. Ainsi quand quelqu'un parle à plusieurs autres personnes, il y a parmi celles-ci une qui emboîte le pas, qui renchérit. C'est ce que fait Dorine. *Elle saisit l'occasion pour placer son mot.* Tu ne nous en a pas donné, à un seul moment, le sentiment. Je ne sais pas comment tu as appris cela.

HÉLÈNE : Dorine est-elle en colère dans cette scène?

L. J. : Mais non, elle n'est pas en colère.

HÉLÈNE : Vous m'avez fait travailler plusieurs scènes de Dorine. La première fois elle était gaie, de bonne humeur. Mais là elle est en colère, non...?

L. J. : C'est le début de la pièce. *Tartuffe* est une pièce qu'on cite toujours pour *la perfection de son exposition. On nous montre la maison d'Orgon.* Orgon est marié avec Elmire, qui est une jeune femme; il y a également Cléante, le beau-frère d'Orgon, Damis, la petite Mariane. Mme Pernelle vient voir son fils, Orgon. Elle est entichée de Tartuffe, comme Orgon. Et Orgon n'est pas là. Mme Pernelle vient avec la mauvaise humeur qu'elle a contre les gens de la maison parce qu'elle sait qu'ils ne sont pas favorables à Tartuffe. Et elle s'en va, suivie avec déférence par toute la maisonnée, et Dorine à la suite. Tout ce monde arrive en scène, dans la salle basse, juste avant la sortie, et *Mme Pernelle avant de partir dit à chacun son fait. Elle ne dit rien à Dorine.* Chacun essaie de répondre : — Mais... — Si... Mme Pernelle ne les laisse pas parler et leur dit à tous des choses désagréables. A Dorine, elle ne dit rien, mais *Dorine profite d'une réplique de quelqu'un pour placer son mot.*

Il faut que cette première scène nous donne l'impression du drame qui est dans la maison d'Orgon, du problème qui est celui de la pièce. *Il y a un malentendu au sujet d'un personnage qu'on ne connaît pas : Tartuffe. Nous voyons l'exposé de la pièce.*

L'attitude de Dorine, à ce moment-là, n'est pas aussi enjouée, aussi gaie, aussi osée que tu nous le montres. *Si tu donnes à Dorine cette liberté, dès le début du premier acte, elle aura l'air d'être la fille de la maison : elle n'est que la suivante.* Si tu lui donnes ce « ton »-là dès la première scène, je me demande ce qu'il adviendra ensuite. C'est tout cela la situation.

Regarde le texte, écoute ce que tu dis, ce que tu fais, le rapport des personnages entre eux, et tu verras ce qu'est la situation dramatique.

C'est une vieille dame qui vient faire une semonce à des gens qui sont plus ou moins ses enfants, ou ses héritiers, et parmi lesquels la suivante dit aussi son mot, avec quelque liberté, mais sans s'adresser directement à Mme Pernelle.

Puisque *ce début est une exposition, une convention,* il faut que ce soit clair. Or, ce que tu as fait n'est pas clair du tout, on ne voit pas ce qui se passe, on n'est pas, dès le commencement, au fait de la pièce. *Cette première scène doit nous fixer sur ce qui va se passer;* elle doit nous intéresser. Ce que tu as fait « n'accroche » pas notre intérêt. Qu'as-tu travaillé, à part cela ?

HÉLÈNE : La Prière d'Esther.

L. J. : C'est ennuyeux. [Il pense à Dorine.] Tu devrais pouvoir jouer Dorine. C'est dommage que tu ne sentes pas cela.

HÉLÈNE : Non. Je n'aime pas du tout ce personnage.

L. J. : Tu vois. Dans le métier que nous pratiquons, nous jouons parfois des personnages que nous n'aimons pas. *Nous sommes les domestiques des personnages; il faut les aimer,* puisqu'on est exposé à les jouer même lorsqu'on ne les aime pas.

Un personnage de théâtre classique, il faut l'aimer. Le métier d'acteur apprend à aimer, apprend à pratiquer cette sympathie qui est à la base même des relations sociales et humaines. Tant que tu n'aimeras pas Dorine, tu ne le joueras pas bien. Quand on veut apprendre à aimer quelqu'un, ce n'est pas tellement difficile, il s'agit d'y mettre un peu de complaisance, de bonne volonté. C'est comme cela qu'on pénètre un personnage, c'est dans une sollicitude, une affection constantes; et petit à petit tu découvriras le personnage. Mais si, prenant ton texte, tu dis : je n'aime pas Dorine, je ne comprends pas, tu n'y parviendras jamais.

Les acteurs ont différentes attitudes en face des rôles qu'ils ont à interpréter; ils disent : Je n'aime pas ce rôle-là; ou bien : Oh! ça, c'est facile! Il y a ceux qui lisent le rôle et qui disent : Oh! je vois très bien ce qu'il fait. C'est une très mauvaise attitude. Même dans la vie, au fur et à mesure que tu grandiras, tu verras, avec des gens qui sont tes amis, que tu crois connaître très bien, que tu ne les auras pas compris entièrement; tu diras : Je n'aurais pas cru cela de lui. Et tu t'apercevras peut-être encore quelque temps après que, ce que tu as cru de lui, tu n'aurais pas dû le croire. Ce qui est intéressant dans l'humanité, disait Montaigne, c'est sa diversité. On n'arrive pas à connaître toute la diversité des hommes. Et cela te laisse supposer *qu'aucun personnage de théâtre n'est simple.*

Il faut être très circonspect devant les personnages, très réservé. On se jette sur les sentiments d'un personnage comme une otarie sur des morceaux de pain; on se précipite sur les sentiments. Il faut procéder beaucoup plus doucement que cela. *Il faut une fréquentation longue, quotidienne;* c'est au moment où on « sent » bien le personnage qu'on le connaît.

Ce qui donne du talent, c'est cette pénétration du personnage; 200 ou 300 représentations du personnage, ce n'est au fond qu'une longue fréquentation; et on n'arrive à le bien jouer, à la fin, que parce qu'on l'a joué longtemps. Si on l'avait répété aussi longtemps, on le « jouerait » bien dès la première vraie représentation.

De grandes actrices ont débuté dans le rôle de Dorine. Il faut apporter au travail que tu fais pour ce rôle autant de sérieux que si tu allais le jouer. Tu te représentes bien, dans ton esprit, toutes les scènes de Dorine?

HÉLÈNE : Oui, je crois.

L. J. : Tu pourrais me dire : la première scène c'est cela, la seconde, etc.

HÉLÈNE : La première scène c'est avec Mme Pernelle; la deuxième c'est : « Et Tartuffe? »; la troisième c'est celle que j'ai apprise : « Avez-vous donc perdu, dites-moi, la parole? » Après... je les oublie.

L. J. : Tu vois, tu as affaire à un personnage qui est mêlé à l'action, qui a des scènes très caractéristiques. Tu me fais un résumé maintenant, parce que je te le demande, mais tu n'y as jamais pensé avant.

Quand on apprend un rôle, il faut voir la pièce tout entière, savoir comment le personnage se comporte, la succession des scènes qu'il y a. L'imagination que tu as ensuite de l'ensemble te sert pour trouver le personnage. Apprendre une scène, venir la jouer comme cela, ce n'est pas suffisant. *Il faut fréquenter les personnages, les aimer.* C'est la seule façon de « tirer » quelque chose d'un personnage; autrement, notre métier pourrait être pratiqué par n'importe qui.

MICHEL : Croyez-vous qu'on puisse jouer une scène comme cette première scène de Dorine sans avoir répété avec tous les personnages?

L. J. : Évidemment, c'est difficile; on est toujours obligé d'ajuster ce qu'on fait aux répliques des autres. Cependant, si Hélène avait bien pensé à son personnage, elle n'aurait pas commis les erreurs qu'elle a commises.

MICHEL : Si elle avait travaillé avec Mme Pernelle, elle aurait pu trouver le ton de la scène.

L. J. : Sa première réplique n'est pas à Mme Pernelle; et tout le reste de son intervention dans le morceau n'était pas du tout dans l'esprit voulu.

CLAUDIA [Mme Pernelle] : Oui... on est surpris par la voix des autres, la première fois.

L. J. : *Quand on doit jouer dans un ensemble, qu'on y tient une partie,* même avant une répétition avec les autres, on a le ton juste de sa partie, le mouvement. N'importe quelle clarinette, n'importe quel basson qui connaît un peu son métier, a pour jouer sa partie l'accent voulu; il intervient au moment voulu. Il y a une certaine adaptation que peut faire le chef d'orchestre, mais l'instrumentiste a appris sa partie.

NADIA : Mais ils ont du métier.

L. J. : Justement. Pourquoi Hélène a-t-elle fait un tel contre-sens ? Je ne lui ai pas révélé des choses d'une profondeur incalculable ; elle aurait pu les trouver toute seule. Elle est venue avec sa bonne humeur naturelle, elle a sifflé ses répliques, qu'on n'a d'ailleurs pas entendues, qui ne correspondaient à rien, à aucun sentiment. Elle n'a pas réfléchi à la scène. N'est-ce pas, tu ne l'as pas cherchée ?

HÉLÈNE : Dorine doit répondre du tac au tac...

L. J. : Voilà qui n'est justement pas bon. *Elle ne « répond » pas.*

HÉLÈNE : Je l'avais imaginé ; je ne l'ai pas du tout donné comme je l'avais imaginé. Je n'avais pas du tout le sentiment du personnage.

L. J. : Et pourquoi ?

HÉLÈNE : ...

L. J. : Pour jouer la comédie, il y a un métier. Ce métier comporte un certain nombre de particularités que vous êtes là pour apprendre, que je suis là pour vous expliquer, pour essayer de vous faire comprendre...

MICHEL : Est-ce que vous ne croyez pas que, pour une scène comme celle-là, on aurait intérêt à vous dire auparavant : je passerai cette scène, en vous expliquant ce qu'on en pense, pour ne pas faire d'erreurs pareilles.

L. J. : Oui. S'il y a un personnage que vous ne sentez pas, une scène que vous ne comprenez pas, venez me le dire ; cela vaudra mieux que de passer une scène qui ne signifie rien. Nous en parlerons, et vous ne ferez pas un travail à l'aveuglette.

Il y a des comédiens comme cela au théâtre. On dit : je vais donner ce rôle à celui-là. Il n'y fera rien, mais c'est un rôle que je ne vois pas très bien moi-même. L'acteur ne le jouera pas. On lui donne des indications par rapport à la nécessité de la scène. C'est une utilité. C'est l'acteur qui arrive et qui dit : Qu'est-ce que je fais, par où est-ce que j'arrive ? Ce n'est pas un acteur qui a une valeur réelle comme exécutant, qui « sortira » la scène. Cet acteur-là, c'est « rien ». Tandis que d'autres arrivent avec une idée, une imagination du rôle.

HÉLÈNE : Je suis certaine que si j'avais pu la redire, je l'aurais donnée beaucoup mieux.

L. J. : Tu as passé dans une scène d'ensemble où tout le monde a « bafouillé » ; tu n'aurais pas dû avoir la diction des autres ; on aurait dû voir que c'était toi qui passais, puisque tu avais, sur eux, l'avantage d'avoir appris ton rôle. Mais tu as bredouillé comme les autres. Si tu avais eu le sentiment de la scène et de ton personnage, tu aurais dû donner l'impression que tes camarades te gênaient. Tu as suivi le troupeau, marché du même train.

Ce qui est important pour l'acteur, sa qualité essentielle, est *son attitude dans son travail*, la façon de se comporter. *Le personnage classique est quelqu'un qui existe beaucoup plus que vous.* Il ne faut pas, comme vous le faites, chausser les sabots du mort avec une inconscience absolue. Le personnage a *une existence dramatique beaucoup plus grande que la vôtre.* [A Hélène.] Pour arriver à être Dorine, il faut y penser sérieusement. Tu te jettes sur le texte et tu le dis comme cela; tu te figures que ça y est. C'est d'une légèreté incompréhensible. Ce n'est pas du théâtre.

[Puis L. J. parle de ces comédiens qui étaient engagés le vendredi pour jouer le dimanche *Monte-Cristo* à Saint-Quentin et il ajoute :]

(...) Des types qui bafouillaient le rôle tout le long de la pièce, mais qui avaient un sens dramatique étonnant, qui sentaient instinctivement les grands moments de la pièce. Là, ils jouaient. Je les ai vus travailler; ils avaient un sens dramatique. Ils étaient condamnés à un travail affreux; pour des raisons d'ordre social, intime, etc. Ils n'avaient pas « percé ». Mais ils avaient du métier, du talent, et ils avaient sur les personnages des appréhensions beaucoup plus grandes que celles que vous éprouvez.

Tout dépend pour un comédien de son attitude vis-à-vis du personnage, vis-à-vis du public; de son attitude vis-à-vis de soi-même, ce qui est peut-être plus difficile. Cela comporte beaucoup de choses. *Jouer un personnage, c'est se prêter à quelqu'un.* Il s'agit d'obéir au personnage; et vous savez comme il est déjà difficile de s'obéir à soi-même! Il faut savoir se prêter au public, ne pas trop s'y prêter.

Le métier d'acteur, qui n'exige pas de grandes facultés intellectuelles, demande tout de même *une intelligence intérieure,* une intuition, une finesse.

Si une comédienne est simplement un animal qu'on amène en scène, un animal bien peigné, bien paré, doué d'une belle voix... non. Une comédienne, c'est quelqu'un qui a une vie intérieure. *Cette attitude de l'acteur* vis-à-vis de soi-même, vis-à-vis de son métier, du public, du personnage, *comporte une discipline.* Quand on va jouer un personnage, il faut se donner un régime. Se préparer à jouer Phèdre, pendant six mois, c'est s'astreindre à un certain régime intellectuel; et c'est ainsi que souvent, à leur insu, *le personnage influe sur les interprètes.*

Tout le monde peut faire du théâtre. C'est ce qui est grave dans notre métier.

[A Hélène.] Dis-toi que Rachel, à ses débuts, a joué Dorine. Elle avait travaillé plus que tu ne l'as fait.

Travailler, cela ne consiste pas seulement à apprendre son texte, a le répéter; *cela consiste à être touché par les sentiments de Pyrrhus, d'Hermione.* Le lecteur d'une œuvre est comme le lecteur d'une sonate; on ne la lit pas du premier coup. Il faut d'abord *comprendre le sentiment, puis le ressentir, et enfin, l'exprimer, l'exécuter.* Mais il arrive, lorsqu'on joue une pièce, que des gens vous disent : — Oh! vous avez été très bien à ce moment-là, il y a un mépris! — On est tout confus, on ne voulait pas du tout exprimer le mépris.

IRÈNE : On ne se contrôle pas toujours.

L. J. : Ce n'est pas affaire de contrôle, ici. C'est se voir, s'entendre; voir, entendre et apprécier en qualité de spectateur son partenaire, c'est déjà difficile; il est bien plus difficile encore de se voir, de s'entendre soi-même. *Écouter le public et écouter l'impression que donne la scène,* nous faisons cela empiriquement; mais si vous voulez vous exercer à le faire, vous verrez comme c'est difficile.

Déjà, dans la vie, il est assez malaisé d'observer; on n'en a pas l'habitude; je parle, vous écoutez; vous pourriez aussi bien ne pas écouter intérieurement. Cela se sentirait. Vous savez, *les gens qui ont une attitude attentive et qui pensent à autre chose?* La faculté d'attention d'une salle crée, dans un faisceau de sensibilités, un élément favorable à l'acteur. Ce n'est pas plus mystérieux que les ondes de T. S. F., le courant électrique. Cela existe. Jouer la comédie sans tenir compte de ces choses-là, c'est perdre son temps. Vous ne vous perfectionnerez que dans la mesure où vous serez vous-mêmes un élément de contrôle de ces moyens.

MICHEL : C'est pour cela que je crois que ceci est en contradiction avec ce que vous avez dit tout à l'heure, que si on répétait longtemps un personnage on le jouerait bien. Je crois qu'il faut dire : à force de le jouer, on le jouerait bien.

L. J. : Tu n'as pas compris. Ce qui est difficile pour un comédien, pour un metteur en scène, c'est *l'art de répéter.* Une pièce bien répétée, c'est une pièce facile à jouer ensuite. D'ordinaire, on ne répète pas. Ce que tu crois être une répétition, c'est un ensemble de gens qui arrivent à des heures plus ou moins différentes. On dit le texte; survient un incident, on apporte un pneumatique. On s'arrête. Des gens se congratulent : vous avez été très bien, tout à fait remarquable. Ces réunions aimables se poursuivent pendant un certain temps, jusqu'au jour où le directeur s'avise qu'il « faudrait tout de même passer ».

C'est beaucoup plus que cela une répétition : *arriver à être le personnage, à le devenir, c'est-à-dire le sentir profondément;* et lorsque ce personnage est senti profondément, qu'on a une conviction intime, qu'on éprouve bien, qu'on pourrait dire du personnage des choses qu'il ferait en dehors même des conditions où il est placé, qu'on peut parler de lui comme d'un vieil ami, dire à quelqu'un : — Oh! non il ne ferait sûrement pas cela! — on connaît le personnage. *Et quand on le connaît bien, qu'on se substitue à lui, qu'on l'éprouve sensiblement, il faut l'exécuter.* C'est encore autre chose.

Pour se croire le personnage, pour l'être, on se place sur la scène. C'est un lieu d'une particulière magie, où toutes choses se transforment. Lorsqu'on veut faire du marbre pour le décor, si on prend du vrai marbre il aura l'air de papier mâché; il faut peut-être prendre du papier pour avoir du marbre. C'est le même problème dans la traduction des sentiments. Il faut quelquefois en avoir un autre que celui qu'on veut montrer. C'est l'astuce; une astuce de métier comme dans la peinture, dans la sculpture. *La traduction d'un sentiment se fait parfois par des moyens détournés.*

Fréquenter un personnage, le connaître, le devenir, trouver ensuite les moyens d'exécution de ce personnage; ajouter à cela qu'il y a toujours chez le comédien ce grand problème qu'il est à la fois le piano et le pianiste, l'instrument et l'instrumentiste; et vous aurez idée des difficultés qui sont celles de notre métier.

Molière

LE TARTUFFE

ACTE II, SCÈNE 3

DORINE, *Hélène.*
Mariane, *Simone.*

CLASSE DU 27 NOVEMBRE 1940

[Elles donnent toute la scène.]
HÉLÈNE : J'ai senti que ça a cloché.
L. J. : Pourquoi?
HÉLÈNE : Je ne pensais plus ce que je disais.
L. J. Pourquoi ne le pensais-tu plus?
HÉLÈNE : C'est peut-être parce que j'avais peur?
L. J. : Et quoi donc encore? Qu'en dites-vous les autres?
JACKY : Ça manque de bonne humeur.
VIVIANE : Elle y arrivera facilement maintenant.
L. J. : C'est mieux que ce qu'elle faisait autrefois. Que manque-t-il encore, France?
FRANCE : Elle n'est pas assez affectueuse.
L. J. : Tu me dis cela pour me faire plaisir, mais ça ne veut rien dire. Étant donné que tu commences à être une comédienne, tu devrais pouvoir me dire quelque chose là-dessus.
CLAUDIA : Ça ne monte pas.
VIVIANE : Elles ne sont pas assez unies.
UNE AUDITRICE : Elle est un peu distinguée.
L. J. : Je ne vous demande pas des considérations sur le personnage, je vous demande de me dire quelque chose sur la scène.
IRÈNE : Elle n'est pas dans l'état physique du personnage.
L. J. : Ce n'est pas ça non plus. [A Hélène.] Tu aurais du métier, tu te serais arrêtée à la troisième réplique en disant : — Autant, je recommence. — Tu n'y étais pas parce que *tu as voulu donner du mouvement*, alors qu'on ne t'en demande pas tout de suite. Tu as voulu tout de suite donner de la vie à la scène en faisant du mouvement. *Le mouvement*, dans une scène, *est la conséquence du jeu.* Quand le musicien étudie une partition, il commence par déchif-

frer, il commence par la jouer, le ton vient, puis, petit à petit, par la répétition, le rythme.

CLAUDIA : Elle a fait le pendant de Denis en femme; elle a joué avec des gestes.

L. J. : L'agitation, les gestes, ce n'est pas ce qu'il faut placer au début, ça vient naturellement de la scène même.

HÉLÈNE : J'avais pensé à faire moins de gestes.

L. J. Ce n'est pas seulement une question de gestes, c'est une question de rapidité.

Le mouvement que tu donnes en ce moment ce n'est que de la rapidité, ce n'est pas du mouvement. Tu as confondu vitesse et précipitation, comme on dit.

HÉLÈNE : Par exemple, je disais trop vite les vers en voulant apporter le sentiment.

L. J. : J'aimerais mieux que tu dises la scène bien plus lentement. Au fur et à mesure que tu prendras de l'autorité, que tu auras eu le temps de dire les vers, petit à petit le mouvement viendra; ce sera comme un mouvement qui s'accélère.

On ne peut rien te dire sur une scène comme celle-là parce que c'est trop précipité. Vous êtes ici pour analyser ce que vous faites. Par conséquent, travaillez pour vous, pas pour moi.

Quand tu me donnes une scène comme celle-là, tu crois me satisfaire en donnant du mouvement. Tu as dit tout cela beaucoup trop vite.

HÉLÈNE : Je peux recommencer?

— Avez-vous donc perdu, dites-moi, la parole,

L. J. : Tu ouvres la bouche avant de t'arrêter. Entre, installe-toi et ouvre la bouche après. Cela a un côté comique et grotesque une personne qui ouvre la bouche avant de s'arrêter.

— Avez-vous donc perdu, dites-moi, la parole,
Et faut-il qu'en ceci je fasse votre rôle?

L. J. : Pose bien cela comme première interrogation. L'interrogation n'est pas juste. — Dites donc est-ce que vous êtes devenue muette? Est-ce qu'il faut que je prenne votre place maintenant? —

— Avez-vous donc perdu, dites-moi, la parole,
Ft faut-il qu'en ceci je fasse votre rôle?

L. J. : N'arrête pas après « dites-moi », c'est « la parole » qui est intéressante. Si tu fais la plus légère inflexion sur le « dites-moi », l'interrogation sur « parole » sera fausse, le son sera moins fort à la fin de la phrase, ton interrogation s'atténue immédiatement.

— Avez-vous donc perdu, dites-moi, la parole,

L. J. : Respire bien. Dis les deux vers en respirant. Le côté

interrogatif vient d'un état physique et respiratoire dans lequel
est Dorine. — Qu'est-ce que c'est que cette histoire-là ? Est-ce que
vous n'êtes pas devenue folle ? — Il y a une interrogation physique, si je puis dire, un état de suffocation qui fait que la respiration vient par bouffées intérieurement.

> — Avez-vous donc perdu, dites-moi, la parole,
> Et faut-il qu'en ceci je fasse votre rôle ?

L. J. : Tu alourdis sur « qu'en ceci ». C'est *parole* et *rôle* qui sont
importants.

> — Avez-vous donc perdu, dites-moi, la parole,
> Et faut-il qu'en ceci je fasse votre rôle ?
> Souffrir qu'on vous propose un projet insensé,
> Sans que du moindre mot vous l'ayez repoussé !

L. J. : Quand tu as posé l'interrogation : « Et faut-il qu'en ceci
je fasse votre rôle ? » tu lui expliques ce dont il s'agit. Toi, tu
continues l'interrogation sur les deux autres vers. Et tu appuies
sur « insensé » ; ta phrase n'est plus claire parce que tu fais saillir
le qualificatif « insensé ».
[Hélène redit les quatre vers.]
L. J. : C'est déjà plus juste, plus clair à l'oreille. Écoutez bien
les autres ; vous apprendrez plus par ce que vous entendrez dire
aux autres que par ce qu'on vous dira à vous.
« Avez-vous donc perdu, dites-moi, la parole, — Et faut-il
qu'en ceci je fasse votre rôle ? »
C'est une interrogation montante. Et ensuite tu lui expliques :
« Souffrir qu'on vous propose un projet insensé ». Ces deux derniers vers doivent donc être plus lents.

> — Avez-vous donc perdu, dites-moi, la parole,
> Et faut-il qu'en ceci je fasse votre rôle ?

L. J. : Tu accentues encore « qu'en ceci ». Ça ne veut rien dire
si tu l'appuies.

> — Avez-vous donc perdu, dites-moi, la parole,
> — ...
> — Ce qu'il faut pour parer une telle menace.

L. J. : Écoute bien Mariane. Si tu l'écoutes bien ton inflexion
sera juste. Tu ne l'écoutes pas. Elle te donne très bien la réplique.
[A Simone.] C'est très bien ce que vous faites.

> — Contre un père absolu que veux-tu que je fasse ?
> — Ce qu'il faut pour parer une telle menace.

L. J. : Ne sois pas tellement irritée contre elle. C'est une femme
qui a un bon sens magnifique, elle s'indigne, mais pour montrer
à la petite qu'elle a tort et qu'elle est sotte d'agir ainsi. Elle ne
s'indigne pas d'une vraie colère.

— Contre un père absolu que veux-tu que je fasse ?
— Ce qu'il faut pour parer une telle menace.

L. J. : Avec évidence : — Voilà ce qu'il faut lui dire ma petite fille. — Que ce soit dans le bon sens et pas dans l'indignation coléreuse comme tu le fais.

— Contre un père absolu que veux-tu que je fasse ?
— ...
— Il le peut épouser sans nul empêchement.

L. J. : — Nous on s'en fout. — Voilà ce qu'il faut dire !

— Contre un père absolu que veux-tu que je fasse ?
— ...
— Que je n'ai jamais eu la force de rien dire.

L. J. : Mais raisonnons. Ne disons pas de bêtises plus longtemps. Raisonnons ma petite fille.

— Mais raisonnons. Valère a fait pour vous des pas :
L'aimez-vous, je vous prie, ou ne l'aimez-vous pas ?

L. J. : « Mais raisonnons. » Commence : « Valère a fait pour vous des pas », et d'un. « L'aimez-vous, je vous prie, ou ne l'aimez-vous pas ? », et de deux.

— Ah ! qu'envers mon amour ton injustice est grande,

L. J. : Sors bien le « Ah ! »
Chaque fois que vous avez une exclamation ou une interjection, sortez-la bien. Cela donne le ton à toute la phrase. Tu comprends, tu as toute ta phrase ensuite sur le « Ah ! »

— Mais raisonnons. Valère a fait pour vous des pas :

L. J. : Sens bien cela. Tu sais qu'elle adore Valère, alors tu lui dis tout cela : — Vous me rasez toute la journée avec votre Valère, je suis obligée de faire des commissions, de le cacher dans le placard, et maintenant... —

— Ah ! qu'envers mon amour ton injustice est grande,
Dorine !

L. J. : Ne laisse pas tomber « Dorine ». Reste dans l'indignation tout le temps.

— Ah ! qu'envers mon amour ton injustice est grande,
Dorine !

L. J. : Tu laisses tomber « Dorine ».

— Ah ! qu'envers mon amour

L. J. : Le « Ah ! » doit te donner toute la phrase.

— Ah ! qu'envers mon amour ton injustice est grande,

— ...
— Que sais-je si le cœur a parlé par la bouche,

L. J. : Réponds-lui : — Que sais-je? Moi je ne sais pas. — C'est cela la réplique. — Ah! qu'est-ce que tu me dis? Mais moi je ne sais pas... —

 — Que sais-je si le cœur a parlé par la bouche,

 — Tu me fais grand tort, Dorine, d'en douter,

L. J. [à Simone] : Elle a les larmes aux yeux. — Ce n'est pas très gentil de ta part, Dorine. — Soutiens le ton.

 — Tu me fais grand tort, Dorine, d'en douter,

 — Enfin, vous l'aimez donc?

L. J. : Interroge-la bien. Tu l'as devant toi qui est en train de se débattre comme une pauvre petite colombe. C'est de l'ironie tout ça : « Enfin vous l'aimez donc? »

 — ... Oui, d'une ardeur extrême.

L. J. : « Enfin vous l'aimez donc? » — Est-ce que je le sais moi; je n'en savais rien. —

 — ...Oui, d'une ardeur extrême.

 — De vous voir mariés ensemble? — Assurément.

L. J. : — Voyons Dorine, qu'est-ce que tu demandes?

 — Sur cette autre union quelle est donc votre attente?

L. J. : Raisonnons.

 — De me donner la mort / / si l'on me violente.

L. J. : Ne coupe pas. C'est une décision.

 — De me donner la mort si l'on me violente.

L. J. : Un peu plus résolu. Il faut que ce soit très sincère.

 — De me donner la mort si l'on me violente.
 — Fort bien.

L. J. : — C'est intéressant! — Dis ton « Fort bien » comme tu voudras mais que ce soit une conclusion : — Oh! alors! très bien! très bien! —

 — Fort bien. C'est un recours où je ne songeais pas;

L. J. : Réponds-lui bien; mets-la bien en boîte.

 — Fort bien. C'est un recours où je ne songeais pas;

 Le remède sans doute est merveilleux.

L. J. : — Ce n'est pas mal. Je n'y avais pas songé. Moi je n'aurais pas trouvé ça. —

— ... J'enrage,
Lorsque j'entends tenir ces sortes de langage.

L. J. : — Moi, j'enrage, vous comprenez, moi. — C'est au public, ça.

— ... J'enrage,
Lorsque j'entends tenir ces sortes de langage.

L. J. : Au public. — Ce qu'elle est bête cette fille, non. —
— Mon Dieu! de quelle humeur, Dorine, tu te rends!

...
— Je ne compatis point à qui dit des sornettes,

L. J. : Des sornettes. Tu sais ce que c'est?

— Et dans l'occasion mollit comme vous faites.

L. J. : Soutiens la phrase.

— Mais que veux-tu? si j'ai de la timidité.

L. J. : Le mot timidité n'est pas juste; dans le cas de Mariane ce n'est pas de la timidité, c'est sa jeunesse.

— Mais que veux-tu? si j'ai de la timidité.

— ...
— Mais quoi! si votre père est un bourru fieffé,

L. J. : Réponds-lui « Mais quoi! »

— Mais quoi! si votre père est un bourru fieffé,

— ...
— Et veux-tu que mes feux par le monde étalés...

L. J. : Tout ça c'est un peu plus distingué, un peu plus précieux.

— Non, non, je ne veux rien.

L. J. : — Vous m'ennuyez, vous comprenez, vous êtes trop bête. Non, non, je ne veux rien. En voilà assez avec cette histoire-là, vous êtes trop bête. — Et tu reprends après : « Je vois que vous voulez — Être à Monsieur Tartuffe, et j'aurais, quand j'y pense, — Tort de vous détourner d'une telle alliance. » Sur le ton de : — Moi je trouve ça très bien. —

— Non, non, je ne veux rien. Je vois que vous voulez

...
Monsieur Tartuffe. Oh! Oh! n'est-ce rien qu'on pro-
[pose?

L. J. : Dis bien : « Monsieur Tartuffe. »

— Monsieur Tartuffe. Oh! Oh! n'est-ce rien qu'on pro-
[pose?

...
Il est noble chez lui, bien fait de sa personne;

L. J. :« Bien fait de sa personne », dis-le bien, qu'on comprenne.

— Il a l'oreille rouge et le teint bien fleuri;

L. J. : N'arrête pas.

— Il a l'oreille rouge et le teint bien fleuri;

— ...

— Non, il faut qu'une fille obéisse à son père,

L. J. : Avec autorité.

— Non, il faut qu'une fille obéisse à son père,

— ...

— ... Ah! tu me fais mourir.

L. J. : Sors bien le « Ah!» Ce sont deux choses différentes le « Ah» et « tu me fais mourir ».

— ... Ah! tu me fais mourir.

— ...

— ... Non. Vous serez, ma foi, tartuffiée.

L. J. : — Fichez-moi la paix. —
Tu vois le travail que tu as fait là-dessus? Tu vois la différence avec ce que tu as fait tout à l'heure? Tu ne veux pas essayer de retravailler cela dans ce sens? Tu sens mieux la scène maintenant?

HÉLÈNE : Beaucoup mieux.

L. J. : Tu vois que ce n'est pas si désagréable que cela à jouer. Tu as mis un an pour arriver à cette conclusion.

SIMONE : Elle ne voulait pas jouer Dorine?

L. J. : Non, elle ne l'aimait pas! Si on te donne à travailler un personnage, et que tu commences par dire : Je ne l'aime pas, tu ne pourras pas y arriver. Les personnages, il faut commencer par les aimer. Tu sais, quand on aime quelqu'un, on finit par lui trouver des vertus.

Appendice

Marivaux

LE PRINCE TRAVESTI

ACTE I, SCÈNE 2

HORTENSE, LA PRINCESSE

LA PRINCESSE

Ma chère Hortense, depuis un an que vous êtes absente, il m'est arrivé une grande aventure.

HORTENSE

Hier au soir en arrivant, quand j'eus l'honneur de vous revoir, vous me parûtes aussi tranquille que vous l'étiez avant mon départ.

LA PRINCESSE

Cela est bien différent, et je vous parus hier ce que je n'étais pas; mais nous avions des témoins, et d'ailleurs vous aviez besoin de repos.

HORTENSE

Que vous est-il arrivé donc, Madame? Car je compte que mon absence n'aura rien diminué de vos bontés et de la confiance que vous aviez pour moi.

LA PRINCESSE

Non, sans doute. Le sang nous unit; je sais votre attachement pour moi, et vous me serez toujours chère; mais j'ai peur que vous ne condamniez mes faiblesses.

HORTENSE

Moi, Madame, les condamner! Eh! n'est-ce pas un défaut que de n'avoir point de faiblesses? Que ferions-nous d'une personne parfaite? A quoi nous serait-elle bonne? Entendrait-elle quelque chose à nous, à notre cœur, à ses petits besoins? Quel service pourrait-elle nous rendre avec sa raison ferme et sans quartier, qui ferait main basse sur tous nos mouvements? Croyez-moi, Madame; il faut vivre avec les autres, et avoir du moins moitié raison et moitié folie, pour lier commerce; avec cela vous nous ressemblerez un peu; car pour nous ressembler tout à fait, il ne faudrait presque que de la folie; mais je ne vous en demande pas tant. Venons au fait : quel est le sujet de votre inquiétude?

LA PRINCESSE

J'aime, voilà ma peine.

HORTENSE

Que ne dites-vous : J'aime, voilà mon plaisir ? car elle est faite comme un plaisir, cette peine que vous dites.

LA PRINCESSE

Non, je vous assure; elle m'embarrasse beaucoup.

HORTENSE

Mais vous êtes aimée, sans doute ?

LA PRINCESSE

Je crois voir qu'on n'est pas ingrat.

HORTENSE

Comment, vous croyez voir! Celui qui vous aime met-il son amour en énigme? Oh! Madame, il faut que l'amour parle bien clairement et qu'il répète toujours, encore avec cela ne parle-t-il pas assez.

LA PRINCESSE

Je règne; celui dont il s'agit ne pense pas sans doute qu'il lui soit permis de s'expliquer autrement que par ses respects.

HORTENSE

Eh bien! Madame, que ne lui donnez-vous un pouvoir plus ample? Car qu'est-ce que c'est que du respect? L'amour est bien enveloppé là-dedans. Sans lui dire précisément : « Expliquez-vous mieux », ne pouvez-vous lui glisser la valeur de cela dans quelque regard? Avec deux yeux ne dit-on pas ce que l'on veut?

LA PRINCESSE

Je n'ose, Hortense : un reste de fierté me retient.

HORTENSE

Il faudra pourtant bien que ce reste-là s'en aille avec le reste, si vous voulez vous éclaircir. Mais quelle est la personne en question?

LA PRINCESSE

Vous avez entendu parler de Lélio?

HORTENSE

Oui, comme d'un illustre étranger qui, ayant rencontré notre armée, y servit volontaire il y a six ou sept mois, et à qui nous dûmes le gain de la dernière bataille.

LA PRINCESSE

Celui qui commandait l'armée, l'engagea par mon ordre à venir ici; et depuis qu'il y est, ses sages conseils dans mes affaires ne m'ont pas été moins avantageux que sa valeur; c'est d'ailleurs l'âme la plus généreuse...

HORTENSE

Est-il jeune?

LA PRINCESSE

Il est dans la fleur de son âge.

HORTENSE

De bonne mine?

LA PRINCESSE

Il me le paraît.

HORTENSE

Jeune, aimable, vaillant, généreux et sage, cet homme-là vous a donné son cœur; vous lui avez rendu le vôtre en revanche; c'est cœur pour cœur, le troc est sans reproche, et je trouve que vous avez fait là un fort bon marché. Comptons; dans cet homme-là vous avez d'abord un amant, ensuite un ministre, ensuite un général d'armée, ensuite un mari, s'il le faut, et le tout pour vous; voilà donc quatre hommes pour un, et le tout en un seul. Madame, ce calcul-là mérite attention.

LA PRINCESSE

Vous êtes toujours badine. Mais cet homme qui en vaut quatre, et que vous voulez que j'épouse, savez-vous qu'il n'est, à ce qu'il dit, qu'un simple gentilhomme, et qu'il me faut un prince? Il est vrai que dans nos États le privilège des princesses qui règnent est d'épouser qui elles veulent; mais il ne sied pas toujours de se servir de ses privilèges.

HORTENSE

Madame, il vous faut un prince ou un homme qui mérite de l'être, c'est la même chose; un peu d'attention, s'il vous plaît. Jeune, aimable, vaillant, généreux et sage, Madame, avec cela, fût-il né dans une chaumière, sa naissance est royale, et voilà mon Prince; je vous défie d'en trouver un meilleur. Croyez-moi, je parle quelquefois sérieusement; vous et moi nous restons seules de la famille de nos maîtres; donnez à vos sujets un souverain vertueux; ils se consoleront avec sa vertu du défaut de sa naissance.

LA PRINCESSE

Vous avez raison, et vous m'encouragez; mais, ma chère Hortense, il vient d'arriver ici un ambassadeur de Castille, dont je sais que la commission est de demander ma main pour son maître; aurai-je bonne grâce de refuser un prince pour n'épouser qu'un particulier?

HORTENSE

Si vous aurez bonne grâce? Eh! qui en empêchera? Quand on refuse les gens bien poliment, ne les refuse-t-on pas de bonne grâce?

LA PRINCESSE

Eh bien! Hortense, je vous en croirai; mais j'attends un service de vous. Je ne saurais me résoudre à montrer clairement mes dispositions à

Lélio; souffrez que je vous charge de ce soin, et acquittez-vous-en adroitement dès que vous le verrez.

HORTENSE

Avec plaisir, Madame; car j'aime à faire de bonnes actions. A la charge que, quand vous aurez épousé cet honnête homme-là, il y aura dans votre histoire un petit article que je dresserai moi-même, et qui dira précisément : « Ce fut la sage Hortense qui procura cette bonne fortune au peuple; la Princesse craignait de n'avoir pas bonne grâce en épousant Lélio; Hortense lui leva ce vain scrupule, qui eût peut-être privé la république de cette longue suite de bons princes qui ressemblèrent à leur père. » Voilà ce qu'il faudra mettre pour la gloire de mes descendants, qui, par ce moyen, auront en moi une aïeule d'heureuse mémoire.

LA PRINCESSE

Quel fonds de gaieté!... Mais, ma chère Hortense, vous parlez de vos descendants; vous n'avez été qu'un an avec votre mari, et il ne vous a pas laissé d'enfants, et toute jeune que vous êtes, vous ne voulez pas vous remarier; où prendrez-vous votre postérité?

HORTENSE

Cela est vrai, je n'y songeais pas, et voilà tout d'un coup ma postérité anéantie... Mais trouvez-moi quelqu'un qui ait à peu près le mérite de Lélio, et le goût du mariage me reviendra peut-être; car je l'ai tout à fait perdu, et je n'ai point tort. Avant que le comte Rodrigue m'épousât, il n'y avait amour ancien ni moderne qui pût figurer auprès du sien. Les autres amants auprès de lui rampaient comme de mauvaises copies d'un excellent original; c'était une chose admirable, c'était une passion formée de tout ce qu'on peut imaginer en sentiments, langueurs, soupirs, transports, délicatesses, douce impatience, et le tout ensemble; pleurs de joie au moindre regard favorable, torrent de larmes au moindre coup d'œil un peu froid; m'adorant aujourd'hui, m'idolâtrant demain; plus qu'idolâtre ensuite, se livrant à des hommages toujours nouveaux; enfin, si l'on avait partagé sa passion entre un million de cœurs, la part de chacun d'eux aurait été fort raisonnable. J'étais enchantée. Deux siècles, si nous les passions ensemble, n'épuiseraient pas cette tendresse-là, disais-je en moi-même; en voilà pour plus que je n'en userai. Je ne craignais qu'une chose, c'est qu'il ne mourût de tant d'amour avant que d'arriver au jour de notre union. Quand nous fûmes mariés, j'eus peur qu'il n'expirât de joie. Hélas! Madame, il ne mourut ni avant ni après, il soutint fort bien la joie. Le premier mois elle fut violente; le second elle devint plus calme, à l'aide d'une de mes femmes qu'il trouva jolie; le troisième elle baissa à vue d'œil, et le quatrième il n'y en avait plus. Ah! c'était un triste personnage après cela que le mien.

. . . .

Florian

LA BONNE MÈRE

SCÈNE 9

ARLEQUIN, LUCETTE

LUCETTE

Mais que vois-je? c'est Arlequin... Oui, c'est lui... Je ne me trompe pas. Et comment...?

ARLEQUIN, *se retirant.*

Je vous demande pardon, mademoiselle, c'est madame votre mère que je cherchais.

LUCETTE

Arlequin, arrêtez, répondez-moi. Que veut dire cet habit? que vous est-il arrivé? Je tremble de frayeur.

ARLEQUIN

Ne tremblez pas, mademoiselle, ne tremblez pas; je n'ai pas le projet de tuer M. Duval. Je ne veux la mort de personne, que la mienne.

LUCETTE

Mais expliquez-vous donc, et tirez-moi d'inquiétude. Pourquoi cet uniforme? Vous êtes-vous engagé?

ARLEQUIN

Engagé! je l'étais avec vous; c'était tout mon bonheur, c'était toute ma joie... Vous m'avez donné mon congé, vous m'avez chassé avec ignominie : j'ai été chercher un autre capitaine, bien moins aimable, mais un peu plus sûr.

LUCETTE

Est-il possible que vous ayez fait cette folie? est-il possible...?

ARLEQUIN

Mademoiselle, j'ai fait quelquefois des folies plus dangereuses; car enfin je n'ai engagé que ma vie à mon capitaine : ce qui peut·m'arriver de pis, c'est de la perdre; et une fois mort, on ne souffre plus. Mais quand on engage son cœur, quand on le donne, quand on le livre tout entier à celle que l'on chérit plus que soi-même, et qu'après l'avoir accepté elle le dédaigne, le déchire, le pique de cent coups d'épingle dans les endroits qu'elle connaît les plus sensibles, mademoiselle, cela fait plus de mal que de mourir, et cela fait mal bien plus longtemps.

LUCETTE

Et que dira votre mère? Vous ne songez pas qu'en m'abandonnant vous l'abandonnez aussi?

ARLEQUIN

Ce n'est pas moi qui vous abandonne, puisque je vous emporte dans mon cœur, et que vous m'avez dit : Va-t'en. Quant à ma mère, je n'ai point d'excuse, je le sais, et j'en pleure. Mais madame Mathurine la consolera, prendra soin d'elle pendant mon absence. Je venais l'en prier, je venais lui demander de remplir ma place auprès de ma mère. Ce n'était pas vous que je cherchais, mademoiselle : je voulais partir sans vous voir.

LUCETTE

Partir! Quoi! vous voulez partir dès aujourd'hui?

ARLEQUIN

Tout à l'heure. Il le faut bien : le capitaine m'a dit que le général était à la veille de donner bataille, et qu'il n'attendait plus que moi pour cela. Vous jugez bien que je ne peux pas faire attendre cet honnête homme.

LUCETTE

Mais, Arlequin, l'on vous a trompé. Soyez sûr...

ARLEQUIN

Oh! je le sais bien que l'on m'a trompé, mais ce n'est pas le capitaine. Mademoiselle, ne me retenez pas plus longtemps; je vous le répète encore, ce n'est pas vous que je cherchais, c'est madame Mathurine, votre mère, à qui je veux remettre ce papier. Est-elle chez elle?

LUCETTE

Elle est en affaire. *(Arlequin s'en va.)* Vous me quittez donc?

ARLEQUIN, *s'arrête.*

Je tâche de m'en aller, mais je ne vous quitte pas.

LUCETTE

Arlequin...

ARLEQUIN

Eh bien?

Il revient.

LUCETTE

Que je suis malheureuse!

ARLEQUIN

Je n'aurais jamais cru que c'eût été à moi de vous consoler aujourd'hui.

LUCETTE

N'en parlons plus, puisque votre parti est pris... *(Elle pleure.)* Dites-moi seulement ce que c'est que ce papier que vous voulez donner à ma mère.

ARLEQUIN, *refusant de le montrer.*

Oh! ce n'est rien, mademoiselle, ce n'est rien.

LUCETTE

Comment! je ne peux pas le voir?

ARLEQUIN

Vous le verrez quelque jour : ce n'est pas mon intention que vous le voyiez dans ce moment.

LUCETTE

Je vous en prie.

ARLEQUIN

Vous me priez! vous me priez de quelque chose, vous! Voici donc encore un petit moment de bonheur.

LUCETTE

Laissez-moi lire. *(Elle prend le papier, et lit :)* « Mon TESTAMENT. » Comment! votre testament?

ARLEQUIN

Sans doute : puisque l'on m'attend pour cette bataille, il faut bien mettre un peu d'ordre dans ses affaires.

LUCETTE, *continuant.*

« Comme ainsi soit que dès que l'on n'est plus aimé dans ce monde, on n'a rien de mieux à faire que d'en sortir, j'ai pris mon parti de profiter des bontés d'un capitaine qui veut bien m'envoyer à la bataille. J'espère qu'aussitôt que j'y serai arrivé, mon affaire sera finie le plus promptement possible; et c'est alors que je prie madame Mathurine, mère de mademoiselle Lucette, de vouloir bien être mon exécutrice testamentaire.

« D'abord, je demande pardon à ma mère de m'être fait tuer sans sa permission : mais comme c'est le premier chagrin que je lui ai donné, j'espère qu'elle me le pardonnera pour cette fois; l'assurant bien, du fond de mon âme, que jamais il ne m'arrivera plus de rien faire qui lui déplaise, et que je ne regrette de ce monde que le bonheur et le plaisir de l'aimer.

« Je donne et lègue à mademoiselle Lucette tout le bien paternel dont je peux disposer, sans mettre ma mère mal à son aise; lui pardonnant ma mort et tout ce qu'elle m'a fait souffrir, et désirant, de toute mon âme, qu'elle soit heureuse avec celui qu'elle m'a préféré. Je mets pourtant la condition à ce legs, que le premier garçon de mademoiselle Lucette sera nommé Arlequin, et qu'elle pensera quelquefois à moi en aimant et en caressant Arlequin, ce qui m'empêchera de m'ennuyer dans l'autre monde.

« Je donne encore et lègue une petite pension alimentaire au petit chien Aza, que j'ai donné à mademoiselle Lucette; sentant fort bien que ce petit chien ne sera plus aimé de sa maîtresse quand elle aura épousé mon rival, et ne voulant pas que ce bon petit chien, qui a été mon camarade, meure de faim pour avoir déplu comme moi.

« Voilà à quoi se réduisent toutes mes volontés : c'est la première et la dernière fois que j'en ai d'autres que celles de mademoiselle Lucette.

« Signé : ARLEQUIN. »

Arlequin veut reprendre le testament; Lucette le retient.

Arlequin, gardez votre bien; mais laissez-moi cet écrit : il ne me quittera jamais; je le lirai toute ma vie, du moins jusqu'à ce que mes larmes l'aient effacé.

ARLEQUIN

Vos larmes! Quoi! vous pleurez! Et de quoi pleurez-vous? Que vous est-il arrivé, mademoiselle Lucette? Ah! parlez, contez-moi vos peines : j'ai bien cédé votre bonheur à M. Duval, mais je ne veux céder à personne vos chagrins.

LUCETTE

Mon ami...

ARLEQUIN

Oui, je suis votre ami, je le suis toujours, je le serai tant que je vivrai. Vous n'avez plus voulu être mon amie, vous m'avez ôté votre amitié; c'est un bien grand malheur pour moi : mais ce qui l'a un peu soulagé, c'est que je n'ai jamais pu vous ôter la mienne. Répondez-moi donc, qu'avez-vous? qu'est-ce qui vous chagrine?

LUCETTE

Le repentir, la honte d'avoir pu vous méconnaître un moment, d'avoir été ingrate envers vous. Ma vanité, mon âge, m'ont égarée : mon cœur n'a pas été coupable, mon cœur vous a toujours aimé, Arlequin, soyez-en bien sûr : et cet amour si vrai...

ARLEQUIN

Que dites-vous donc, Lucette? Répétez, répétez, je vous en prie. Je n'ai sûrement pas bien entendu. Vous m'aimeriez! vous m'aimeriez encore! Hélas! mon Dieu! votre changement a pensé me faire mourir de douleur, votre retour me ferait mourir de joie. Je n'ai pas besoin d'aller à la bataille, vous me tuerez quand vous voudrez.

LUCETTE

Oui, je t'aime, je t'ai toujours aimé; je pleurerai toute ma vie le malheur de t'avoir perdu. Je te le dis, je te le répète, je trouve du plaisir à te l'avouer dans l'instant où je n'espère plus de pardon, où je ne me flatte plus...

ARLEQUIN

De pardon! Ma bonne amie, qu'est-ce que c'est que ce mot-là? Quoi! j'allais mourir, tu m'accordes la vie, et tu me parles de te pardonner! Mais c'est à moi de te remercier, puisque c'est moi qui reçois ma grâce.

LUCETTE

Quoi! tu daignerais!...

ARLEQUIN

Oui, je daignerai être heureux. Car, il ne faut pas t'abuser, toute perfide, tout infidèle que tu étais, je n'ai pu te haïr. Tu l'aurais été cent fois davantage, que je t'aurais toujours chérie. Il dépendait de toi, mon amie, de m'ôter mon bonheur, mais non pas mon amour.

LUCETTE, *lui tend la main.*

Faisons donc la paix : veux-tu?

ARLEQUIN

De toute mon âme. Mais vous ne danserez plus avec M. Duval?

LUCETTE

Je ne lui parlerai de ma vie. Mais tu n'iras point à la guerre?

ARLEQUIN

Ah! dame! c'est difficile à arranger, à cause de ce général qui m'attend. Mais, écoute, je lui écrirai qu'il donne toujours la bataille, parce que j'ai eu des affaires, et que je me suis arrangé avec toi; et s'il lui fallait absolument quelqu'un, nous pourrions lui envoyer à ma place M. Duval. Ma mère arrangera tout cela avec le capitaine, qui est un bon homme.

LUCETTE

Et le sansonnet?

ARLEQUIN

Il est revenu chez nous. Ce drôle-là s'est douté que nous nous raccommoderions.

LUCETTE

Puisque tu me pardonnes, je suis heureuse; et je te promets bien que M. Duval ne te donnera jamais de chagrin. Je veux lui déclarer devant toi...

SCÈNE 4

PANCRACE, SGANARELLE

PANCRACE, *se tournant du côté par où il est entré,*
et sans voir Sganarelle.

Allez, vous êtes un impertinent, mon ami, un homme bannissable de
la République des lettres.

SGANARELLE

Ah! bon, en voici un, fort à propos.

PANCRACE, *de même, sans voir Sganarelle.*

Oui, je te soutiendrai par vives raisons que tu es un ignorant, ignorantissime, ignorantifiant et ignorantifié par tous les cas et modes imaginables.

SGANARELLE, *à part.*

Il a pris querelle contre quelqu'un. *(A Pancrace.)* Seigneur...

PANCRACE, *de même, sans voir Sganarelle.*

Tu veux te mêler de raisonner, et tu ne sais pas seulement les éléments
de la raison.

SGANARELLE, *à part.*

La colère l'empêche de me voir. *(A Pancrace.)* Seigneur...

PANCRACE, *de même, sans voir Sganarelle.*

C'est une proposition condamnable dans toutes les terres de la philosophie.

SGANARELLE, *à part.*

Il faut qu'on l'ait fort irrité. *(A Pancrace.)* Je...

PANCRACE, *de même, sans voir Sganarelle.*

Toto coelo, tota via aberras.

SGANARELLE

Je baise les mains à Monsieur le Docteur.

PANCRACE

Serviteur.

SGANARELLE

Peut-on?...

PANCRACE, *se retournant vers l'endroit où il est entré.*

Sais-tu bien ce que tu as fait? Un syllogisme *in balordo.*

SGANARELLE

Je vous...

PANCRACE, *de même.*

La majeure en est inepte, la mineure impertinente, et la conclusion ridicule.

SGANARELLE

Je...

PANCRACE, *de même.*

Je crèverais plutôt que d'avouer ce que tu dis, et je soutiendrai mon opinion jusqu'à la dernière goutte de mon encre.

SGANARELLE

Puis-je?...

PANCRACE, *de même.*

Oui, je défendrai cette proposition, *pugnis et calcibus, unguibus et rostro.*

SGANARELLE

Seigneur Aristote, peut-on savoir ce qui vous met si fort en colère?

PANCRACE

Un sujet le plus juste du monde.

SGANARELLE

Et quoi, encore?

PANCRACE

Un ignorant m'a voulu soutenir une proposition erronée, une proposition épouvantable, effroyable, exécrable.

SGANARELLE

Puis-je demander ce que c'est?

PANCRACE

Ah! Seigneur Sganarelle, tout est renversé aujourd'hui, et le monde est tombé dans une corruption générale. Une licence épouvantable règne partout; et les magistrats, qui sont établis pour maintenir l'ordre dans cet État, devraient rougir de honte en souffrant un scandale aussi intolérable que celui dont je veux parler.

SGANARELLE

Quoi donc?

PANCRACE

N'est-ce pas une chose horrible, une chose qui crie vengeance au Ciel, que d'endurer qu'on dise publiquement la forme d'un chapeau?

SGANARELLE

Comment?

PANCRACE

Je soutiens qu'il faut dire la figure d'un chapeau, et non pas la forme : d'autant qu'il y a cette différence entre la forme et la figure, que la forme est la disposition extérieure des corps qui sont animés, et la figure, la disposition extérieure des corps qui sont inanimés; et puisque le chapeau est un corps inanimé, il faut dire la figure d'un chapeau et non pas la forme. *(Se retournant encore du côté par où il est entré.)* Oui, ignorant que vous êtes, c'est comme il faut parler, et ce sont les termes exprès d'Aristote dans le chapitre *De la Qualité.*

SGANARELLE, *à part.*

Je pensais que tout fût perdu. *(A Pancrace.)* Seigneur Docteur, ne songez plus à tout cela. Je...

PANCRACE

Je suis dans une colère, que je ne me sens pas.

SGANARELLE

Laissez la forme et le chapeau en paix; j'ai quelque chose à vous communiquer. Je...

PANCRACE

Impertinent fieffé!

SGANARELLE

De grâce, remettez-vous. Je...

PANCRACE

Ignorant!

SGANARELLE

Eh! mon Dieu! Je...

PANCRACE

Me vouloir soutenir une proposition de la sorte!

SGANARELLE

Il a tort. Je...

PANCRACE

Une proposition condamnée par Aristote!

SGANARELLE

Cela est vrai. Je...

PANCRACE

En termes exprès!

SGANARELLE

Vous avez raison. *(Se tournant du côté par où Pancrace est entré.)* Oui, vous êtes un sot et un impudent, de vouloir disputer contre un docteur qui sait lire et écrire. *(A Pancrace.)* Voilà qui est fait. Je vous prie de m'écouter. Je viens vous consulter sur une affaire qui m'embarrasse. J'ai dessein de prendre une femme pour me tenir compagnie dans mon ménage. La personne est belle et bien faite; elle me plaît beaucoup et est ravie de m'épouser. Son père me l'a accordée; mais je crains un peu ce que vous savez, la disgrâce dont on ne plaint personne, et je voudrais bien vous prier, comme philosophe, de me dire votre sentiment. Eh! quel est votre avis là-dessus?

PANCRACE

Plutôt que d'accorder qu'il faille dire la forme d'un chapeau, j'accorderais que *datur vacuum in rerum natura*, et que je ne suis qu'une bête.

SGANARELLE, *à part.*

La peste soit de l'homme! *(A Pancrace.)* Eh! Monsieur le Docteur, écoutez un peu les gens. On vous parle une heure durant, et vous ne répondez point à ce qu'on vous dit.

PANCRACE

Je vous demande pardon. Une juste colère m'occupe l'esprit.

SGANARELLE

Eh! laissez tout cela, et prenez la peine de m'écouter.

PANCRACE

Soit. Que voulez-vous me dire?

SGANARELLE

Je veux vous parler de quelque chose.

PANCRACE

Et de quelle langue voulez-vous vous servir avec moi?

SGANARELLE

De quelle langue?

PANCRACE

Oui.

SGANARELLE

Parbleu! de la langue que j'ai dans la bouche; je crois que je n'irai pas emprunter celle de mon voisin.

PANCRACE

Je vous dis : de quel idiome, de quel langage?

SGANARELLE

Ah! c'est une autre affaire.

PANCRACE

Voulez-vous me parler italien?

SGANARELLE

Non.

PANCRACE

Espagnol?

SGANARELLE

Non.

PANCRACE

Allemand?

SGANARELLE

Non.

PANCRACE

Anglais?

SGANARELLE

Non.

PANCRACE

Latin?

SGANARELLE

Non.

PANCRACE

Grec?

SGANARELLE

Non.

PANCRACE

Hébreu?

SGANARELLE

Non.

PANCRACE

Syriaque?

SGANARELLE

Non.

PANCRACE

Turc?

SGANARELLE

Non.

PANCRACE

Arabe?

SGANARELLE

Non, non, français.

PANCRACE

Ah! français!

SGANARELLE

Fort bien.

PANCRACE

Passez donc de l'autre côté; car cette oreille-ci est destinée pour les langues scientifiques et étrangères, et l'autre est pour la maternelle.

SGANARELLE, *à part.*

Il faut bien des cérémonies avec ces sortes de gens-ci!

PANCRACE

Que voulez-vous?

SGANARELLE

Vous consulter sur une petite difficulté.

PANCRACE

Sur une difficulté de philosophie, sans doute?

SGANARELLE

Pardonnez-moi. Je...

PANCRACE

Vous voulez peut-être savoir si la substance et l'accident sont termes synonymes ou équivoques à l'égard de l'Être?

SGANARELLE

Point du tout. Je...

PANCRACE

Si la logique est un art ou une science?

SGANARELLE

Ce n'est pas cela. Je...

. . . .

Index

1. Il n'a pas été tenu compte dans cet index de ce qui traite de l'exécution en général ou de celle d'un personnage, ceci étant la matière du livre.

INDEX DES TITRES
DES PIÈCES CITÉES [1]

1. Sauf lorsqu'elles sont le sujet du cours.

INDEX DES NOMS
DES PERSONNAGES CITÉS

INDEX DES NOMS

DES PERSONNES CITÉES

Pratique du Théâtre

Collection publiée sous la direction d'André Veinstein.

Essais, conférences, notes, manifestes, articles, correspondances : Les hommes de théâtre, depuis la fin du siècle dernier, soumettent la pratique de leur art à un incessant effort d'élucidation.

Cet imposant ensemble d'écrits, intimement liés à leur travail, ne contient pas seulement, pour les esthéticiens, les psychologues et les sociologues, des observations brutes du plus haut intérêt. Il apporte encore, à notre jeune théâtre, parmi les témoignages incomplets et pâlis qui subsistent après le spectacle, nombre de ses motifs d'inspiration les plus féconds. Derrière les noms de Craig, de Copeau et d'Artaud, par exemple, a-t-on jamais songé à déterminer la part primordiale d'influence qui revenait à leurs réflexions, par rapport à leurs productions?

Pratique du Théâtre se propose de grouper, sans distinction de tendance, de nationalité ou d'époque, les meilleurs de ces écrits. Au programme de cette tentative de confrontation des réflexions les plus marquantes des artisans du théâtre : Auteurs dramatiques, Metteurs en scène, Acteurs, Décorateurs, et des Arts du spectacle voisins : Mimes, Danseurs, Marionnettistes, figurent les noms d'Eugène Ionesco, de Dürrenmatt, de Jacques Copeau, d'August Strindberg, d'Étienne Decroux, de Meyerhold, d'Arthur Adamov, de Louis Jouvet, de Charles Dullin, de Paul Claudel, de Luigi Pirandello, de Lee Strasberg, de Jean Vilar, de Julian Beck.

Volumes parus :

Reproduit et achevé d'imprimer
par l'Imprimerie Floch
à Mayenne, le 26 février 1988.
Dépôt légal : février 1988.
1er dépôt légal : novembre 1965.
Numéro d'imprimeur : 26438.
ISBN 2-07-023473-8 / Imprimé en France.